29 JOURS AVANT LA FIN DU MONDE

GERALD MESSADIÉ

29 JOURS AVANT LA FIN DU MONDE

FRANCE LOISIRS
123, boulevard de Grenelle, Paris

Édition du Club France Loisirs, Paris,
réalisée avec l'autorisation des Éditions Robert Laffont

Le Code de la propriété intellectuelle n'autorisant, aux termes des paragraphes 2 et 3 de l'article L. 122-5, d'une part, que les « copies ou reproductions strictement réservées à l'usage privé du copiste et non destinées à une utilisation collective » et, d'autre part, sous réserve du nom de l'auteur et de la source, que les « analyses et les courtes citations justifiées par le caractère critique, polémique, pédagogique, scientifique ou d'information », toute représentation ou reproduction intégrale ou partielle, faite sans le consentement de l'auteur ou de ses ayants droit ou ayants cause, est illicite (article L. 122-4). Cette représentation ou reproduction, par quelque procédé que ce soit, constituerait donc une contrefaçon sanctionnée par les articles L. 335-2 et suivants du Code de la propriété intellectuelle.

© Éditions Robert Laffont, S.A., Paris, 1995
ISBN 2-7242-9080-1

The tigers of wrath
are wiser than the horses of instruction.

WILLIAM BLAKE

1.

À 6 h 4, un camion bâché s'arrêta sur le bas-côté d'une route du Luxembourg et cahota prudemment sur une piste rocailleuse jusqu'à ce qu'il fût devenu invisible de la route. À travers les frondaisons qu'arrosait une pluie fine se détachait, à cinq cents mètres environ, la silhouette archaïque du château de Betzdorf.

Six hommes étaient assis sur des banquettes, sous la bâche, entre des appareils volumineux, visiblement électroniques, sauf pour un groupe électrogène. L'un d'eux suggéra qu'on servît le thé. Un autre dévissa un thermos et distribua la boisson dans des gobelets de carton. Un autre homme, la quarantaine incertaine, et dont la peau était tendue sur son crâne comme si le Seigneur en avait économisé à l'extrême le précieux tissu, lui faisant ainsi une superbe tête de mort, alluma une télévision. Le sigle CNN apparut sur un coin de l'écran. D'un œil dédaigneux, les passagers sous la bâche scrutèrent les images : femmes peintes, quasi nues sous des éclairages d'incendie et secouées de spasmes musicaux, agonisants ruisselant de sang, couples béats dans des paysages tropicaux, foules déferlantes, nageurs sous-marins, débris d'avions inspectés par des hommes en combinaisons, parleurs, parleurs, à Oulan-Bator, Bratislava, Paris, Tokyo ou ailleurs. De brefs commentaires des passagers du camion, parfois des ricanements, saluaient ces images.

« Le règne des démons », dit l'un d'entre eux dans sa langue.

À 6 h 46 apparut le visage du président des États-Unis, Wayne Thorpe, masque de caoutchouc ravagé. Un silence parfait se fit sous la bâche. Dans le fameux Bureau ovale de la Maison-Blanche, Thorpe exposait la position des États-Unis dans la configuration politique et sociale mondiale qui était apparue depuis l'effondrement du mur de Berlin et la chute de l'URSS, ainsi que la teneur de ses entretiens tripartites avec le président de Russie, Andreï Bezoukhov, et le premier secrétaire du Parti communiste de Chine, Yen Ji, sur les moyens de protéger la paix mondiale.

L'homme à la tête de mort leva le bras. Celui d'un autre se posa sur un boîtier de la taille d'une cartouche de cigarettes. Un troisième appuya sur un bouton. Une antenne creuse d'un diamètre de douze centimètres commença à monter. Elle traversa rapidement la bâche du camion jusqu'à ce qu'elle eût atteint sa hauteur maximale de 19,56 m. Le sommet s'en balança doucement dans la brise nocturne. Un homme actionna le groupe électrogène. Une vibration régulière se transmit au véhicule. L'homme à la tête de mort abattit rapidement le bras qu'il avait tenu levé et, au loin, le fracas d'une détonation, étouffé par la pluie, chemina à travers la bâche et le bruit du trafic sur la route mouillée. Le troisième homme, assis devant une console, appuya sur trois manettes en moins d'une seconde et demie.

La tête de mort magnifique observait l'écran. Quarante et une secondes plus tard, un léger sourire fendait sa peau d'ivoire, lui prêtant la beauté au-delà de la beauté dont les visages du Bouddha sont le paradigme. L'antenne redescendit en soixante-dix secondes. Le groupe électrogène fut arrêté.

« Compression numérique très rapide », dit le Bouddha.

Sur un ordre bref de la tête de mort, le camion se remit

en route, accéda difficultueusement à la route et gagna la frontière allemande. La tête de mort souriait exquisément. On lui servit un autre gobelet de thé et, cette fois, un biscuit salé.

À six kilomètres de là, le camion s'arrêta, les hommes descendirent, emportant l'antenne, dont les vingt segments de carton spécialement traité emboîtés les uns dans les autres brûleraient sous peu dans un incinérateur sans laisser de traces. L'équipement électronique fut débarqué prestement et embarqué dans deux camionnettes.

Le camion, dont la bâche portait le sigle déteint d'une prétendue Société des groupes électrogènes, domiciliée au Luxembourg, se perdit dans le réseau routier allemand, gagnant Hambourg par des itinéraires détournés.

À 7 h 36 du soir, le président Thorpe prononçait le dernier mot de son adresse à l'université Harvard. Les applaudissements plurent, pareils au crépitement de grêlons sur l'asphalte. Le recteur de Harvard, assis légèrement en retrait sur l'estrade présidentielle, applaudit vigoureusement le discours. Les membres de l'escorte présidentielle également. Le président hocha la tête plusieurs fois en souriant. Sur l'estrade, son épouse, Mary Cathcart Thorpe, quitta des yeux l'écran témoin qui permettait de suivre les images retransmises par le système de télévision fermé de l'université et dont des extraits seraient repris plus tard par les grandes chaînes du pays. Elle applaudit elle aussi, le visage rayonnant et détendu, ce visage de matrone aimable, pétri de bon sens et de sérénité, qui avait tant contribué au succès de son époux.

Le président venait d'entretenir l'auditoire, étudiants, professeurs, économistes, politiciens, journalistes, de la place des États-Unis dans le nouvel équilibre mondial. C'était un préambule de circonstance, académique à souhait, à la retransmission de la déclaration « historique » sur la conférence tripartite. Organisée d'ailleurs à grand-peine par le secrétaire d'État Bob Closegate III.

Le recteur se leva pour prononcer une allocution de remerciement. Les lumières baissèrent, les regards se tournèrent vers l'écran de cinéma sur lequel l'émission serait projetée simultanément sur la totalité des territoires nord et sud-américains et le reste du monde. À la fin de la projection, une collation devait réunir dans le Jefferson Hall une cinquantaine d'invités triés sur le volet.

Le visage grossi aux dimensions d'une gueule de *Tyrannosaurus rex*, le présentateur de l'émission annonça qu'on allait assister à une déclaration d'une importance historique inégalée depuis la fondation de la République fédérale, parce qu'elle dessinait l'ordre mondial qui régnerait, par consensus entre les trois grandes puissances, bien avant dans le XXIe siècle, etc.

Les images frôlèrent les délires de saint Jean dans l'Apocalypse.

À la place de Wayne Thorpe apparut, à la table du célèbre Bureau ovale, Donald Duck, qui nasilla gaiement, cigare au bec.

« Hiyya ! Hiyya folks ! »

L'épouvante se peignit soudain sur le visage du fameux canard, car deux personnages, également dessinés, engagés dans une version inattendue de la lutte gréco-romaine, s'abattirent sur le bureau présidentiel. Sur un fond sonore de grognements sauvages mâles et femelles, l'image de Donald Duck fut bousculée, éjectée hors champ et remplacée par celle de Superman, les chausses rabattues sur les mollets, copulant furieusement avec Spiderwoman. L'orgasme ayant, à l'évidence, été atteint au bout de peu de secondes, Superman se trouva propulsé vers l'arrière dans des rugissements virils, où l'on distinguait nettement les mots :

« I got AIDS ! Gotcha bitch ! I socked it to you ! »

S'élançant alors vers Superman toutes griffes dehors, la colère grimaçante, Spiderwoman se trouva retenue par Donald Duck, lequel fut décapité sur-le-champ quand la mégère se retourna, folle de rage. Brusquement surgirent deux intrus, Mickey Mouse et Batman, qui s'élancèrent vers la virago. Spiderwoman prit son envol par la fenêtre vers la statue de la Liberté, sur laquelle elle se percha, accroupie, toutes griffes dehors. De l'œil de la statue surgit d'abord un bras velu, puis le corps entier de King Kong, qui saisit le pied de la furie, laquelle se libéra en lui décochant une décharge électrique...

Moins d'une minute s'était écoulée. La salle et les personnalités sur l'estrade furent d'abord paralysées par une indicible horreur. Puis des cris hystériques fusèrent, des cris d'hommes retentirent, des galopades erratiques firent vibrer le plancher. L'équipe présidentielle, en retrait sur l'estrade, qui avait d'abord observé du coin de l'œil l'émission sur le téléviseur témoin, fut ensuite fascinée et, en l'espace de quelques fractions de seconde, envahie par un désordre psychologique qui ressemblait à s'y méprendre à une combinaison de folie délirante et de danse de Saint-Guy.

« Arrêtez ! Arrêtez tout ! » hurla le chef du personnel de toute la force de ses poumons. « Lumières ! Lumières, bordel de nom de Dieu ! »

La lumière se fit, des crises de fou rire indécentes secouaient des étudiants et même des professeurs. Les photographes commirent l'indécence de mitrailler le visage du président Thorpe, défiguré par l'horreur. L'opérateur, peut-être salace, ou bien pris d'égarement, n'avait pas arrêté la projection. Les images infernales défilaient toujours sur l'écran.

Donald Duck, mystérieusement reconstitué, s'était propulsé comme une fusée cancanante vers Spiderwoman et, après avoir aveuglé King Kong de solides coups de bec, pédiquait avec entrain Spiderwoman, cramponnée à la tiare de la statue de la Liberté et saisie entre le stupre et la colère.

« *My God ! My God !* » murmura la secrétaire du président.

Le cou tendu, cramoisi, le président des États-Unis fixait

l'écran d'un œil injecté de sang tandis que son épouse sanglotait.

« Qu'est-ce que c'est que ça ? » dit-il d'une voix rauque. « Apocalypse ! Apocalypse ! »

Puis sa voix atteignit le paroxysme de sa puissance ; il se leva à moitié et répéta la question. La consternation générale avait infiltré le dernier atome de l'air. S'il y avait eu une réponse, si quelqu'un avait eu l'audace de la lui offrir, elle n'eût pu lui parvenir à travers les molécules d'oxygène et d'azote rendues aussi denses que le granit.

« C'est à la régie que ça se passe », dit le chef de l'équipe de télévision de la Maison-Blanche.

« Qu'est-ce que ça veut dire ? » demanda Mary Thorpe.

« L'émission a dû arriver intacte jusqu'à la régie. Mais c'est à la sortie de la régie, dans la salle d'émission vers les satellites, qu'a eu lieu le sabotage. »

« Appelez la régie ! » cria-t-elle au chef opérateur, qui était déjà accroché au téléphone.

L'ennui était que les téléphones de la régie sonnaient, évidemment, occupés.

Son épouse se tenait près de lui, blême et muette, le regard vissé sur l'écran qui continuait de projeter des images de plus en plus démentes. Entre-temps, en effet, la scène s'était déplacée au sommet de l'Empire State Building et, là, King Kong, ayant recouvré ses moyens, avait agrippé les collants de Spiderwoman et les lui arrachait, comme on pèle une banane, mettant son vagin à nu. Le chef du personnel de la Maison-Blanche, agenouillé près du téléphone mobile de la présidence, appelait le général Lloyd T. McLane à la NSA. Personne ne lui prêtait attention, personne ne lui répondait, ou bien il n'entendait pas les réponses. Il aurait aussi bien pu essayer d'appeler l'archange Michel, ou Gabriel, ou Raphaël au jour du Jugement dernier. Ou bien essayer de se faire livrer une dinde pendant le siège de Valley Forge ou une pizza pendant la prise d'Iwo Jima. De toute façon, le président Thorpe s'était levé, au bord de l'apoplexie, se prenant les pieds dans on ne savait quels fils sataniques, et, suivi par son épouse éplorée, le recteur et une meute de journalistes, gagnait la sortie.

« Il faut rentrer immédiatement à Washington ! » cria-t-il.

Ce fut presque au pas de course qu'il gagna le grand hall de l'université, suivi de son escorte. Les journalistes entreprirent l'hallali.

« Pouvez-vous nous dire quelque chose ? Que s'est-il passé ? La sécurité nationale est-elle menacée ? »

« Vous l'apprendrez dans la soirée ! » lâcha Mary Thorpe, en se retournant comme dans une scène biblique, la voix étranglée.

Les gardes du corps portèrent quasiment Thorpe jusqu'à sa voiture. Celle-ci fonça vers les terrains de sport universitaires où quatre hélicoptères de l'US Army stationnaient, gardés par une flotte de voitures de la police militaire. Thorpe, son épouse, le chef du personnel et la secrétaire du président s'engouffrèrent, avec la mallette au bouton rouge et le minicentral téléphonique, dans l'appareil présidentiel. Un officier ferma respectueusement la porte du gigantesque coléoptère de métal vert. Les pales tournoyèrent, puis étincelèrent. Les flashes crépitèrent encore, les projecteurs des caméscopes de télévision croisèrent leurs feux, les arbres voisins s'agitèrent dans la tourmente. Le phare éblouissant de l'hélicoptère présidentiel balaya de sa lumière jaunâtre le terrain de base-ball, les clignotants rouges montèrent dans le ciel, et, une minute plus tard, le vrombissement de l'appareil résonnait sous les nuages, tandis que le dernier des trois autres appareils faisait déjà tournoyer ses pales pour s'élancer à la suite de ses compagnons. Seule, peut-être, la montée du prophète Ézéchiel vers le ciel avait-elle été aussi impressionnante.

À brève distance de là, le recteur observait la scène en sanglotant.

« Une autre guerre, mon Dieu ? » demanda-t-il, les larmes aux yeux.

Et, se tournant vers un vieil ami, professeur emeritus d'économie politique, il s'écria : « *My Lord, bless America !* »

Mais déjà les journalistes refluaient comme un troupeau de daims affolé vers les téléphones de l'université. Pendant ce temps, des salopards de vicieux dénués de tout sens patriotique continuaient de regarder le film infâme. Batman faisait subir les derniers outrages à Superman pendant que Spiderwoman faisait rôtir Donald Duck.

2.

Mafalda Ohlberg, gérante d'un restaurant de faux poisson et de viande reconstituée à base de soja à Journal Square, Jersey City, s'épongea le front parce que la climatisation s'était automatiquement arrêtée — les nouveaux climatiseurs, dits chaotiques, s'interrompaient de temps à autre, de façon aléatoire, pour donner l'impression de la réalité — et dit impérieusement : « Radio ! » au boîtier de fausse nacre, à commande vocale, qu'elle portait à la boutonnière. L'appareil, qu'on appelait un Symplexe, avait les dimensions d'une ancienne boîte d'allumettes de cuisine. Il était relié par des ondes infrarouges à des sortes de lunettes, dites visette, dont les branches moulées faisaient fonction d'écouteurs. Une visette ressemblait à peu près à des lunettes de grands mal-voyants. Mafalda portait la sienne sur le front, car elle n'avait pas encore besoin de sa fonction optique. Elle prêta un peu d'attention, pendant quelques instants, aux informations diffusées, et apprit que ce jour-là, le 8 avril 1997, onze personnes avaient péri dans le Grand New York parce qu'elles avaient porté leurs visettes dans la rue et qu'elles avaient été renversées par des voitures, et que six autres avaient aussi été renversées par des voitures parce que l'usage excessif des visettes avait dérangé leur sens de l'équilibre. Un bulletin annonça des nouvelles qu'elle ne comprit pas très bien et qui concernaient le président

Thorpe. Mafalda portait à la politique autant d'intérêt qu'à l'entomologie.

Elle soupira et dit à haute voix : « Musique. » L'appareil sélectionna automatiquement une station qui diffusait une musique synthétique beaucoup trop saccadée. Les nerfs éprouvés, en dépit du comprimé d'Aldomir avalé au déjeuner, Mafalda consultait sur son écran mural l'inventaire des denrées en réserve et elle avait besoin d'un certain calme. Il manquerait une vingtaine de rouleaux de viande et autant de poisson pour le soir. Elle dit encore : « Téléphone Yono » et obtint du même boîtier, trois sonneries plus tard, la fabrique Yono de denrées alimentaires hygiéniques. Elle commanda vingt-cinq rouleaux de viande et autant de poisson. Une voix nasale lui répondit qu'on la livrerait dans deux heures environ. Elle dit : « Merci » puis redit : « Musique. » La même musique saccadée revint. Mafalda pesta et cria : « Non ! » La radio changea de station, et cette fois Mafalda obtint des mélodies douces et rêveuses qui lui apaisèrent les nerfs. De plus, le climatiseur s'était remis en marche.

Ces informations sur les victimes de visettes l'avaient cependant troublée. Elle dit : « Téléphone maison. » Plusieurs bourdonnements d'appel demeurés sans réponse commencèrent à alarmer Mafalda. Enfin, un déclic l'informa que le téléphone avait été décroché, et elle rabattit la visette sur son nez. Elle dit : « Optique », enclenchant ainsi l'une des fonctions principales de la visette, la fonction optique donc, qui réalisait ce qu'on appelait autrefois la vidéophonie. Elle aperçut, sur l'écran stéréoscopique bleuâtre, sa fille Nella, huit ans, les doigts dégouttant de chocolat et le museau barbouillé. Quand elle rentrait chez elle, Mafalda pouvait suivre ses itinéraires aux traces de soda rouge et de chocolat sur les meubles et la moquette.

« Ma ? » dit la voix plaintive de Nella, surprise en flagrant délit.

« Tu as encore mangé du chocolat. »

« C'est du faux, ma ! »

« Nella, écoute-moi. Je ne veux pas que tu sortes de la maison avec la visette sur le nez, tu m'as comprise ? »

« Oui, ma. »

« Il y a dix petites filles jolies comme toi qui ont été écrabouillées ce matin parce qu'elles étaient sorties dans la rue avec la visette sur le nez. Tu m'écoutes ? »

« Oui, ma. Tu me l'as déjà dit. »

« Je ne veux pas que tu finisses écrabouillée, Nella, tu m'entends ? »

« Oui, ma », fit Nella d'un ton exaspéré en se suçant le doigt le plus riche en faux chocolat.

« Bon, ne sors pas non plus tout de suite après avoir usé de la visette. Tu comptes jusqu'à vingt avant de sortir, tu m'as comprise ? »

« Oui, ma »

« C'est affreux d'être écrabouillée, Nella. On a toutes les tripes dehors et on souffre horriblement. »

« Oui, ma. »

« Bon, je t'embrasse. Je rentrerai comme d'habitude. »

« Oui, ma. »

Mafalda Ohlberg soupira une fois de plus. Le climatiseur poussa une pointe de froid exagérée. L'ennui était qu'on ne trouvait plus de climatiseurs à l'ancienne, ceux qui diffusaient de la fraîcheur en continu : d'abord, ils avaient tous fonctionné avec des chlorofluorocarbones, substance maudite dont on assurait qu'elle avait troué la couche d'ozone terrestre, ensuite, la mode était aux appareils chaotiques. Quand on pouvait encore trouver des anciens, c'était à prix d'or, et personne ne savait plus les remettre en état de façon sérieuse. Mafalda replia donc le col de sa blouse sur sa poitrine moite et généreuse et, sans remonter sa visette sur le front, appuya sur le sélecteur 2, celui qui transmettait votre image traitée. Cela présentait un avantage considérable : on pouvait être en cheveux et en train de caguer, le sélecteur offrait une image synthétique qui vous représentait exquisément coiffée, maquillée et habillée, sur un fond idyllique, un intérieur élégant, des palmiers se balançant dans la brise ou un jardin fleuri. Un synchroniseur accordait les mouvements des lèvres à ceux des mots qu'on prononçait. L'illusion était parfaite, n'était, dans certains cas, un léger décalage entre la synchronisation et le son. Elle dit au Symplexe : « Téléphone Robbie. » Deux sonneries plus tard, elle obtint son amant, comptable à la morgue de Jersey City.

« Robbie chéri ? »

La première image fut un peu brouillée ; sans doute Robbie s'était-il laissé surprendre avec la visette au naturel et, quand il avait reconnu la voix de Mafalda, s'était-il, lui aussi, mis sur le sélecteur 2. L'image actuelle le représentait souriant, vêtu d'un T-shirt gonflé par un torse puissant et délicatement corrigé au niveau de l'abdomen. Mafalda savait que la réalité était quelque peu différente, mais elle savait aussi bien que sa propre image traitée bénéficiait de gommages flatteurs du ventre et des culottes de cheval.

« Mafa, quelle heureuse surprise. »

Il n'avait pourtant pas du tout l'air heureusement surpris. La sonnerie avait interrompu sa projection en visette d'un film particulièrement salace. Comme Robbie s'était offert des gants virtuels et la console qui restituait des sensations tactiles, il était en train de chiffonner une jolie Noire quand l'appel avait bourdonné.

« Je te dérange ? »

« Pas du tout, j'étais en train de réviser la liste des entrées. Cinq malheureuses victimes des visettes dans la rue. »

« Je sais, j'ai entendu. »

« Quelles nouvelles, de ton côté ? »

« Rien, il paraît que Thorpe est devenu fou. »

« Je sais, j'ai entendu quelque chose dans ce genre. Nous nous voyons ce soir ? »

« Oui, on dîne dehors. Viens plus tôt. »

« Oui », dit-il sans enthousiasme. « À tout à l'heure, ma chérie. »

Mafalda Ohlberg considéra un moment l'image souriante, mais désormais fixe, de son bien-aimé, comme elle se plaisait à l'appeler, et ressentit une frustration qui se traduisit par un nouveau soupir. Elle avait, se dit-elle, perdu son équilibre tantrique, selon les termes de son professeur de yoga. Elle s'efforça de le retrouver en recourant à l'exercice de la suspension du Moi. Cela consistait à retenir son souffle plusieurs fois de suite, en s'astreignant à ne penser à rien, jusqu'à ce que le Moi aural se détachât de son enveloppe charnelle et que l'air même portât contenant et contenu au-dessus de la réalité.

Elle avait, croyait-elle, réussi cet exercice plusieurs fois. Toutefois, là, elle manqua de grâce, et, redressant le torse pour induire l'ascension de son Moi vers l'idéal du Non-Moi, elle péta et détecta simultanément une froideur désagréable dans le sexe. Elle avait sans doute perdu momentanément le contrôle de ses sphincters ; l'idée l'assombrit.

3.

Quand les hélicoptères atterrirent à la Maison-Blanche, quarante minutes plus tard, une escouade de journalistes cernait déjà l'édifice, sur Constitution Avenue, la 15e Rue et Pennsylvania Avenue, à pied, en voiture, en camion, chargés de tous les appareils possibles d'enregistrement et de transmission. Alertés par leurs collègues de Harvard, les correspondants spéciaux de la Maison-Blanche, qui s'étaient absentés pour aller dîner, escomptant une soirée de routine, étaient déjà à leurs postes dans ce qu'ils appelaient le Caveau, au rez-de-chaussée du célèbre palais aux prétentions architecturales hellénistiques. Ils encombraient les fenêtres et purent, au nombre de membres de la police fédérale et de la police militaire qu'ils virent défiler, déduire qu'une alerte maximale avait été déclenchée.

Le couple présidentiel gagna le Bureau ovale, suivi par le chef du personnel et la secrétaire personnelle du président. Le vice-président Clay Hackmann, encore plus efflanqué que d'habitude, les attendait à la porte en se tordant les mains. Un peu rasséréné par l'injection de tranquillisant-euphorisant qu'on lui avait faite pendant le vol de retour, le président Thorpe lui donna l'accolade. Les membres de l'équipe de nuit se tenaient aux portes, quelques-uns les larmes aux yeux. Le conseiller du président pour la sécurité nationale, Anthony Lake, venait d'arriver, les yeux plus rouges et la nuque plus basse que d'habitude accentuant sa ressemblance bien connue avec un doberman.

« Monsieur le président », dit le chef du personnel, accourant essoufflé, « le monde entier a appelé et continue d'appeler. Que dois-je répondre ? »

« Que nous sommes en conférence de la plus grande urgence. Je rappellerai demain les chefs d'État. En attendant, faites convoquer le chef des états-majors et le secrétaire d'État », ordonna le président en s'asseyant à son fauteuil. « Appelez sur-le-champ les directeurs de la CIA et de la NSA. »

« Je suis ici, monsieur le président », dit le secrétaire d'État, Bob Closegate III.

« Ah, pardonnez-moi, Bob, je ne vous avais pas vu. »

« Et le FBI ? » demanda la secrétaire.

« Non, pas encore le FBI », répondit le président. « Faites préparer du café, s'il vous plaît. »

Et dans un accès de désarroi inattendu chez un homme réputé pour son sang-froid, il s'écria, au comble de l'accablement :

« Comment cela a-t-il pu se faire ? C'est pire qu'une bombe atomique ! C'est pire que l'assassinat de Kennedy ! »

« Une information préliminaire, si vous le permettez », dit le chef du personnel, « l'émission a été vue dans le monde entier comme nous l'avons vue nous-mêmes. Comme ce ne sont pas les mêmes réseaux qui l'ont diffusée partout... »

« Monsieur le président, si vous le permettez, je pense qu'il faut d'abord avoir le maximum d'informations sur l'affaire », coupa Lake.

« Monsieur le président, le directeur de la NSA est en ligne », dit la secrétaire.

La National Security Agency était la plus puissante oreille électronique du monde. Installée à Fort George G. Meade, Maryland, entre Washington et Baltimore, elle était équipée pour pouvoir écouter toutes les communications du monde, appels téléphoniques d'un agent de Honda à New York à son siège de Tokyo, demandes de renseignements de l'Amirauté britannique à l'un de ses patrouilleurs sur les mouvements de la flotte argentine aux environs des Falkland, appel sentimental de l'ambassadeur de Finlande à sa maîtresse en villégiature à Saint-Pétersbourg. Grâce à son réseau de satellites, elle pouvait détecter et localiser toutes les émissions hertziennes normales et anormales de l'hémisphère Nord. En Amérique du Nord, elle avait évidemment ses centres de surveillance favoris, notamment le quartier des ambassades, Embassy Row. Mais la surveillance de ce quartier, plus minutieuse, était plus spécifiquement assurée par la station associée de Vint Hill Farms, dans le comté de Fauquier, en Virginie.

Le président décrocha le combiné.

« Général McLane ? Ici le président. Oui, Wayne Thorpe, président des États-Unis. J'apprends que cette émission satanique a été diffusée dans le monde entier. »

« En effet, monsieur le président. J'ai reçu des appels de nos attachés militaires à Paris, Madrid et Rome, ainsi que du directeur de CNN. Le général O'Sheary m'a téléphoné de Dublin. Ils étaient consternés et anxieux. »

« Qu'est-ce que vous en pensez ? »

« Je n'ai aucune explication », répondit la voix lasse du général McLane. « Absolument pas l'ombre d'une idée de ce qui a pu se passer. C'est un Pearl Harbor d'une autre sorte. Vous pouvez imaginer dans quel état nous nous trouvons tous ici. Je viens d'envoyer une équipe de techniciens vérifier les câbles de retransmission. La transmission semble être passée sans problèmes du camion des techniciens de la prise d'images à la Maison-Blanche à la régie de terrain, et de la régie de terrain à la régie finale. Les câbles qui vont de la régie finale au centre de transmission aux satellites me semblent être les seuls points sur lesquels le sabotage aurait pu s'opérer. La preuve en est qu'en régie, avant la retransmission vers les satellites, tout était parfait. Mais les câbles en cause passent par des tunnels souterrains, les mêmes que ceux des câbles de télécommunications, puis par les égouts, et leur accès est barré par des grilles de fer et des systèmes de surveillance infrarouges. Or, ils ont été altérés ou coupés, ou je ne sais quoi. Je ne vois pas comment. Je ne comprends pas comment des êtres humains auraient pu franchir les systèmes de sécurité, puis identifier et couper précisément celui des cinq câbles qui retransmettait l'émission. Je ne vois pas non plus comment ils ont pu transmettre leur propre émission. J'attends les résultats de l'enquête avant de formuler une hypothèse. »

« Vous avez quand même une idée, une petite idée ? » insista Thorpe.

« Je pense ceci. Les territoires des Amériques et la plus grande partie de l'Asie ont un système de diffusion, l'Europe en a un autre. Première déduction : pour que les systèmes aient été piratés exactement à la même heure et qu'ils aient tous diffusé le même film, il faut que ce sabotage ait été le fruit d'une conspiration organisée à l'échelle planétaire. Je me suis d'abord demandé si le film n'avait pas été diffusé, sur le territoire américain, que nous appelons la zone A, par une antenne indépendante, vers le satellite d'arrosage. Mais, dans ce cas, l'émission aurait été rapidement détectée par nos divers services de surveillance. Et ces services, en particulier le système circulaire Wullenweber et les ensembles rhombiques directionnels, n'ont capté aucune émission anormale. Rien ! Je ne sais pas si vous êtes au fait du système Wullenweber, monsieur le président... »

« Vous me l'expliquerez une autre fois. Et que s'est-il passé en Europe ? »

« L'antenne parabolique du centre de retransmission du Luxembourg, au château de Betzdorf, qui réémet les images de CNN vers les cinq satellites de la chaîne Astra, a sauté exactement au moment où vous deviez prendre la parole. Moins d'une seconde plus tard s'est greffé le truquage. Les émissions ne reprendront que lorsque l'antenne aura été réparée. »

« Et l'Amérique ? »

« C'est ce que nous nous efforçons de découvrir. Nous ne privilégions aucune hypothèse. Il existe apparemment une technique nouvelle pour pirater les émissions américaines avant qu'elles n'atteignent les satellites. Cela paraît à première vue impensable, mais c'est pourtant ce qui s'est passé. »

Mary Thorpe agita la main.

« Attendez, ma femme a une question à vous poser. »

« Comment se fait-il qu'en régie ils n'aient pas bloqué l'émission dès qu'ils ont compris qu'il se passait quelque chose d'anormal ? Ils ont là-bas toute une batterie d'écrans-témoins, non ? » demanda l'épouse de Thorpe.

« Ils ont évidemment essayé de couper immédiatement la transmission, madame », répondit le général McLane, « mais ils se sont aperçus que les commandes étaient inopérantes : les câbles de la régie à l'antenne étaient piratés hors de leur champ d'action. Le temps d'envoyer une équipe vérifier ces câbles, et l'émission-pirate s'était achevée. Toutes les émissions qui transitaient par ces câbles ont d'ailleurs été interrompues, comme vous avez pu vous en rendre compte. »

Mary Thorpe fit la grimace et reposa le combiné.

« Tenez-moi au courant dès que vous savez quelque chose », dit le président. « À n'importe quelle heure. »

Thorpe se leva, contourna le bureau et dit au chef du personnel :

« Passez-moi le Pentagone. Puis le FBI et la CIA. »

Il fit trois pas dans un sens, autant dans l'autre, et reprit :

« Il n'y a rien, dans aucun manuel, qui permette d'organiser une réaction à une subversion aussi extravagante. Il nous faut tous ici user des ressources maximales de nos intelligences et de nos systèmes d'information. »

« Nous n'arriverons à rien ce soir », dit le secrétaire d'État.

« Non ? » demanda Thorpe d'un ton provocateur.

« Non. Je ne crois pas à une menace militaire. Il s'agit bien d'un Pearl Harbor, comme l'a dit le général McLane, mais à effet psychologique. C'est une guerre des nerfs. Il nous faut l'affronter avec des nerfs plus résistants que ceux de nos ennemis. Et beaucoup d'informations. »

Le président lui fit face, déconcerté.

« Je vous écoute. »

« Nos moyens ordinaires de rétorsion militaire n'auraient aucune efficacité. Ce ne sont ni des bombardiers, ni la bombe atomique, ni des divisions aéroportées, ni le contre-espionnage, non, rien, aucun de nos moyens classiques d'action qui présente le moindre intérêt dans un cas pareil », dit Closegate III.

« Qu'est-ce qu'il faut, alors ? » demanda Mary Thorpe.

« La chose du monde à laquelle nous sommes le moins accoutumés », répondit Hackmann. « La réflexion. »

« Où est le général Peck ? » demanda le président avec vivacité. « Pourquoi n'est-il pas déjà ici ? »

« Il est en route », répondit le chef du personnel.

À ce moment même la Buick vert olive du président des chefs d'états-majors, le général Elijah Peck, franchissait le portail de la Maison-Blanche sur Pennsylvania Avenue, mitraillée par les caméscopes de journalistes de plus en plus nombreux. Deux minutes plus tard, le général accédait au Bureau ovale. Le président se leva pour l'accueillir.

« J'ai eu le rapport de McLane, puis de Conninck, à Vint Farm Hills. »

« Quel est votre sentiment ? »

« Que c'est un projet de longue haleine. »

« Quoi ? »

« Une entreprise de déstabilisation psychologique, longuement et soigneusement préparée. Mais mon sentiment est que nous n'avons pas à craindre d'action militaire dans l'immédiat. »

Thorpe l'interrogea de ses yeux rougis.

« Je pèse bien mes mots, président. La nature même de l'intervention terroriste démontre à l'évidence que le projet n'est pas militaire, du moins dans son premier stade. Si le projet fondamental avait été une attaque des États-Unis, celle-ci aurait déjà eu lieu. Je ne peux évidemment pas me prononcer sur un stade ultérieur. »

Il se caressa le masque, gris et buriné.

« Des gens qui se livrent à des impertinences facétieuses de ce genre ne semblent pas envisager une action militaire dans l'immédiat. Nous restons maîtres de la situation pour le moment. Nous ferions mieux d'économiser nos forces et d'aller nous coucher. »

Mary Thorpe intervint, le visage terreux, sa fameuse mèche rebelle plaquée sur le front par la sueur.

« Et la panique pendant ce temps-là ? » s'écria-t-elle.

« Elle durera quarante-huit heures, tout au plus, à la condition qu'elle ne soit pas amplifiée par une réaction excessive. Nous en avons peut-être déjà trop fait. »

« Trop fait ? » demanda Thorpe.

« La fuite vers les hélicoptères à Harvard, les refus de communiquer, les masques pathétiques des uns et des autres », dit le général Peck, la lippe pendante. « C'est du cinéma inédit, la presse adore ça parce que le public vendrait père et mère pour en avoir. La Maison-Blanche a réalisé une superproduction babylonienne. Je crois que c'était une erreur. »

Un silence gêné suivit cette appréciation impertinente. Peck avait cloué le bec à Thorpe, en quelques mots dédaigneusement jetés du bout des lèvres.

« La presse est hystérique », insista Mary Thorpe.

« C'est son caractère. »

« Il faudrait la calmer le plus vite possible, à mon avis », dit Peck. « Ils sautaient quasiment sur place, en bas. Il me semble aussi que c'est Wayne, je veux dire le président lui-même, qui peut refroidir la fièvre. S'il ne le fait pas, ils vont, en effet, semer une panique déplorable. Il faudrait qu'on voie le président tout de suite à la télé, un peu énervé, mais aussi un peu ironique et surtout maître de lui. »

Comme les regards de l'assemblée restaient indécis, Peck reprit :

« La froideur de la Maison-Blanche aura raison de toutes les hystéries. Jouons tout en bémol, avec ironie. Les gens finiront par comprendre que, si la présidence garde son sang-froid, il n'y a pas de raison de s'alarmer. »

« Vous avez raison, Elijah », admit le président. « Dites à Doyle de les faire monter, en les prévenant toutefois que je leur accorde cinq minutes, pas plus. »

Deux minutes plus tard, le groupe compact, déversé par les ascenseurs et les escaliers, et qui s'était amassé devant la porte du Bureau ovale, sous le contrôle de six marines armés, évoquait davantage un commando prêt à prendre un bastion d'assaut, les armes à la main, qu'une phalange d'artisans de l'information. Thorpe lui-même, en chemise, ouvrit le vantail de la porte, après avoir resserré sa cravate. Mary se tenait derrière lui, le visage composé, souriant. Les caméras ronronnèrent, les projecteurs focalisés s'allumèrent, les micros se tendirent.

« Messieurs ! » déclara le président. « Comme vous le savez, un film inepte, digne de potaches lubriques, a été substitué aux propos du président des États-Unis. Cette falsification assez ambitieuse indique des moyens techniques importants. Elle invite à vérifier d'urgence qu'elle ne prélude pas à des actions plus violentes. J'ai réuni pour cela toutes les compétences du pays. Nos services de sécurité travaillent en ce moment même à établir la source et, si possible, les mobiles de ce piratage... crapuleux. Toutes les informations que nous obtiendrons là-dessus vous seront scrupuleusement communiquées. C'est tout ce que je puis vous dire à l'heure qu'il est. »

« Monsieur le président, croyez-vous que ce puisse être une action de terroristes islamiques ? » demanda le correspondant du *New York Times.*

« Je n'ai pas l'habitude d'émettre des hypothèses sans preuves. Je n'en ai pas. »

« Monsieur le président ! Quelle est tout de même votre première impression ? »

Thorpe réfléchit un instant.

« Une entreprise grossière de déstabilisation psychologique menée par un groupe d'agités que nous finirons par identifier. Votre mission à vous tous est d'expliquer à l'opinion qu'il n'y a pas lieu d'accorder une importance excessive à ce qui est, de toute évidence, un effort de subversion psychologique, sans portée militaire. Ce serait faire le jeu de ces pornographes dérangés. »

« C'est facile à dire », observa le correspondant du *New York Times.* « Rien ne dit que, cette nuit, des événements de portée effectivement militaire ne se déclenchent pas de manière aussi absurde et inopinée que le sabotage de votre émission. Les Américains sont en droit de se demander si les systèmes de surveillance de nos frontières par les satellites et les radars sont encore opérationnels. Quelle garantie pouvez-vous donner à la nation ? »

« Nous n'avons aucune raison de penser que nos radars soient en danger, et nous sommes certains que nos réseaux de satellites de surveillance sont hors de portée des saboteurs. Tous les chefs du Pentagone, de la NSA, de toutes les autorités compétentes me l'assurent », répéta Thorpe avec force. « S'il y avait eu intention d'agression militaire du territoire américain, ce genre de plaisanterie de potache n'aurait pas eu lieu. Nous sommes donc en état d'alerte psychologique, non militaire. J'attends que chacun témoigne dans ces circonstances, effectivement inopinées, d'un sang-froid indispensable. Je ne peux rien vous dire de plus. »

« Monsieur le président !... »

« Messieurs, j'ai dit que je vous consacrerais cinq minutes.

Elles sont écoulées. Je crois que nous pouvons tous aller prendre un peu de repos. »

Il fit deux pas en arrière. Hackmann referma la porte.

« Conclusion ? » demanda le secrétaire d'État.

« Il nous faut réorganiser tous nos systèmes de défense », dit le président. « Pas militaires, non. Psychologiques. Alertez tous nos experts d'action psychologique. Qu'ils soient ici demain matin à 9 heures. Clay, rédigez là, tout de suite, en trois mots, un communiqué disant qu'à l'évidence les États-Unis sont la cible d'un type de guerre psychologique nouveau. »

Il était 3 heures et demie du matin. Thorpe et Peck se serrèrent la main en échangeant un long regard Après tout, Peck avait été un candidat à la présidence. Il avait trouvé l'occasion de montrer sa maîtrise.

4.

Coupure de presse du *Miami Herald* de la veille des « événements » :

TUERIE DANS UNE ÉCOLE PRIMAIRE :
5 MORTS, 7 BLESSÉS.

Une semonce d'un professeur de l'école primaire de Jacksonville, Floride, a déclenché hier une tragédie sanglante. Harvey Delgado, le professeur, ayant prié l'un des élèves, Filiberto Puig, 12 ans, d'éteindre le téléviseur de poche qu'il regardait pendant le cours et dont le son couvrait sa voix, Puig a sorti de son blouson un calibre 22 et a tiré sur Delgado. Celui-ci, appliquant les consignes votées par le Congrès, qui autorisent depuis la rentrée les professeurs à être armés en classe, a sorti sa propre arme pour tenir Puig en respect. Puig a tiré un deuxième coup de feu en direction de Delgado, qui a riposté et atteint à la poitrine son agresseur, décédé quelques minutes plus tard. Les détonations ont alerté les gardes armés de l'école. Trois sont entrés dans la salle de classe, revolver au poing, et ont alors dû faire face au tir nourri de plusieurs élèves. L'un des gardes, Elmiro Chavez, 34 ans, père de deux enfants, atteint au thorax, est décédé sur-le-champ de plusieurs balles tirées par une arme semi-automatique. Ses collègues ont abattu les deux meneurs dont l'un, debout sur son pupitre, continuait d'arroser de balles les murs de la classe. Il s'agit de Manoël Estevez-Deutsch, 12 ans également, qui a été frappé à

la tête, le crâne éclaté, et de Pedro Benton, 13 ans, atteint au foie et décédé durant son transfert à l'hôpital.
Deux autres élèves ont fait usage de leurs armes, tirant à plusieurs reprises sur le professeur Delgado et sur les gardes. Ils ont également été abattus. Ce sont Porfirio de Las Cieves et Chuck Balabino. Outre ces 5 morts, on compte 7 blessés, dont un dans un état critique, une balle ayant ricoché sur son abdomen. Comme tous les établissements d'éducation américains, l'école Calderon avait été dotée d'un portique électronique destiné à empêcher l'introduction d'armes à feu dans l'école. Mais comme cela se produit trop souvent, les systèmes de ce portique avaient été déconnectés. La police enquête.

Extrait du courrier des lecteurs du même journal, le même jour :

Pourquoi la vie est-elle devenue si chère ? demande Mme Felicia Santiago. Notre réponse : parce que la mort est bon marché.

5.

Hideshi Yagama, dix-sept ans, un mètre quatre-vingt-un, yeux débridés au laser (135 écus dans les cliniques populaires), étudiant en psychologie à l'université Paris-XXI, plus connue sous le sobriquet « Boîte à sushi », se mit à l'aise dans son petit appartement du 112, rue Johnny-Hallyday dans le XXIIe arrondissement. Il enleva ses bottillons de similicuir mordoré, ses chaussettes, son T-shirt, et s'installa à son bureau. Il y posa son courrier du jour, non encore ouvert. Il en prendrait connaissance plus tard.

Bureau était un terme mal adapté à la console murale où s'empilaient, sur des étagères doublées de plomb, deux ordinateurs, un modem, un Minitel modèle Into pour raccordement ordinaire à l'Internet, un banc compact de traitement d'images et divers jouets électroniques et informatiques, dont un laser à lumière rouge.

Il cliqua sur l'entrée « Visette » de son *Encyclopédie informatique pratique*, et apprit ceci. Les visettes étaient, depuis 1996, devenues aussi banales que les radios à transistors dans les années soixante. Légères, bon marché et d'usage multiple, bénéficiant des progrès constants de la micromécanique, elles avaient sauvé de la faillite l'industrie électronique mondiale dès 1995 : entrées en 1993 dans le commerce à titre de curiosité, par la voie de la réalité virtuelle, elles avaient d'abord fait fureur dans des parcs d'attraction spécialisés — dans des salles spécialement équipées, on revêtait des combinaisons munies d'un certain nombre de capteurs, puis des gants également équipés, et l'on chaussait enfin ce qu'on appela d'abord des viseurs. C'étaient des équipements relativement lourds, mais on oubliait vite leur poids, en raison des émotions que suscitaient les films numériques projetés dans les viseurs. Ceux-ci donnaient aux utilisateurs l'illusion d'être sur la Lune, ou bien dans une jungle hantée de dinosaures, ou encore dans un désert épouvantable peuplé de spectres. Certains films étaient rudes pour les nerfs : ils vous faisaient plonger dans un volcan en feu, ou bien au fond de la mer, où l'on se battait avec des requins. Théoriquement, ces accessoires, de la taille d'un petit ongle, n'avaient pas reçu les autorisations commerciales des ministères européens de la Santé, mais on les trouvait sans trop de peine sur des marchés parallèles.

Yagama s'était offert le fin du fin, relativement coûteux, mais particulièrement distrayant : la location d'une combinaison dite, plaisamment, « Combat rapproché » ou « *Close-combat* ». Celle-ci comportait des capteurs jusqu'au bout des gants et, si l'on glissait l'index dans la fente du vagin de sa partenaire, on ressentait des pressions spasmodiques extrêmement proches de la réalité. La bande sonore aidant, petits cris, râles et chuchotements amoureux, on pouvait s'y croire. Yagama y avait consacré un part appréciable de son week-end.

Yagama avait aussi tâté des films sadomasochistes, dont les bandes sonores étaient riches en variantes raffinées électronico-sexuelles, outre les claquements de fouet et gémissements de la bande sonore. Si l'utilisateur appréciait les mauvais traitements, les capteurs lui infligeaient ainsi des décharges électriques dans les parties génitales et, s'il était homosexuel, dans l'anus et le périnée. Les conséquences en étaient prévisibles, et les combinaisons étaient équipées de caleçons étanches, incinérés après usage. Ce n'étaient là que des illusions réalisées à l'aide de composants aussi banals que des bandes numériques, des semi-conducteurs et des capteurs.

Certaines sociétés avaient investi des budgets considérables dans la mise au point du faux baiser virtuel, avec *French kiss* salivaire et langue dans la bouche. Le programme n'était pas encore prêt à la commercialisation. Mais les retombées financières qu'on en escomptait promettaient de dédommager largement les chercheurs.

Alors que Yagama compilait son encyclopédie électronique, à moins de deux kilomètres de là, dans le célèbre sous-sol de l'esplanade des Invalides, autrefois désigné sous le sobriquet de la Piscine et désormais appelé la Mare au diable, le commandant Alain Baudrier, du Service de surveillance du territoire, ou SST, alluma son écran d'ordinateur IBM Libellule et cliqua sur la liste des personnes surveillées. Le nom de Yagama apparut. Il dirigea la flèche de la souris sur ce nom, qui s'encadra de rouge, et, quelques secondes plus tard, les pages de l'encyclopédie électronique défilèrent sur son écran au rythme exact où elles défilaient sur celui de Yagama.

Un petit carré apparut sur l'écran. « *Encyclopédie informatique pratique* — Virtuelle (réalité) — p. 4. — Abonné Yagama Hideshi, 112, rue Johnny-Hallyday, Paris 75022 — EE414. »

Baudrier alluma un autre écran, composa le code d'entrée, attendit les vérifications, puis l'autorisation, composa le second mot de passe, appela le code AA 2 et forma le numéro EE414. Le fichier de Yagama apparut sur l'écran. Baudrier se frotta les joues et se cala dans son fauteuil. Les ordres étaient de surveiller Yagama vingt-quatre heures sur vingt-quatre.

6.

Le profil du gibier de Baudrier semblait assez banal au premier regard. Rien dans son comportement ne justifiait une surveillance en continu, selon la procédure Ultraviolet. Yagama se présentait comme un joyeux fils à papa, amateur de sex-shops et plus enclin à passer des soirées fines dans les restaurants japonais les plus coûteux, en compagnie de jeunes Japonaises et, occasionnellement, de jeunes Françaises, qu'à potasser sa psychologie.

Ce qui avait attiré l'attention sur lui, ç'avaient été les messages assez réguliers qu'il adressait à un autre Japonais. Celui-ci était un représentant de la firme Mitsui en Europe. La puissante firme Mitsui avait eu quelques ennuis avec le SST au sujet de dossiers industriels secrets. Et les messages qu'adressait le jeune étudiant en psychologie de Paris-XXI étaient codés.

Les meilleurs spécialistes du SST avaient essayé, mais en vain, de violer le code. Une surveillance de routine avait donc été mise en route. Incidemment, un « visiteur » s'était rendu à l'appartement du jeune Yagama, dûment retenu à l'université par un entretien avec le recteur, et l'on s'était étonné de l'abondance et de la qualité du matériel informatique et électronique dont cet étudiant en psychologie s'était équipé.

Une surveillance un peu plus poussée avait révélé que

Yagama n'était d'aucune manière un joyeux drille et encore moins un obsédé sexuel. On ne lui connaissait qu'une liaison fort sage avec une petite compatriote. Un supplément d'information fut demandé à Tokyo. Il y fallut un temps inusité. Des questions posées à ses anciens condisciples du lycée Mishima ne révélèrent que ce qu'on savait déjà, à savoir que le prétendu étudiant en psychologie était un informaticien de haute volée. À quinze ans, il avait rédigé un mémoire sur l'hypothétique machine de Turing, démontrant les possibilités de réaliser une telle machine, c'est-à-dire un système logique se modifiant au fur et à mesure de son fonctionnement, donc capable d'acquérir une expérience au sens humain et une capacité d'évolution. Une telle machine avait figuré pendant quarante ans au rang des utopies intellectuelles ; la théorie décrite par Yagama frappa son professeur, qui communiqua son mémoire au plus brillant des informaticiens de l'université de Tokyo, Iké Okamoto, lequel demanda à s'entretenir avec son auteur. On n'en savait pas plus sur l'itinéraire de Yagama. Mais on savait qu'Okamoto était un conseiller de la grande firme d'ordinateurs Mitsui. Et l'on savait aussi qu'Okamoto était l'un des grands maîtres d'un art qui représentait, pour le Japon, l'art martial par excellence, la logique formelle. On disait volontiers qu'il y avait au Japon douze autorités spirituelles et temporelles au-dessous de celle de l'empereur. Okamoto était l'une d'elles. Yagama devait donc être un fameux luron pour avoir attiré l'attention d'Okamoto.

Les informations adressées de Tokyo s'achevaient sur cette information : le lendemain d'une visite de trois mystérieux personnages chez les parents de Yagama, le jeune Hideshi disparut. Les Yagama y avaient sans doute trouvé un certain profit, car ils déménagèrent dans un quartier aisé de la banlieue.

Baudrier referma d'un coup de touche le dossier de Yagama. Il fit une grimace qui lui prêta la face de mérou morose familière à ses subordonnés. Il discernait mal ce qui avait justifié une surveillance de Yagama selon la procédure Ultraviolet. Certes, les messages codés adressés au représentant de Mitsui n'étaient pas innocents : on ne code pas des informations anodines. Mais les études en psychologie n'étaient peut-être pas aussi étrangères qu'on l'avait supposé à l'intérêt du jeune homme pour la réalité virtuelle. Le perfectionnement de ces illusions perceptives ne pouvait que bénéficier d'une connaissance approfondie de l'esprit humain et des réseaux sensoriels. Mais, enfin, rien de criminel n'apparaissait dans le dossier ou les activités du jeune homme.

Baudrier surveilla deux heures l'écran de Yagama et ne releva rien d'insolite, sinon des calculs dont il ne comprit pas l'objet et qu'il s'empressa d'enregistrer et de mettre en mémoire. « Un personnage peut-être aux franges de l'espionnage industriel », écrivit Baudrier dans son commentaire du jour.

7.

Le lundi 22 septembre 1997, deux incidents absurdes survinrent, l'un à New York, l'autre à Madrid. Ils ne firent l'objet que d'entrefilets dans la presse locale.

Vers 3 heures de l'après-midi, Charles F. Grandliff, le président de l'Allied Bank, Park Avenue, dut être évacué dans une ambulance, ayant été saisi d'une crise de grande agitation.

« Non, non ! » avait-il crié en déboulant, congestionné, dans le hall de réception. « Je ne suis pas un con ! Non, je ne suis pas un con ! »

L'accès fut mis au compte du surmenage. Sa secrétaire, qui occupait le bureau voisin, déclara toutefois avoir entendu, à travers la porte fermée, une voix bizarre résonner dans le bureau de Grandliff. Cette voix disait : « Charles F. Grandliff est un con ! » La police écouta patiemment la secrétaire, mais l'enquête dériva sur les produits neurotropes que cette femme consommait.

Une fouille minutieuse du bureau de Grandliff ne permit pas de découvrir un appareil qui expliquât l'hallucination auditive de la secrétaire et l'état pathologique du président. Un porte-parole du FBI déclara toutefois à la presse que ce genre d'hallucination pouvait être déclenché en dirigeant sur une fenêtre un faisceau laser infrarouge dont les modulations reproduisaient celles d'une voix humaine. La police et le FBI recherchèrent donc les ennemis de Grandliff qui pouvaient s'être livrés à cette méchante facétie. Vaste entreprise.

L'autre incident eut lieu en fin d'après-midi à la Puerta del Sol, dans la capitale espagnole. Un engin qui ressemblait à une bombe fumigène éclata et dégagea une forte fumée bleuâtre, ce qui provoqua un début de panique parmi les commerçants et les passants. La panique atteignit le délire quand, de la fumée, s'éleva un personnage dont tout le monde jura que c'était Jésus-Christ.

On eût sans cela mis l'incident sur le compte de terroristes d'un bord ou de l'autre, mais l'apparition du Christ faisait justice de telles suppositions.

L'archevêché, interrogé, réserva sa réponse, engageant les fidèles à la prudence et renouvelant ses consignes de piété en ces temps troublés, hantés par les spectres du mercantilisme et de la luxure. « Le désir du Rédempteur est si puissant, en ces temps de détresse, que des esprits abusés peuvent croire l'avoir vu en réalité, alors qu'ils se sont laissé abuser par leurs sens », déclara l'archevêque.

En privé, le même archevêque parla de diableries. Sans doute avait-il raison, parce que, interviewé derechef, à l'archevêché, par la télévision madrilène, il donna le spectacle alarmant d'un vieillard agité de tics, revêtant par moments une expression passablement lubrique.

Le scandale fut immense : plusieurs journaux, qui avaient pris des photos du prélat sur les écrans tandis qu'il bavait, se pourléchait la lèvre inférieure de façon indécente et roulait des yeux comme un maniaque, les publièrent dans leurs éditions du lendemain.

« Notre archevêque est-il malade ? » demanda *L'Indipendente*, tandis que, plus catégorique, *ABC* déclarait que l'Espagne était la proie du démon et invitait les fidèles à une journée de prières expiatoires. L'archevêque lui-même, mis au fait de l'incident, cria qu'il était le jouet de manipulations sataniques, mais, comme il s'agita excessivement au cours de la conférence de presse qui s'ensuivit, on s'intéressa beaucoup plus à son dossier médical qu'à ses égarements gestuels.

Quelques jours plus tard, l'archevêque annonça sa démission pour raisons de santé.

Mais l'histoire du monde est pleine d'incidents inexpliqués, et ces faits curieux ressortissaient à la collection qu'en avait réunie jadis l'Américain Charles Fort et qu'avait poursuivie son compatriote William Corliss, pluies de grenouilles en plein jour et feux follets aboyeurs. Un jour plus tard, peu de gens y pensaient encore, et chacun vaqua à ses affaires. La nature humaine est friande d'extraordinaire, mais elle s'en rassasie vite.

8.

« Attentat électronique à la Maison-Blanche — Le discours du président remplacé par un dessin animé pornographique » (« *Electronic Outrage at the White House — President's Words Replaced by Obscene Cartoon* »), titrait le lendemain le *New York Times* dans une manchette qui occupait le cinquième de la première page. « Donald Duck élevé à la présidence ! La revanche de King Kong ! » (« *Donald Duck Raised to Presidency ! The Revenge of King Kong !* »), titrait le *Daily News* sur une page entière, illustrée de vignettes indécentes tirées du fameux film. Du haut en bas des États-Unis, et d'est en ouest, la presse consacrait ses premières pages à l'incident de la veille. Du *Times* de Londres au *Diario de Noticias* de Madrid, du *Corriere della Sera* de Milan au *Straits Times* de Singapour, de l'*Ahram* du Caire au *Globo* de Rio de Janeiro, de l'*Asahi Shimbun* de Tokyo au *Frankfurter Allgemeine*, à *La Tribune de Genève*, à l'*Australian*, aux *Nea Izvestia* de Moscou, la réaction fut la même : stupeur et indignation exprimées en manchettes géantes de première page.

Les télévisions et les radios de la planète entière ne parlèrent durant les heures qui suivirent que du sabotage du discours du président Wayne Thorpe et de la situation créée par l'émission scandaleuse. Conclusion générale : des ennemis obscurs et puissants des États-Unis préparaient un coup effroyable. Des experts en technique des communications fouillèrent toutes les données disponibles pour proposer des hypothèses sur le sabotage mondial, et des stratèges en chambre produisirent des hypothèses sur le complot qui se fomentait.

Dans les heures qui suivirent, et le lendemain, les Bourses suivirent des cours erratiques. Le Dow Jones de New York, le Nikkei de Tokyo, le Footsie de Londres, le Dax de Francfort et le CAC 40 de Paris, sans parler des indices de Madrid, de Hong Kong, de Singapour, de Sydney et d'ailleurs, plongèrent après une série de soubresauts inspirés par l'appréhension d'un conflit mondial imminent. Les cambistes hagards, jaillis de leurs lits bien avant l'aube, placèrent des ordres de vente de leurs dollars, dont les résultats furent d'autant plus déconcertants qu'à Francfort on vendait du mark, à Londres du sterling, à Paris du franc, à Tokyo du yen. Personne ne savait plus quoi acheter ou vendre. Les cours de l'or jaillirent comme des fusées pour retomber deux heures plus tard. Les téléphones et fax intercontinentaux furent saturés. Les délirants commencèrent à réactiver leurs abris atomiques dans leurs campagnes et allèrent vérifier l'état des groupes électrogènes souterrains censés les fournir en courant pendant une attaque de missiles qui seraient venus on ne savait d'où.

À la Maison-Blanche, dès 10 heures du matin, le président Thorpe et son épouse, à peine reposés par une courte nuit, entourés de conseillers présidentiels, du secrétaire d'État, du chef des états-majors, ainsi que du directeur de la CIA, assistaient en s'efforçant de conserver leur sang-froid, dans le Bureau ovale, à la projection d'une cassette du film truqué, d'une durée totale de douze minutes quarante et une secondes. Ce bref truquage télévisuel avait suffi à donner des États-Unis une image puérile et pornographique.

« Qu'est-ce que vous en dites ? » demanda le président au directeur de la CIA, Robinson T. Goodrich.

« Monsieur le président », répondit le fonctionnaire, « je

peux seulement vous garantir que l'antenne du Luxembourg, qui a été remise en état ce matin, va faire l'objet d'une protection militaire, en cours de mise au point par le service de renseignements de l'OTAN, avec le plein accord du gouvernement luxembourgeois et de la Communauté européenne. En ce qui concerne le système américain, l'enquête sera plus longue. Il nous faut d'abord localiser le point d'accès des terroristes, ensuite définir les modalités de leur intervention, enfin déterminer les complicités avec ou sans lesquelles cet attentat, il n'est pas d'autre mot, a pu être perpétré. »

« Mais le film ? » demanda Mary Thorpe. « Le film ! Comment ont-ils réussi à insérer leurs images de façon aussi longue ? Comment personne n'a-t-il réagi ? »

« D'après les premiers constats de nos analystes à Langley, ce qu'on peut appeler l'incrustation a été réalisé par un traitement numérique préparé de longue date, selon des méthodes abondamment utilisées par les studios de Hollywood, et désormais classiques. Voilà pour la technique. En ce qui concerne l'insertion de cette incrustation, c'est, en effet, un chef-d'œuvre. Elle s'est faite au moment précis où le président devait prendre la parole. Les terroristes ont suivi scrupuleusement le minutage de l'émission, choisissant de manière sûre le moment où il fallait faire sauter l'antenne de retransmission et enclencher leur propre émission. Incidemment, je voudrais... »

« Je ne vous le fais pas dire ! » coupa le secrétaire d'État. « Nous avons donc affaire à des gens redoutablement intelligents et bien équipés. Ils dominent les chaînes de télévision américaines avec autant d'efficacité que si elles leur appartenaient. Ils ont été capables de suivre le minutage avec une vigilance telle qu'en moins d'une seconde ils ont pu insérer les images truquées à l'instant exact où il fallait. Ce qui, si je vous ai bien compris, implique, en ce qui concerne l'Europe, qu'ils avaient déjà leur propre antenne érigée, sans doute à brève distance de celle de Luxembourg, avec tout un équipement d'émission fin prêt. En ce qui concerne les territoires américains, ces gens-là font donc absolument ce qu'ils veulent ! Nous devons sans doute nous estimer heureux qu'ils n'aient diffusé que ce lamentable dessin animé pornographique. Nous aurions pu avoir bien pire. Monsieur le directeur, si vous trouvez les coupables, je pense qu'il serait avisé de les engager à notre service. »

« Nous aurions pu souffrir bien pire, en effet », admit le directeur de la CIA.

« Que faisait donc la CIA ? » demanda le secrétaire d'État.

« Bob Closegate », dit d'une voix lourde le directeur de la CIA, « je crois que ni les circonstances ni vos fonctions n'autorisent un procès de la Central Intelligence Agency. Je ne me permettrais pas de demander ce que faisait le secrétariat d'État au moment de telle ou telle bourde infernale. »

« Je suis de l'avis de Goodrich », intervint le président. « Nous verrons plus tard les responsabilités. Reste l'hypothèse du secrétaire d'État : ce sont des gens redoutablement intelligents. »

« Nous disposons d'un réseau de surveillance des télécommunications par satellite. Ils n'ont rien relevé d'anormal ? » demanda le chef des états-majors, le général Peck.

« Que pouvaient-ils relever ? En Amérique, le piratage s'est fait au sol, par une injection directe du dessin animé en un point que nous ne connaissons pas. Les satellites n'ont aucun moyen de repérer un changement de contenu d'une émission donnée. En Europe, l'émission-pirate s'est faite sur la même fréquence que celle de l'antenne détruite et à très brève distance de celle-ci. De toute manière, le piratage a été relativement court, et même si les satellites l'avaient repéré, ils ne nous auraient pas laissé le temps d'intervenir. »

« Pourquoi ? »

« Parce qu'il s'est certainement fait à partir d'un camion. Une fois l'émission achevée, le camion n'avait qu'à replier son antenne et repartir sur la route. »

« Ce sont donc des gens déterminés », ajouta Mary Thorpe.

« Reste à savoir qui a pu commettre cet attentat », dit Thorpe dans un soupir. « N'avons-nous donc aucun moyen de l'établir ? »

« Pour le moment, nous ignorons l'origine des incidents de ce genre », répondit, la mine sombre, le directeur de la CIA. « Ces gens ont l'air de s'en prendre à tout et n'importe quoi. »

La conférence fut interrompue par un appel du président de Russie, Andreï Bezoukhov.

« Qu'est-ce que votre enquête a donné ? » demanda le Russe. « Mes collaborateurs sont très inquiets. »

« Sabotage hertzien », répondit le président des États-Unis de façon délibérément vague.

« Sabotage hertzien », répéta le Russe en se demandant si son homologue américain le prenait pour un idiot, ou bien s'il était ignorant. « Mais qui peut y trouver intérêt ? »

« Je vous le demande. Il s'agit là d'une entreprise destinée à discréditer et la présidence des États-Unis et, bien entendu, le pays tout entier devant l'opinion mondiale. Vous ne croyez pas que ce pourrait être, par exemple, les Ukrainiens ? » demanda Thorpe à tout hasard, faute de se rappeler les noms de toutes les peuplades — Tchétchènes, Azéris, Turkmènes et autres Tatars — qui s'insurgeaient contre le pouvoir central de Moscou et contre les États-Unis, qui soutenaient Moscou.

« Je serais bien étonné qu'ils en aient les moyens ! Mais je fais faire une enquête par acquit de conscience. Avez-vous pensé aux terroristes arabes ? »

« C'est une question qu'il va falloir se poser. »

« Je fais en tout cas publier des rectificatifs à la télévision, à la radio et dans tous les journaux. Comptez sur mon entière collaboration. Je vous demanderai également la vôtre dans le cas où pareil sabotage se produirait ici, on ne sait jamais. »

29 jours avant la fin du monde

Tête basse, le vice-président Hackmann et le conseiller pour la sécurité nationale, Lake, écoutaient la conversation.

« Si ce sont des Arabes », observa le vice-président, « il sera relativement facile de les arrêter, en retraçant leurs achats de matériel électronique. »

La meilleure partie de la journée se passa à répondre aux chefs d'État du monde entier qui venaient aux nouvelles : la reine d'Angleterre, puis son Premier ministre, le président de la République française, le Premier ministre du Japon...

9.

À Toul, Jean-Albert Després, représentant de pièces détachées d'auto, trente-huit ans, de corpulence moyenne et d'appétits généraux frustrés, tapa sur son Minitel, dûment raccordé à sa visette, le code 3616 Virtuella. Revêtu de la combinaison d'un spectateur de cinéma virtuel, le corps garni de capteurs (collés sans trop d'expertise) achetés à un revendeur clandestin asiatique, la console de commande sur une table basse à ses pieds, il vit défiler sur l'écran, sur fond flou du générique — jambes gainées de soie passant à vive allure —, les indications suivantes :

Bienvenue sur notre programme. Sélectionnez votre gamme :

1 pour des blondes pulpeuses
2 pour des brunes provocantes
3 pour des rousses capiteuses
4 pour des Africaines piquantes
5 pour des Asiatiques mystérieuses.

Chaque gamme vous offre trois virtualités. Pour changer de virtualité, cliquez une fois. Pour sélectionner celle qui vous convient, cliquez deux fois.

La veille, il avait choisi le code 1. Cette fois-ci, il choisit le suivant. Comme la veille, un catalogue chatoyant s'ouvrit. Une jeune femme, dans la posture célèbre de la Gitane, apparut, immobile, sur un fond musical tiré du *Boléro* de Ravel. Puis le mouvement lui vint et, dans un tournoiement de sa jupe bleue, accompagné d'un crépitement de castagnettes, elle montra ses seins et son bas-ventre. De très jolis seins, fermes et dardés, jugea Després, divorcé depuis peu d'une femme sans fantaisie qui se refusait obstinément aux joies de la réalité virtuelle, surtout chez elle.

« Pas de cochonneries à la maison ! »

Quant au bas-ventre ou, pour parler honnêtement, au pubis de la brune provocante, il était bombé à souhait, parfaitement fendu vers le bas. Després soupira.

La deuxième apparition fut celle d'une Orientale au corps bien ambré, enveloppée dans un manteau de soie. Soudain, un colosse excessivement musculeux surgit derrière elle et lui arracha le manteau, sous lequel elle apparut nue, les bras immobilisés par l'indiscret, et l'expression outragée et angoissée. Comme le programme donnait droit à trois divertissements facultatifs, dits interactifs, Després cliqua sur son clavier. Une squaw incongrue, coiffée de plumes tricolores, sortit court-vêtue de son wigwam. Un Peau-Rouge la suivit, l'expression aussi mélodramatique qu'un Geronimo de film muet, et lui lia prestement les bras derrière le dos. Le mouvement de révolte de la donzelle fit tomber sa brassière frangée et redresser ses seins. Elle crut nécessaire de froncer les sourcils. Après avoir arraché la jupette de sa victime, le Peau-Rouge lui inséra une planche entre les pieds et la força ainsi à écarter les jambes, ce qui lui mettait le sexe en valeur.

Després en fut perplexe. Par goût natif, il en revint à la Gitane. Il cliqua deux fois, et le *Boléro* de Ravel se diffusa dans la pièce, dans une version tellement sirupeuse qu'on en avait les doigts poissés. La Gitane réapparut, recommença les gestes esquissés dans l'amorce et se mit à danser sur des chaussures vernies noires à hauts talons. Chaque cambrement, accordé à la scansion du morceau, lui rejetait les seins vers le ciel. L'on se serait préparé à une série d'agitations rythmées sur l'air funeste, ne fût que la présumée Gitane parvint à se défaire de son manteau et se trouva rapidement nue. Surgissant alors des miroirs qui multipliaient le corps de la danseuse, par un effet emprunté à deux vieux classiques du cinéma, *Le Sang d'un poète* et *Lady from Shanghai*, mais les fabricants de porno virtuel n'en étaient plus à un larcin près, surgissant donc des miroirs apparurent deux hommes considérablement musclés et tout aussi nus que la danseuse, qui se mirent en demeure de l'accompagner, l'un devant, l'autre derrière, dans des postures chargées de menaces phalliques.

Le programme commercialisé par la chaîne Virtuella était évidemment unisexe, car la combinaison de Després lui communiqua les sensations censées correspondre aux frottements que la danseuse ressentait sur son corps. Les circuits commandés par ce programme lui chauffèrent, en effet, le dos et le périnée aussi bien que le bas-ventre, ce qui lui causa d'abord quelque gêne. Peu porté à des rôles sexuels passifs, ce téléspectateur-là n'était en effet guère préparé à tenir en l'occurrence, et fût-ce virtuellement, le rôle de la Gitane. Or, les contractions de la combinaison à l'entrée de sa fente fessière commençaient à le contrarier. De fait, sur l'écran, la Gitane affrontait les érections simultanées des deux hommes, l'un devant et l'autre derrière. Tout à coup, cherchant à rétablir la situation en sa faveur, Després tendit les mains pour dégager la danseuse de son cavalier de face. Là, il expérimenta l'une des surprises les plus désagréables de sa vie. D'abord, il reçut une formidable décharge électrique dans l'anus, qui le fit hurler, ensuite, en lieu et place de la Gitane, il trouva un monstre sanglant, sorte de cadavre de cheval mal dépecé qui le menaçait de dents démesurées et dardait vers lui tout à la fois un tube génital immonde, dégouttant d'un liquide verdâtre, et des yeux pédonculés. Després hurla une fois de plus, d'une voix devenue rauque, arracha sa visette et, haletant d'horreur, s'empressa de déconnecter sa combinaison.

Il entendit alors des cris atroces, cris de femme, dans l'immeuble de quatre étages qu'il occupait. Il crut vivre les hallucinations d'un cauchemar, mais les hurlements étaient bien réels. Després courut, titubant, à la porte et, là, perçut distinctement des sanglots entrecoupés d'autres cris. C'était à l'étage au-dessous. Il se défit en hâte de sa honteuse combinaison, la jeta au travers de son vestibule et descendit lentement l'escalier. À l'étage d'où émanaient les cris habitait une jeune veuve, Ginette Wieznewski, avec sa fillette de six ans. Qu'avait-il donc pu advenir dans ce foyer paisible ? Parvenu à l'étage en question, il suspendit son pas et écouta un instant. Une odeur de friture flottait sur le palier. Des pleurs désolés perçaient encore le bois de la porte.

Bien que l'heure fût avancée, presque 11 heures du soir, il sonna. La fillette lui ouvrit, en chemise de nuit et les pieds nus. Son visage était baigné de larmes. Était-ce elle qui avait crié ? Mais les hurlements de tout à l'heure avaient émané d'une voix de femme faite, et Després aperçut, en effet, une silhouette en combinaison de télé virtuelle, la visette sur le front, affalée dans un siège bas en face du téléviseur.

« Maman... », articula la fillette.

« Que se passe-t-il ? » demanda Després.

La tête de la combinaison de télé se tourna vers lui. Ginette Wieznewski se leva péniblement, d'un pas de femme mortellement blessée.

« Oh monsieur... », commença-t-elle. « C'est trop affreux ! »

« Mais se passe-t-il donc ? » demanda Després.

La vérité mit un certain temps à se faire deviner. Mme Wieznewski avait choisi un film anodin, intitulé *Lassie rentre à la maison*, larmoyante et morale histoire américaine d'un chien collie qui retrouve le chemin de son foyer après maintes péripéties, quand soudain le scénario avait dérivé sur un abominable carnage. Lassie avait dévoré la fillette qui la prenait dans ses bras, puis avait arraché la tête de sa maîtresse, avant d'être abattue, enragée, par le maître de maison et découpée à la hache, le tout dans un luxe insane d'éclaboussements sanglants et viscéraux. Mme Wieznewski en était évidemment très éprouvée.

« Comment peut-on faire cela ? » se lamentait-elle. « Comment peut-on imaginer des scènes aussi atroces ! »

Després s'empressa de faire chauffer de l'eau dans la cuisine de sa voisine et lui prépara une tisane apaisante.

« Où avez-vous acheté cette cassette ? »

« Chez Pop Vision, où voulez-vous ? » répondit-elle, accablée.

C'était aussi chez Pop Vision que Després avait acheté ses pornographies. Toul n'avait pas encore été raccordé au réseau numérique qui permettait, dans les grandes villes, d'obtenir les films qu'on voulait par simple commande téléphonique.

Le lendemain, ils se rendirent tous deux chez Pop Vision et se firent éconduire par le vendeur, un jeune homme aux oreilles bouclées, coiffé d'une touffe de cheveux hérissée à la gomme Viscosa jaune soufre, ce qui lui prêtait l'allure d'un guerrier de Nouvelle-Irlande au siècle dernier. On savait ce qu'on achetait, on n'allait pas jouer les innocents, argua-t-il. Després et sa voisine ne l'entendirent pas de cette oreille. Quand ils revinrent, leurs cassettes en main, accompagnés de deux représentants de la gendarmerie, le pseudo-guerrier insulaire témoigna d'une attitude moins dessalée. On fit, sur l'ordre des pandores, projeter les cassettes dans la cabine du commerçant. Celui-ci en fut ébahi. Et la gendarmerie offusquée. La marchandise fut saisie pour expertise. Irait-on jusqu'au procès ? Les gendarmes se firent projeter au hasard deux autres films. Le premier ressortissait à la pornographie classique, et Mme Wieznewski suffoqua. Mais le second était une pure et sanglante horreur, qui témoignait bien que la marchandise de Pop Vision était infectée par un germe comparable à celui d'un botulisme mental.

« Je ne sais pas comment cela a pu se produire... », bredouilla le commerçant à la touffe jaune soufre. « J'achète ma production chez le même distributeur depuis toujours... »

Il avait un cheveu sur la langue ; cela indisposa les gendarmes. On lui ferma sa boutique en attendant la réquisition du procureur de la République.

L'affaire revêtit toutefois bien moins de relief que l'auraient souhaité Després et sa voisine. Ce furent, en effet, par dizaines de milliers, en France et dans le reste de l'Europe, que se chiffrèrent les films trafiqués de la façon la plus déplaisante. Tous les cas ne furent pas aussi anodins que celui de Toul. À La Haye, un amateur de réalité virtuelle mourut d'une attaque cardiaque en observant un film sur le présumé monde du silence, où des requins dépeçaient un plongeur et son compagnon, entraînant les intestins de l'un au travers de l'eau, dans un effet rose et bleu très réaliste. À Düsseldorf, des enfants furent pris de convulsions en visionnant sur leurs écrans multimédias une version inédite de *Blanche-Neige*, où la vilaine reine désentripaillait l'héroïne infortunée et faisait croquer ses nains par des dogues aux babines dégouttantes de sang. À Dublin, une femme prise de folie se jeta par la fenêtre après avoir subi un viol par des hommes de Neandertal ou de Cro-Magnon, on ne savait plus, dans un film intitulé *La Vallée perdue*. À Bologne, une famille aisée et pieuse, qui observait une reconstitution de la vie de Jésus, déboula dans la rue, en proie à une agitation proche de la folie après avoir vu, de ses yeux vu, Jésus danser tout nu, chez Simon le Pharisien, une rumba endiablée, c'était le cas de le dire, avec Marie de Magdala, la poitrine découverte. Comble d'infortune, la mère de la famille fut écrasée par une auto, car elle avait oublié d'enlever sa visette. À la Cité du Vatican, un monsignor de la Secrétairerie d'État défuncta d'apoplexie pendant qu'il assistait, mais sans combinaison, lui, au même film.

Les admissions aux urgences psychiatriques des hôpitaux furent multipliées par mille, les villes d'Europe furent sillonnées nuit et jour par des flottes d'ambulances, insuffisantes en l'occurrence. Les services de secours furent débordés, les médecins ne dormirent presque plus, certains d'entre eux étant contraints de courir au secours de confrères qui avaient mordu eux aussi à des films empoisonnés. Il était devenu courant d'entendre, dans certains immeubles, des enfants hurler de terreur toute la nuit.

Et ce n'était pas tout : le nombre des viols réels grimpa, lui aussi, vertigineusement, des femmes furent attaquées dans les ascenseurs, les salons de coiffure, les parkings, par des esprits impressionnables qui sortaient fraîchement de spectacles inconcevables. Au rez-de-chaussée des Galeries Lafayette, à Paris, un agité se jeta ainsi, Laguiole au poing, sur une vendeuse de parfums dont il lacéra les vêtements ; à l'heure du dîner, à Mexico, une touriste finlandaise fut violée en plein Paseo de la Reforma, devant l'ambassade des États-Unis, par un Indien soûl d'images folles ; à Barcelone, une femme attaqua, elle, un jeune touriste américain en pleines Ramblas, et manqua de peu lui couper les organes sexuels ; à Washington, six Noirs, qui venaient de subir l'agression psychologique d'une version trafiquée et particulièrement débridée d'un *Rambo,* déferlèrent tout nus et en état d'érection dans le restaurant Le Jockey-Club, du Ritz Carlton, et chiffonnèrent vigoureusement plusieurs dîneuses et dîneurs avant d'être maîtrisés par le personnel.

10.

Les polices du monde dit industriel tentèrent de récupérer les cassettes pourries. Le résultat le plus sûr de leurs efforts fut que celles-ci triplèrent de valeur. Le fin du fin fut d'organiser des soirées débridées autour de la projection de ces marchandises avariées.

À Ginza, le quartier nocturne de Tokyo, où déjà les couples bardés de capteurs jusque sur leurs orteils dansaient quasi nus, les soirs les plus mornes, dans des cages de plastique phosphorescent suspendues au-dessus des pistes, danseurs et danseuses s'équipèrent de visettes qui projetaient les horreurs interdites, après s'être administré des doses appréciables de Special K, de D Meth ou de Nexus, drogues dernier cri, dont la première induisait des états méditatifs euphoriques, la deuxième des états d'agitation maniaque prolongés, et la troisième des hallucinations colorées. Le privilège de monter dans les cages pour une demi-heure coûtait cent cinquante dollars, drogue non comprise. Les danseurs au-dessous appréciaient particulièrement les hurlements des partenaires là-haut, lesquels finissaient par couvrir une sono pourtant susceptible de réduire l'acuité auditive de vingt pour cent en trois heures.

Dans le quartier chaud de Yoshiwara, à Tokyo, à côté du

temple, un incident marqua particulièrement les imaginations pendant le temps que les imaginations contemporaines sont marquées, c'est-à-dire un peu moins de douze heures. Un homme nu, tout luisant, quitta soudain le Royaume du savon, sorte de bain public doublé de lupanar, dans un état de frénésie extraordinaire. Il cria au milieu de la chaussée : « Le Tigre est là ! Le Tigre est là ! » puis explosa. Une enquête de police établit qu'il s'était bourré d'explosifs télécommandés par lui-même. Peu avant ce hara-kiri d'un type nouveau, il avait assisté à la projection d'une cassette particulièrement toxique. C'était un entrepreneur coréen qui venait de perdre cent millions de yens, ou une somme approchante, par suite de l'effondrement des cours boursiers. Plusieurs passants reçurent en pleine figure l'un un fragment de foie humain, l'autre une paire de côtes auxquelles la peau était encore attachée, et le troisième un bras entier qui l'assomma sur-le-champ.

Presse et télévision diffusèrent à l'envi les images de ces couples possédés par des délires qui, d'un coup, enrichirent la littérature psychiatrique de plusieurs milliers de pages savantes. Quand on les sortait de leurs cages, les couples s'écroulaient tout nus et restaient ainsi jusqu'au lendemain, à moins qu'ils ne se fussent aventurés dehors vêtus de leurs déplorables combinaisons, semant la panique dans les rues par leurs cris éréthiques.

On compta une moyenne de quinze morts par nuit à Tokyo, autant à Osaka. Los Angeles battit une nuit tous les records avec cent six morts, Moscou suivant de près avec quatre-vingt-huit jeunes gens des quatre sexes dont le cœur n'avait pas résisté à des overdoses de drogues telles que le DMT ou l'antique Ecstasy.

Les polices fermaient évidemment ces boîtes après deux ou trois jours d'excès, mais, dans les quartiers chauds, celles-ci se déplaçaient de quelques mètres, et tout recommençait. La fermeture de ces établissements n'était d'ailleurs pas chose aisée, car, à Paris, par exemple, la police dut battre en retraite devant une meute de filles nues comme des vers qui se jetèrent comme des furies sur les agents de l'ordre et finirent par les déshabiller pour leur faire subir des attouchements devenus d'ailleurs parfaitement banals.

Les manifestations de délire collectif constituent désormais le premier problème du maire de Los Angeles, écrivit le *Los Angeles Times.* Depuis plusieurs jours, des bandes armées et lubriques se jettent sur les voitures à toutes les heures du jour et de la nuit et se livrent à des violences de tous ordres. Couronnant une série d'incidents d'une violence croissante, survenus ces dernières semaines, une quasi-insurrection d'un type nouveau a révélé hier soir l'acuité d'un problème qui a mis le Gouvernement fédéral en état d'alerte.

Entre 10 heures du soir et 1 heure du matin, en effet, Sunset Boulevard et La Brea Boulevard ont été paralysés pendant trois heures par ce qu'il faut bien appeler un commando de toxicomanes d'un nouveau genre. Quasiment nus, à l'exception de leurs bottes et de cartouchières, et dans quelques cas intégralement nus, rapportent des témoins, des jeunes gens d'origine multi-ethnique ont pris d'assaut les voitures à un moment de la soirée où le trafic est intense. Les conducteurs mâles ont été dévalisés, assommés et jetés sur la chaussée, cependant que les passagères étaient déshabillées brutalement et, dans la plupart des cas, violées sur place. Six hommes qui ont tenté de défendre leurs compagnes ont été sauvagement arrosés de rafales d'armes semi-automatiques, et l'on compte, aux plus récentes nouvelles, quatre-vingt-sept blessés, dont certains graves, dans les urgences des hôpitaux.

C'est peu avant minuit, selon certaines informations, que les forces de police, plus de deux cents hommes selon les rapports du commandant Owen Ruiz Ortega, sont arrivées, suivies par les camions-citernes qui ont commencé à arroser les assaillants de jets d'eau gazéifiée puissants, le tout pendant que les hélicoptères survolaient les scènes de violence. L'intervention de la police a cependant dû être interrompue, comme le rapportent nos envoyés spéciaux, en raison du nombre des blessés et du fait que les assaillants étaient mélangés aux victimes. De

plus, certains assaillants ont dirigé leurs tirs vers les hélicoptères qui volaient le plus bas. L'un des hélicoptères, touché, a dû se poser d'urgence sur le toit d'un entrepôt de La Brea. Vers minuit et demi, trois cents policiers de plus ont été dépêchés en renfort, pour maîtriser une situation devenue insurrectionnelle. Dans un très grand nombre de cas, les combats ont dégénéré en corps à corps, et notre envoyé, Larry O'Shea, a ainsi vu un policier blessé poursuivre néanmoins sa lutte avec un assaillant armé d'un couteau de quinze centimètres, qui n'a abandonné le combat que lorsqu'il a été assommé d'un coup de bouteille par une femme venue à la rescousse. Dans d'autres cas, la police a été contrainte de tirer sur certains assaillants forcenés, parmi lesquels on dénombre onze morts.
Dès l'aube, ce matin, deux bataillons de la Garde nationale ont été dépêchés sur place. Pour le commandant Ortega, ce n'est plus la chaise électrique qui s'impose, mais une salle de cinéma dont tous les sièges auraient été électrisés. Le gouverneur Washington Moore annoncera avant midi si le couvre-feu sera décrété ce soir sur la totalité de Los Angeles ou bien seulement sur certains quartiers. Le président Thorpe s'est entretenu de l'affaire ce matin avec le secrétaire d'État à l'Intérieur. Terrence D. Clapham, sous-directeur au FBI, est arrivé ce matin également et se trouve en conférence avec le gouverneur.

Le même article jouxtait un autre intitulé :

UNE VAGUE DE VIOLENCE MONDIALE ?

Des événements tels que ceux d'hier semblent correspondre à un schéma mondial de comportements pathologiques d'un type nouveau, apparemment induits par l'image électronique. À Sydney, il y a huit jours, les quartiers résidentiels furent attaqués par une bande de fous furieux qui commirent les pires déprédations matérielles, sexuelles, et quelques homicides de surcroît, après avoir assisté, en état d'ébriété, à des films de « porno mou », diffusés par câble, mais trafiqués au point de la plus dangereuse dureté. Les mêmes scènes se sont répétées deux jours plus tard à Londres, Liverpool et Glasgow, et, là

encore, il fallut faire appel à l'armée pour contrôler la situation, la police n'y suffisant plus. À Paris, plusieurs hôtels quatre étoiles durent s'en remettre à la police pour contrôler les agitations de clients qui venaient de voir, sur leurs télévisions, des cassettes de films inqualifiables.
L'un des paroxysmes de la crise de folie mondiale fut atteint il y a près de deux semaines à Berlin, quand une bande d'une trentaine d'écoliers âgés de huit à dix ans, drogués au Nexus et armés de Kalachnikov et autres armes semi-automatiques, occupa littéralement Kurfürstendamm, tirant des rafales dans tous les sens. L'indicible fut atteint : l'armée dut descendre en blindés et mitrailler des gamins, qui tombèrent presque tous sous les balles. Vingt-cinq cadavres d'enfants occupèrent la une de tous les journaux du lendemain.
De telles tragédies nous semblent exiger la convocation d'une conférence internationale.

La criminalité mondiale atteignit des pics inouïs dans les pays qui disposaient des divertissements électroniques ordinaires. Ne furent épargnées que quelques rares régions du monde, l'Amazonie, le Laos et la Birmanie, Singapour, certains pays africains, les Samoa indépendantes et le Vanuatu, ainsi que l'île de Guam, le sultanat d'Oman, la Libye, le Kazakhstan, le Turkménistan, l'Azerbaïdjan, les Mongolies Intérieure et Extérieure, le Tibet...

Les gens n'osèrent plus toucher à leurs magnétoscopes, à leurs téléviseurs et, bien entendu, aux cassettes de réalité virtuelle. Dans les villes du monde entier, ils se terrèrent chez eux. Les enfants ne furent plus emmenés à leurs écoles que sous escortes armées. Dans plusieurs pays, les parents obtinrent dans des délais records le droit de porter des armes à feu pour défendre leur progéniture contre des malades qui auraient regardé des cassettes toxiques. Les commerces périclitèrent. En peu de semaines, les économies nationales accusèrent le coup de la peur.

Seule exception heureuse à cette fureur d'agressivité mondiale, quelque trois mille gamins de dix à quinze ans environ descendirent des favelas et prirent d'assaut les postes de police de Rio de Janeiro. Après avoir dominé les policiers par la seule force du nombre, ils les désarmèrent, les déshabillèrent et les ligotèrent, puis allèrent brûler leurs uniformes dans les rues. Vengeance apparemment modérée de déshérités qui, depuis de nombreuses années, se faisaient décimer par de pseudo-Escadrons de la mort, menés, comme chacun le savait, par des policiers fous.

Les ministères de l'Intérieur et les services de police tentèrent de restaurer la confiance, en assurant aux nations que les stocks de cassettes trafiquées avaient été saisis et détruits. Ce n'était pas tout à fait vrai, car des masses de cassettes faisandées demeuraient toujours dans le secret des placards, pour le plus grand plaisir de quelques amateurs de sensations fortes. De plus, de très nombreux membres de ces ministères et des services subordonnés avaient été eux-mêmes éprouvés par le mal mystérieux que véhiculaient les cassettes. Certains souffraient de cauchemars récurrents, d'autres de dysfonctions sexuelles. Une grande majorité, toutefois, y avait résisté par la goguenardise.

Les ministres, hommes d'affaires et responsables de ceci, cela et autre chose qui s'aventurèrent à passer à la télévision pour les besoins de leurs occupations, épouvantés par la virtualité d'un tripotage innommable, bredouillèrent des propos contradictoires. Ce n'était pas seulement qu'ils se contredisaient entre eux, c'était encore qu'ils se contredisaient eux-mêmes.

« Saurons-nous jamais la vérité ? » (*« Will we ever know the truth ? »*) demanda un éditorial du *New York Times*. Et la *Neue Zürcher Zeitung* de renchérir : « Le siècle s'achève dans le mensonge général ! » (*« Das Jarhundert in Lügen stirbt ! »*) « L'ordre mondial va s'écrouler dans l'illusion ! » clamait le *Corriere della Sera*. (*« Sta per crollare nel fasullo l'ordine mondiale ! »*) Ce n'étaient là que des échantillons. Car l'ensemble de la presse mondiale, du *Vestchernya Moskva* à *Ultima Hora*, offrait sur des pages et des pages des analyses d'une situation où personne ne pouvait plus croire les moyens d'information officiels.

La question inévitable était : mais qui y trouve donc intérêt ? « Le diable ! » clamèrent les autorités religieuses de toutes dénominations. Églises, temples et mosquées ne désemplissaient plus. Les commis aux cultes se frottèrent les mains, ils n'avaient jamais fait de si bonnes affaires. D'ailleurs, diverses personnalités des mythologies occidentales multiplièrent leurs apparitions surnaturelles, s'exprimant dans une multiplicité de langues surprenante. À Édimbourg, la Vierge s'était exprimée avec un parfait accent écossais, à Sarajevo, dans le croate le plus pur. Les tenants de l'entité vague définie dans le monde entier sous l'expression « l'Ordre moral » s'apprêtèrent à prendre enfin le pouvoir, portés par une vague d'indignation populaire.

Finalement, le Conseil de l'Europe décréta une réunion d'urgence. Les États-Unis demandèrent, pour leur part, une réunion extraordinaire du Conseil de sécurité. Chacun se demanda quels types d'experts seraient convoqués et les moyens qu'ils proposeraient pour mettre un terme à ces délires. « Désolante conclusion, commenta un éditorialiste anglais, on se propose de lutter contre les ravages du virtuel par des bavardages. »

11.

Baudrier alla dîner et confia la poursuite de sa surveillance à un jeune homme frais émoulu de l'École de psychologie de l'armée, institution récemment créée : le lieutenant Jean-François Dutertre.

Au premier regard, Dutertre ne servait guère le prestige de l'École ; il avait l'air d'un dévoyé, sinon d'un voyou. Éternellement vêtue de jeans noirâtres et de chemises défraîchies, sa silhouette dégingandée se déplaçait dans un déhanchement subtil, mais de mauvais aloi. Son expression placide, mais narquoise, commença par exaspérer ses collègues. Seules les admonestations de Baudrier l'avaient convaincu de se dispenser du port d'un mouchoir rouge ou noir serré autour de la tête et de boucles d'oreilles multiples. Deux enquêtes de moralité rapprochée avaient néanmoins permis à Dutertre d'imposer son personnage, par ailleurs fort utile dans certaines enquêtes sur le terrain. On ne lui connaissait aucun vice, n'étaient des lectures d'un niveau qui confondit les enquêteurs : par exemple, le *Tractatus logico-philosophicus* de Wittgenstein, *La Guerre du Péloponnèse* de Thucydide et les *Principia mathematica* de Bertrand Russell. Son cœur semblait occupé par une jeune femme archéologue, et par celle-là seulement. Judoka et karatéka, Dutertre faisait par ailleurs un garde du corps appréciable.

Dutertre étendit ses longues jambes chaussées de baskets et suivit sur l'écran le récit des avatars et virtualités de la réalité virtuelle, si l'on pouvait ainsi dire, tels que les rapportait l'*Encyclopédie informatique pratique* et que Hideshi Yagama les suivait sans doute, lui aussi, rue Johnny-Hallyday.

Dutertre bâilla. Il savait tout cela et même bien plus que ce qui défilait sur l'écran, et il s'ennuyait. Il s'affalait progressivement. Il jeta un regard morne à la console et cliqua sur le logiciel S (pour « surveillance ») ; un petit carré s'encadra dans l'image de l'écran.

1. Vidéophone.
2. Micros.
3. Rayonnements insolites.
4. Enregistrement.
5. Sommier SS.

Cela signifiait qu'on pouvait capter, auditivement et visuellement, les messages que Yagama échangeait au vidéophone, écouter les transmissions des micros dûment installés dans son appartement et, enfin, contrôler des rayonnements insolites émanant de son logement, infrarouges, hertziens ou autres, grâce à des capteurs spéciaux couplés aux micros. De plus, on pouvait enregistrer chacune des transmissions sur des systèmes idoines. Pour se rafraîchir la mémoire, on pouvait enfin consulter la fiche complète du sujet surveillé. Dutertre cliqua sur « Micros » et coiffa ses écouteurs.

Un cri suivi de halètements lui parvint. Dutertre se redressa dans son fauteuil. Perpétrait-on un crime chez Yagama ? Torturait-on ? Nenni : la voix qui venait de pousser les cris en poussait maintenant plusieurs autres, scandés et rapprochés d'une manière qui ne laissait pas de doute. C'était une voix de femme, si l'on pouvait appeler cela une voix, et la donzelle atteignait l'orgasme, ou c'était à s'y méprendre. Dutertre sentit le sang affluer d'abord à son visage. Une voix d'homme, d'homme jeune en tout cas, marmonna des sons que Dutertre ne parvint pas à déchiffrer. Et, stupeur, une autre voix, également masculine et plus nasale, semblait lui faire écho.

« Haah ! Ha-ha-haah ! »

Suivirent des phonèmes indistincts et confondus, d'origines indéniablement masculine et féminine.

« Haaah ! » cria la voix féminine.

Dutertre poussa le son et perçut des bruits confus, des riens, froissement de tissu, grincement de sommier, bruits semblables à des pieds nus sur le sol, puis un gémissement amoureux, presque un miaulement ténu, suivi d'un petit rire, et encore d'autres phonèmes incompréhensibles. Il cliqua précipitamment sur « Enregistrement ». Trop tard. Quelques instants après, le bruit d'une porte qu'on poussait, d'autres sons indistincts, un rire d'homme, un autre rire d'homme.

Pas de doute, Yagama avait organisé une séance à trois dans son appartement, et le premier sentiment du jeune lieutenant fut celui de la frustration. Il n'avait jamais tâté des fantaisies que s'offrait Yagama et, tout prude qu'il fût, il ne put se dissimuler qu'il n'y eût pas répugné et s'y fût même montré vaillant.

Mais enfin, là n'était pas la question. Yagama, le salopard, partouzait donc. Dutertre, ne percevant plus aucun bruit significatif, arrêta l'écoute, enleva ses écouteurs et se versa un verre de bière. Puis il reprit la lecture du texte que Yagama n'avait évidemment pas lu, tout absorbé dans le stupre qu'il était. Il tomba sur la mention de la firme Matsuku, qui avait fait des bénéfices extraordinaires en lançant le Message Visuel Amélioré, ou MVA, sur répondeur, ce petit truquage, un de plus, grâce auquel il devenait possible de ne transmettre de soi-même qu'une image idéale. Son regard s'arrêta sur le nom de l'inventeur du truquage : Hari

Yagama, ingénieur chez Matsuku. Il consulta la fiche d'identité de Hideshi Yagama : celui-ci était le fils d'un dénommé Hari. Et c'était le même Hari Yagama qui avait mis au point, avec l'aide de son fils, un procédé de transmission par câble de programmes de « distractions virtuelles » de niveau 2. « Niveau 2 », cela signifiait comportant des algorithmes beaucoup plus nombreux. Première constatation, Hideshi Yagama était étudiant comme le pape était prêtre. Ses compétences dépassaient de très loin celles du potache qu'il prétendait être.

Dutertre était instruit des fameuses « distractions » citées par le dictionnaire : sur simple appel téléphonique, elles permettaient d'obtenir à domicile des programmes privés de la fantaisie la plus raffinée, selon le jargon des catalogues. Ce n'était apparemment qu'un petit progrès sur la vidéophonie avec images virtuelles. En fait, c'était bien plus, si l'on tenait compte du fait qu'on pouvait y substituer aux corps et aux visages des acteurs les siens propres, ceux de sa maîtresse ou de n'importe qui d'autre, à la condition qu'on en eût préalablement fixé l'image à l'aide d'un caméscope individuel. L'utilisateur filmait, par exemple, sa maîtresse pendant une minute, puis il fournissait téléphoniquement les données de ce film-échantillon à un ordinateur et celui-ci se chargeait de substituer au corps et aux traits de l'acteur désigné ceux de la maîtresse en question. Le service coûtait cher, mais les actionnaires des programmes de fiction pour adultes en comprirent sans tarder l'intérêt commercial. Une seule tranche des *Mille et Une Nuits*, l'un des vingt-cinq titres du premier catalogue, rapporta en six mois à la société Yarohiro autant que ses programmes de microprocesseurs en cinq ans. La transmission des impulsions électromagnétiques d'un programme de quatre-vingts minutes par fibres optiques fit un malheur. Il suffisait d'un CD pour transmettre à cinquante mille abonnés les délices imaginaires d'une soirée au paradis des houris, avec sa propre maîtresse comme héroïne.

Quand Baudrier revint de dîner, Dutertre l'informa des résultats de sa surveillance. Baudrier lui confia qu'il ne s'était jamais laissé abuser par les airs de sainte-nitouche de Yagama. Les débordements de son gibier n'avaient sans doute pas un grand intérêt stratégique, car un système de surveillance aussi coûteux qu'Ultraviolet n'avait pas été mis en action pour s'informer des façons dont un jeune Japonais jetait sa gourme à Paris, mais, enfin, il était nécessaire d'établir les identités des deux participants de la fameuse soirée.

Aussi Baudrier fut-il dépité d'apprendre, le lendemain, qu'à l'heure où Dutertre avait enregistré les traces sonores des folies sexuelles de Hideshi Yagama, celui-ci était en train de dîner tranquillement au bistrot du coin avec un compatriote.

Yagama s'était f... de la tête du SST. Il avait fait jouer une bande sonore préparée d'avance. Il savait donc qu'il était espionné. Les hautes instances du SST en furent très contrariées ; il convenait de mettre rapidement au point des méthodes de surveillance plus fines. Dutertre, goguenard, alluma un pétard et sortit se promener à l'air libre, sous l'œil envieux et furieux du sergent de garde.

12.

Quatre jours s'étaient écoulés depuis le fatidique discours du président des États-Unis.

« Avez-vous trouvé quelque chose ? » demanda celui-ci, faisant les cent pas dans le Bureau ovale, aux directeurs de la NSA, de la CIA et du FBI, assis, accablés, en face du bureau présidentiel. « Le monde entier est submergé par des actes de sabotage de tout ce qui ressemble à une image électronique, et je me demande si nous avons vu le bout de l'affaire. »

Un rayon de soleil printanier arrosait le Jardin des roses, mais on pouvait, en la circonstance, se demander si c'étaient de vraies roses et non des artefacts électroniques capables d'exploser tout à coup, libérant soudain sur Washington Dieu savait quoi, des légions de farfadets obscènes, des vapeurs délétères ou des moustiques géants dont les dards injecteraient un poison destiné à exterminer les derniers vestiges de bon sens qui s'obstinaient dans l'humanité.

Les traits tirés des quatre hommes témoignaient qu'ils n'avaient certes pas pris à la légère la manipulation du discours présidentiel, et qu'ils étaient également conscients de l'ampleur politique internationale du sabotage perpétré sur les cassettes de réalité virtuelle.

« Nous avons examiné le film cadre par cadre », dit Bob B. Boulton, le directeur du FBI, relevant sa tête bien carrée d'aumônier militaire. « La technique utilisée est connue de tous les réalisateurs du monde depuis trois ou quatre ans. »

Le président s'arrêta. Ses sourcils gris se levèrent au-dessus de ses yeux clairs, sa bouche gercée de rides se tordit dans une moue incrédule.

« D'innombrables laboratoires à travers le monde sont capables de les effectuer. Il existe à Silicon Valley une sorte de marché aux puces où l'on trouve les composants les plus raffinés quelques semaines à peine après leur commercialisation, et au défi de tous les brevets de protection commerciale. On y trouve aussi des logiciels qui rivalisent avec ceux du Pentagone. Enfin, on y trouve des ingénieurs de tout poil, des bricoleurs et des rêveurs inefficaces, mais aussi des génies auxquels leurs contrats officiels ne suffisent pas et qui sont perpétuellement en train de bidouiller un système, si vous me permettez cette expression, qui leur permettra de s'installer à leur compte et de faire fortune. C'est par centaines, si ce n'est par milliers, qu'il faut compter les laboratoires d'amateurs installés au-dessus du garage ou à la cave, et certains sont extraordinairement bien équipés. La fabrication du dessin animé démentiel que nous avons vu peut avoir été faite n'importe où dans le monde, à l'aide des cassettes de cartoons où figurent les personnages mis en scène, Donald, Superman, etc. Nous avons évidemment lancé une enquête pour tenter de déterminer, d'après certains indices, quel technicien de haut vol vivant en Amérique aurait pu réaliser la manipulation en question. C'est une recherche qui peut durer longtemps. Je pense que mon collègue Alex, je veux dire Mr. Weathermour, directeur de la CIA, a lancé une enquête similaire en Europe et en Asie. Pour ma part », conclut Boulton avec un soupir, « je suis contraint, monsieur le président, de vous dire que nous ne sommes pas équipés pour de telles enquêtes ; d'ailleurs, aucun pays au monde ne l'est. Nous nous trouvons en présence d'une forme de terrorisme complètement nouvelle. »

Le directeur de la NSA hocha la tête.

« Je partage à peu près l'opinion de Bob », dit-il. « Nous avons fait le même travail d'analyse que nos collègues du FBI. Nous n'avons rien trouvé qui indique la moindre origine. Nous sommes, par ailleurs, en train d'analyser toutes les fréquences électromagnétiques enregistrées par nos satellites au moment de l'émission européenne. Une première hypothèse, que nous avons déjà évoquée l'autre soir, est que le poste émetteur était mobile et se trouvait sans doute sur un camion. Mais cela demande à être vérifié. Tout ce que nous pouvons dire est que ce genre-là de sabotage est impossible sur le territoire américain. »

« Pourquoi ? » demanda Wayne Thorpe, qui venait de se rasseoir.

« Les émissions, toutes les émissions américaines de nos satellites de télédiffusion, se font à partir de centres militaires protégés. Les antennes de ces centres ne sont pas, et c'est vraiment là un euphémisme, aussi vulnérables que l'était celle de Luxembourg. Ce qui n'a pas empêché les terroristes de falsifier votre émission selon une autre technique, encore à déterminer. »

Il se passa un doigt sous le col et reprit, d'une voix plus basse, découragée :

« Ce qui m'intéresse, ce qui nous intéresse tous, est de savoir pourquoi ils ont utilisé une technique ici et une autre en Europe. Ils auraient très bien pu procéder au Luxembourg comme ils l'ont fait aux États-Unis. »

« Qu'est-ce que vous en déduisez ? » demanda le président.

« Qu'il est possible que ces gens-là aient voulu nous montrer qu'ils maîtrisent toutes les techniques de sabotage télévisuel ; en d'autres termes, qu'ils aient fait preuve de virtuosité pour nous narguer. »

« Pour le moment, en effet, ils semblent maîtres du jeu », déclara Alex M. Weathermour, directeur de la CIA.

« Et en ce qui concerne les cassettes qui empoisonnent le marché depuis quelque temps ? » demanda le président.

« Est-ce que nous ne pourrions pas y trouver un indice qui nous permette de remonter jusqu'aux auteurs du truquage de mon émission ? »

« Celles qui étaient trafiquées provenaient de six fournisseurs, quatre situés en Asie du Sud-Est, Formose, Singapour, la Thaïlande et Hong Kong, et trois dans le New Jersey, en Californie et au Texas. Cela n'implique nullement, loin de là, que ces fournisseurs soient responsables des manipulations constatées. Nous en sommes réduits aux conjectures fondées sur la proximité probable des distributeurs et des fabricants. Les cassettes asiatiques sont réalisées d'après des matrices, puis expédiées par avion chez des dépositaires dans d'innombrables centres, Rome, Londres, Paris, Madrid, etc. Celles réalisées dans le New Jersey, la Californie et le Texas sont expédiées sur l'ensemble des deux Amériques et une partie d'entre elles vers d'autres régions du monde, dont l'Europe. Cela, monsieur le président, ce sont les circuits officiels, mais nous savons qu'il existe d'innombrables officines spécialisées dans le piratage, à Moscou, à Athènes, en Italie, en Espagne, mais aussi en Indonésie et dans l'ensemble des territoires asiatiques. Nous avons découvert des officines de ce genre à Tahiti, au Vanuatu même, au Chili, bref, dans d'innombrables pays. Le matériel et les techniques nécessaires se sont, pour ainsi dire, démocratisés au point que n'importe quel bricoleur un peu doué, comme le disait Bob, peut trafiquer ces films. Il est pour le moment impossible de déterminer si les cassettes trafiquées l'ont été dans les centres de production licites ou bien dans des officines clandestines. »

« Mais cela doit coûter de l'argent ? » demanda Thorpe.

« Cela coûte effectivement beaucoup d'argent si l'on crée des images nouvelles. Or, à l'analyse d'un film tel que *La Vie de Jésus*, qui a fait un tel scandale dans le monde chrétien, nous nous sommes rendu compte que l'intervention des faussaires, ou pirates, ou terroristes, quel que soit le mot, s'est limitée à insérer un fragment d'un film pornographique ordinaire et à corriger légèrement les traits du héros de façon à le faire ressembler à Jésus, si vous voulez bien me pardonner ce blasphème, monsieur le président. Certaines autres scènes sanguinaires ont été empruntées également à des films peu connus, des productions locales, ou bien de vieux films oubliés. Il est possible que, dans certains cas, et c'est là ce qui nous intéresse, des scènes originales aient été tournées spécialement pour être insérées dans des films à grand succès. Nous cherchons en particulier celui ou ceux des anciens techniciens de dessins animés qui ont été capables de réaliser des ajouts aussi professionnels que ceux qui ont été faits. Le piratage de dessins animés est l'un des plus coûteux du genre. Mais pour les autres, il suffit de quelques milliers de dollars pour mener le truquage à bien. »

« Je vous demande, messieurs, de poursuivre vos enquêtes avec le maximum de célérité. Nous avons, d'après la CIA, quelques raisons de craindre qu'un complot international soit en cours. Nous en ignorons les instigateurs et leurs buts. Je vous les ferai connaître dès que j'aurai de plus amples informations à ce sujet. »

Les trois hommes sortirent. Thorpe se leva, alla vers la fenêtre et regarda les rosiers. Le rayon de soleil avait disparu. Mais les roses étaient toujours là. Le regard du président se nuança d'incrédulité.

13.

Mafalda Ohlberg ouvrit soudain les yeux. La chambre était noire. Son amant dormait à ses côtés d'un sommeil stertoreux. Une nuit comme tant d'autres, apparemment. Mais un sentiment d'alarme s'empara d'elle. Elle avait entendu, elle en était certaine, des bruits insolites. Elle n'avait pas rêvé : une femme cria. Une autre aussi. Des hommes poussèrent des clameurs indistinctes. Il y avait foule dans les parages ! Mafalda se leva avec une agilité dont elle n'était guère coutumière, courut à la fenêtre et en releva le store. Le jardin, un étage en dessous, était éclairé d'une lumière malsaine, bleu et vert. Une brume blanchâtre et dense l'emplissait, flottant sur la chaussée d'Elm Street, devant la maison. Au milieu, Mafalda en fut bouleversée jusqu'à pousser elle aussi un cri, plutôt un gémissement d'horreur, une femme nue se faisait pénétrer par un monstre cornu ! Elle demeura un moment fascinée par le spectacle : une jolie fille qui se pâmait en se faisant enfiler par le membre démesuré d'un individu tout vert et grimaçant, avec des cornes aux bouts rouges. Et le membre entrait et sortait, de plus en plus rouge et luisant ! Mafalda regarda la scène de ses yeux exorbités, incapable d'admettre ce qu'elle voyait. Mais la foule de plus en plus dense qui s'agglutinait dans la rue, bloquant le trafic, lui prouva qu'elle n'était pas victime d'un cauchemar.

Elle enfila sa robe de chambre en hâte en criant : « Robbie ! Robbie ! », mais n'attendit pas que son amant se fût réveillé ; elle descendit rapidement l'escalier. Le porche était muré par une masse humaine.

« C'est le diable ! » hurla une femme d'une voix stridente.

Les sirènes de la police s'approchèrent. Mafalda ne voyait rien. Elle poussa les gens. La scène infernale s'évanouissait. La lumière faiblissait. La brume se dissipait. Ne restaient plus que trois ou quatre cents personnes médusées.

La police ne trouva rien. Rien de rien. Elle interrogea tout le monde et fut submergée d'incohérences éréthiques. Elle fouilla les fourrés, le lieu de la scène infernale, puis la maison, mais rien, désespérément rien. Pourtant, tous les témoins s'étaient accordés à décrire la lumière oscillante, tantôt bleue, tantôt verte, et la scène indicible, la damnée et son diable qui la pédiquait.

Une femme se mit à pleurer que la fin du monde était proche. Un homme éclata de rire.

Mafalda Ohlberg remonta, titubante, proche de la folie. Elle courut dans la chambre de sa fille et la trouva béatement endormie. « Un ange dans l'apocalypse », se dit-elle. Robbie, hirsute de sommeil à la porte, demandait ce qui se passait.

« L'enfer était dans la rue ! » dit-elle dans un chuchotement surexcité. « L'enfer ! Je l'ai vu ! Une femme se faisait baiser par un diable ! »

« Prends un calmant, *honey.* »

« Ne me parle pas de calmant ! Je ne suis pas folle ! Toute la ville a vu ce que j'ai vu. »

Elle passa le reste de la nuit dans un fauteuil, songeuse. Demain, elle irait consulter le père Trappi. Robbie, lui, dormit assez mal. Ce n'est pas commode que d'avoir une visionnaire comme maîtresse. Mais il fut lui-même, le lendemain, tout à fait déconcerté par l'agitation qui régnait en ville.

« Sorcellerie aux hologrammes à Jersey City » (« *Hologram sorcery in New Jersey* »), annonça calmement le *New York*

Times, rapportant en cinquième page (la presse nationale commençait à être blasée de ces facéties) les conclusions de l'enquête policière et l'analyse du projecteur holographique compact dont la police avait retrouvé des débris. Mais la presse de province flatta, elle, le goût du public pour le fantastique. « Sorcellerie rue des Ormes ! » (« *Sorcery on Elm Street !* ») titrait le *New Jersey Clarion*, reléguant en fin d'article l'« hypothèse » d'une truquage holographique. Robbie lut deux fois l'article, assorti d'une photo floue où l'on devinait assez vaguement les formes d'une femme qui semblait renversée sur le dos. Il y trouva le reflet plus ou moins exact du récit de Mafalda. À la morgue, Tax le voiturier, comme on l'appelait, paraissait sonné.

« C'est bientôt, mon vieux », dit-il en véhiculant un macchabée en très mauvais état, qui s'était jeté du dixième étage en hurlant, après avoir assisté à la scène fantasmagorique de la nuit précédente.

« Bientôt quoi ? » demanda Robbie.

« Le Jugement », dit l'autre, en arrachant la feuille des mains de Robbie et en ouvrant un tiroir. « Bientôt, y restera plus de tiroirs libres. Et puis, tout de suite après, tous les tiroirs seront vides, et mon père et ma mère et mon grand-père et ma grand-mère et tout le monde y sortira des tombes, et le Seigneur, il apparaîtra dans les trompettes. Et toi et moi, on comptera tout, toutes nos fautes et toutes nos bonnes actions. »

Robbie jugea inutile de discuter ces prophéties. Tax paraissait dans un état second. Quand Robbie quitta le couloir pour retourner à son bureau, il l'entendit invectiver les morts dans les tiroirs. Il l'écouta un moment avant de regagner son fauteuil.

« Z'entendez, bande d'apostats ? Z'entendez ? Faites pas les sourds avec moi, pasque je sais que vous m'entendez ! Demain, le Jugement ! Tous au pied ! Au pied ! On comptera tout ce que vous avez fait ! On comptera et on décomptera ! Ça sera pas la peine de porter des cache-sexe, pasque tout, tout se saura devant tout le monde, bande de mécréants. »

Robbie soupira et appela Mafalda. Son Symplexe était occupé. Il se leva et sortit de la morgue pour aller boire une bière au McDo d'en face.

« Salut Robbie », dit la serveuse. « T'as pas l'air gai, ce matin. »

« C't'histoire d'hier », marmonna-t-il. « Ma bonne femme, elle a vu ça et ça l'a chambardée. »

« Y a de quoi. Mon beau-frère, qui passait par là, est rentré dans un état ! Il nous a réveillés en pleurant, il était blanc comme un linge ! On n'a rien compris de ce qu'il disait. Ce n'est que ce matin qu'on a pu deviner de quoi il parlait. Le pauv' môme ! Tu penses ! Il venait de quitter sa copine, et comme ça, il rentre chez lui et voit le diable en train de baiser une bonne femme ! Il paraît que c'était effroyable ! Depuis, il dit qu'il ne fera jamais plus l'amour ! »

Elle alla lui verser une bière à la pression et revint.

« Remarque, ça a tout l'air d'être du bidon, sans doute une promotion de film ou quelque chose du genre. T'as vu le journal ? » lui dit-elle en lui mettant sous le nez un autre quotidien.

« Les apparitions d'Elm Street : un hologramme, dit le procureur général. » (« *Ghosts on Elm Street : a Hologram, says District Attorney.* »)

Robbie mastiqua l'article de l'œil. Une première enquête des électroniciens du FBI, mandés sur place, donnait à soupçonner que des farceurs avaient organisé une projection d'hologrammes pour affoler le bon peuple. Robbie avait vu des hologrammes au drugstore, mais jamais aucun qui pût produire pareil effet. Et puis, tout le monde le savait, les gens du FBI étaient aussi menteurs que les gangsters. Il laissa un billet sur la table et traversa la route en sens inverse pour appeler Mafalda.

Il la trouva, dans l'écran de sa visette, bien lasse. Elle avait renoncé aux attifets de l'image traitée et elle ressemblait, là, tout à fait à une vieille sur le retour. Bien pire que lorsque, certains matins, elle filait à la salle de bains dès le réveil pour se rafraîchir le museau et la coiffure.

« Mafa, tu as l'air éprouvée. »

« Rob, je suis détruite. »

« Oh, allons, ma fille ! Un peu de cran ! Tu as vu ce que dit le FBI ! »

« Qu'est-ce que dit le FBI ? »

« Que c'était un hologramme, tu sais, ces images en relief. »

« Rob, qu'est-ce que le FBI peut savoir du diable ? Rien ! Moi, je sais que j'ai vu le diable, et tous les athées matérialistes du FBI ne me feront pas changer d'avis. »

« Mafa, tu prends un bain bien chaud, tu t'habilles et je t'emmène manger un homard grillé au Lobster King. »

« Non, Rob. Ma vie a changé. J'attends le père Trappi », dit-elle avec détermination. « Je veux me repentir. »

« Tu vas dîner avec le père Trappi ? Tu préfères la compagnie de ce vieux à la mienne ? »

« Je ne vais pas dîner avec le père Trappi, Rob. Il va venir me voir et nous allons prier. Et puis il bénira Nella. S'il veut que je lui fasse une soupe et un steak, je lui ferai ça. Mais je ne sortirai pas. »

« Quand est-ce que je te vois, Mafa ? »

« Tu peux me voir quand tu veux, Rob. Mais notre vie de péché est terminée. Et je veux que tu te repentes, toi aussi. »

« De quoi ? »

Il la vit baisser les yeux d'un air affligé.

« De notre adultère, Rob. De nos turpitudes. Je suis une femme honnête et je me suis laissé induire en tentation par le diable. Maintenant, les signes du Seigneur ont été visibles de tous, et de moi aussi, pauvre pécheresse. Et ce serait défier le ciel que de persévérer dans le mal.

Il y a encore une place au ciel, même pour Marie-Madeleine. »

« Maf », dit Rob, essayant de se contenir, « tu as été excessivement éprouvée par une farce de sacripants. Je t'appellerai demain. »

« Bonne nuit, Rob. Prie avant de t'endormir. »

« Tu parles ! » marmonna-t-il avant que l'image de Mafalda s'éteignît.

Il allait falloir se trouver une autre maîtresse.

« Rob ! » cria le voiturier de sa voix détimbrée. « Deux de plus ! Tu me donnes un coup de main ? »

C'étaient un garçon et une fille apparemment morts ensemble d'un arrêt du cœur en regardant un film de réalité virtuelle. Robbie aida à déplacer le garçon, un gars costaud tout en muscles, de la civière de l'ambulance à celle de la morgue. Le voiturier lui attacha à l'orteil l'étiquette donnée par les ambulanciers. Puis il courut copier les noms dans son registre. Enfin, il fallut séparer le couple et mettre les jeunes gens dans des tiroirs qui restaient libres, au bout du couloir.

Le voiturier colla une étiquette jaune sur chacun des deux tiroirs.

« Sept aujourd'hui ! L'aura du travail, le coroner ! » cria-t-il d'une voix tonique autant qu'éraillée.

« Il vient tout à l'heure. Moi, je finis à 7 heures », dit Robbie, exaspéré. « Hé, merde, il est 7 heures moins 20 ! » s'écria-t-il en allumant un cigarillo, pour chasser l'odeur de viande congelée qui commençait à l'indisposer.

« Le temps de mourir vingt fois », dit le voiturier en claquant la porte d'un frigo rebelle.

Par les fenêtre de la morgue, les deux hommes aperçurent des camions de télévision qui entraient en ville. Jersey City était devenue le centre des États-Unis, et dans deux heures ce serait sans doute le centre de la Terre et, pourquoi pas, de l'univers, et tout ça à cause d'une connerie de diablerie pour collégiens ! Dans une heure, les journalistes seraient partout, on ne pourrait même pas traverser la rue sans se faire alpaguer par des reporters bardés de camésco-pes et de micros !

14.

Un croissant de lune aiguisé comme une faux menaçait de faire crever sur la ville la nuit pourpre et vénéneuse. À travers les lames d'un store vénitien, à un étage exagérément élevé, le scintillement du paysage nocturne new-yorkais évoquait, pour un entomologiste, les arbres d'Afrique quand vient la saison des amours pour les vers luisants. Mais les insectes ont une logique reproductrice, et l'entomologiste eût pu douter qu'il y en eût une dans ces fenêtres de bureaux vides qui de tous leurs néons clamaient le néant.

Deux hommes fumaient dans la pièce que voilait le store vénitien, leurs gestes lents et leurs silences à l'unisson du dépouillement qui les entourait. Quelques meubles de bois anciens, des sièges, un bouddha de bois laqué devant lequel brûlaient des bâtonnets d'encens fichés dans des bols de sable. L'un d'eux, le plus âgé, était assis, visage d'ivoire ridé posé sur un socle massif vêtu de noir, l'autre, mince et sans âge, était debout.

« L'inertie est grande », dit le plus âgé, « ainsi que je l'avais dit. » Il secoua la cendre de sa cigarette dans une coupe dite grains de riz, parce que les porcelainiers inséraient dans la pâte crue des grains de riz qui fondaient à la cuisson, laissant des jours transparents dans les parois. « Mais elle est peut-être moindre que je ne le craignais. »

« L'inertie », répéta songeusement l'autre.

« Un système organisé peut opposer une résistance. Il a un cerveau et des membres serviteurs. Les sociétés mondiales, qu'on appelle démocratiques et qui ne sont que marchandes, sont constituées d'une multitude d'intérêts fluctuant au gré des modes. On neutralise ceci, et cela repart. S'il faut vendre des cadavres, ils vendront des cadavres. Nous sommes arrivés au point ultime. Au-delà, il n'y a plus que la bestialité et la mort. »

« Et la souffrance, *roshi* », dit l'autre.

L'ancien lui lança un regard gris.

« Si je ne vous connaissais, je trouverais que vous attachez un prix excessif à la souffrance. »

« Vous savez dans votre sagesse ce que je veux dire, *roshi.* La souffrance est cet état où l'individu perd son identité. »

« Leur souffrance ne nous importe guère », dit l'ancien. « De toute façon, toute chose de valeur a un prix élevé. C'est pour cette raison que nous avons décidé de nous écarter apparemment de notre sérénité à l'égard du monde. Le Bouddha a dit : "Il n'y a pas beaucoup de vérités différentes dans le monde, sauf celles qui sont induites par une perception dévoyée." Nous n'intervenons pas pour défendre une vérité, ni par désir, ni par arrogance, ni pour notre grandeur, mais pour mettre fin à la servitude qui menace nos frères. Nous intervenons pour pouvoir répéter avec le Bouddha : "La vieille injustice est tombée." Le sage ne laisse pas sa maison s'enflammer, ni s'inonder. M'entends-tu ? »

« J'entends même tes silences, *roshi.* »

L'ancien réprima un sourire. L'autre s'inclina.

« Bien, Ikkyu. La lame est fraîche. » Il éteignit sa cigarette dans le bol. « Reste que l'inertie est grande. »

« Une minute avant la mort », dit l'autre, « le sang coule encore dans le corps. »

L'ancien sourit derechef.

« Le miracle est non dans le miel, mais dans l'obstination de l'abeille », dit-il. « C'est pourquoi je souhaite que nous passions le plus tôt possible à la phase deux. »

« Nous y travaillons », dit l'autre en versant du thé dans le bol posé sur la table basse devant l'ancien. « Il est possible que nous ayons besoin d'un jeune homme qui ne nous connaît pas. »

« Comment s'appelle-t-il ? »

« Hideshi Yagama. »

« Que fait-il ? »

« Il travaille officiellement à Paris pour Mitsui. Son père a notre confiance. »

L'ancien but quelques gorgées de thé.

« Et alors ? »

« Il est un peu jeune. »

« Et alors ? »

« Il faudrait s'assurer de son dévouement. »

L'ancien réfléchit un moment.

« Engagez-le. Et mettez-le sous les ordres de Taro. »

« Ce sont vos ordres, *roshi*. »

« A-t-il l'ironie ? »

« Il gagnerait à votre enseignement, *roshi*. Peut-être est-il un peu sensible, un peu inexpérimenté. Mais l'ironie est indéniablement l'une de ses qualités. »

« Bien, l'ironie est nécessaire à notre entreprise. Le ridicule est l'arme la plus efficace pour désarmer l'arrogant. Taro semble en avoir maîtrisé le maniement. Des amis m'ont dit le plus grand bien de ses initiatives. Quoi qu'il en soit, nos experts ont abouti à la conclusion que notre entreprise ne saurait aboutir sans quelque violence. »

L'ancien se servit un demi-bol de thé et l'avala d'un coup.

« Allons dîner », dit-il.

Le plus jeune s'empressa et alla chercher le pardessus du maître.

La lune n'avait pas encore déchiré le ciel de sa pointe acérée.

15.

Stephen C. Gottfarber, directeur à la First National City Bank, ressentit une petite piqûre au bras dans l'ascenseur qui le menait au sixième étage de l'immeuble de la banque, Park Avenue. Il chercha l'origine de la piqûre, qui le brûla légèrement, et ne la trouva pas, l'ascenseur étant bondé. Il se dit qu'il avait peut-être touché une épingle égarée dans les vêtements de sa voisine, mais, quand il fut arrivé à l'étage où il devait se rendre, il éprouva une sorte d'inhibition, non, de contrainte, pis encore, de paralysie. Il fut saisi d'une légère anxiété, qui vira à la panique quand, arrivé au septième, où il eût dû sortir, il ne trouva pas l'énergie pour cet acte pourtant simple.

« Je deviens fou », se dit-il. « Ou bien j'ai une attaque. »

L'ascenseur continua son ascension. Il n'y restait plus qu'une jeune femme, qui sortit au dixième étage. Gottfarber arriva au douzième étage. Deux hommes l'y attendaient, vêtus de blanc. L'un d'eux tenait les poignées d'une chaise roulante. Il pénétra dans l'ascenseur en poussant la chaise devant lui, tandis que l'autre maintenait les portes ouvertes. Ils assirent dans la chaise Gottfarber, désormais incapable de résistance, lui prirent sa mallette, lui étalèrent une couverture sur les genoux et appuyèrent sur le bouton qui menait au garage du deuxième sous-sol. Là, ils poussèrent la chaise et Gottfarber, saisi de torpeur, vers une ambulance qui les attendait. Ils allongèrent prestement le banquier sur une civière, glissèrent celle-ci dans le véhicule, montèrent à ses côtés, crièrent un ordre et l'ambulance démarra.

Elle gravit la pente de sortie du garage et s'engagea sur Park Avenue, puis gagna à vive allure la route qui menait au Connecticut. Derrière les vitres dépolies, Gottfarber dormait d'un sommeil pesant, un masque à oxygène sur le visage, tandis que l'un des infirmiers contrôlait son pouls. Moins d'une heure plus tard, elle pénétrait dans un massif d'arbres qui sertissait une villa d'apparence raisonnablement opulente. Au geste d'un personnage indistinct qui guettait à une fenêtre, une porte de garage s'ouvrit et l'ambulance s'y engouffra. La porte redescendit. La civière fut prestement retirée du véhicule et roulée le long d'un couloir sur lequel débouchait le garage.

« Tout va ? » demanda une femme d'un certain âge, vêtue d'une combinaison verte.

« Tout va. »

« Par là », dit la femme.

La civière fut poussée dans une salle équipée comme un bloc opératoire.

« On le déshabille ? » demanda un homme qui portait un masque chirurgical.

« Pas la peine », dit la femme. « Desserrez seulement la cravate et défaites le col. Puis mettez-le sur le ventre. »

L'homme et un assistant obtempérèrent. La femme, qui avait elle aussi ajusté son masque opératoire, se pencha vers Gottfarber. Elle tâta de sa main gantée l'arrière du pavillon de l'oreille droite, puis celui de l'oreille gauche, parut hésiter un instant, puis dit :

« Éther. »

On lui tendit des pinces qui serraient un carré de coton trempé d'éther. Elle les saisit et nettoya soigneusement le pli auriculaire, à la naissance du pavillon de l'oreille, ou hélix.

« Scalpel. »

On lui tendit l'instrument. Penchée sur Gottfarber, elle fit une incision d'une longueur approximative de quatre millimètres et décolla légèrement le derme de son support cartilagineux. Le saignement fut minime. Derrière un large panneau vitré, deux hommes, l'un trapu, l'autre plus grand et mince, observaient l'intervention.

« Quelqu'un pour l'écoulement. Pinces. »

Un assistant vint tamponner le saignement, tandis que l'autre tendait les pinces demandées.

« Micro. »

On lui tendit un plateau métallique sur lequel reposait un disque de plastique de quelque quatre millimètres de diamètre et d'un millimètre et demi d'épaisseur. Elle le saisit de ses doigts et le glissa dans la fente dermique pratiquée. Puis elle rabattit le bord du derme.

« Gel de réparation. »

On lui tendit sur un plateau un flacon débouché et une spatule. Elle appliqua le gel sur la plaie et tint pendant une minute les bords de la blessure pressés sous ses doigts.

« Xylocaïne. »

On lui tendit le flacon. Elle y trempa une pipette, laissa couler quelques gouttes sur l'oreille et regarda le résultat comme un pâtissier qui observe la décoration d'un gâteau de mariage.

« Test. »

De l'autre côté du panneau vitré, l'homme le plus jeune fit un cercle avec son pouce et son index.

« Vérification. »

Elle se tourna vers le panneau. Le même homme refaisait le geste avec un large sourire qui monta jusqu'à ses pommettes saillantes et réduisit ses yeux à deux fentes. La chirurgienne relâcha sa pression sur la blessure et se pencha pour en observer l'état ; les deux bords demeuraient soudés. Une légère congestion rougissait cependant la région, sous les cheveux.

« Alcool. »

On lui tendit un tampon imprégné d'alcool, dont elle caressa coquettement les parages de l'intervention.

L'opération avait duré onze minutes. La femme enleva son masque, révélant un visage de quinquagénaire encore belle, un peu massive sans doute, mais dotée d'yeux sombres, étonnamment vifs, et d'une bouche charnue et petite, bien arquée. Elle quitta la pièce. De l'autre côté du panneau vitré, l'homme fit un geste énergique, signifiant qu'il fallait presser le pas. Gottfarber fut remis sur le dos. La civière fut poussée hors du bloc opératoire, puis le long du couloir qui menait au garage, et, là, elle fut rapidement enfournée dans l'ambulance.

Une heure plus tard, l'ambulance redescendait dans le même garage. Gottfarber poussa un soupir et agita le bras. Le moteur toujours en marche, l'ambulance s'était arrêtée. La civière en fut sortie sous les yeux indifférents du gardien. Les infirmiers assirent l'opéré.

« Vous vous sentez bien, monsieur Gottfarber ? Vous pouvez vous tenir debout ? » demanda l'un des infirmiers, d'une voix empreinte de sollicitude.

« Mmm... Où suis-je ? »

« Dans l'immeuble de votre bureau, Park Avenue. Vous avez eu un malaise. Mais tout va bien maintenant. Quelqu'un va s'occuper de vous. »

Un claquement de doigts et un assistant en combinaison bleu-gris, comme les autres membres du garage, accourut pour aider Gottfarber à se tenir debout et lui porta sa mallette.

L'ambulance en profita pour démarrer. Gottfarber, s'appuyant sur le bras de l'assistant, fut conduit à la porte de l'ascenseur.

Il avait souffert de son « malaise » à 9 heures moins 5, il était 11 h 35. Sa secrétaire s'empressa. Il demanda un café.

Au bout d'un moment, quand on l'informa qu'en son absence l'ouverture des codes avait été confiée à son adjoint, Gottfarber fut pris d'un soupçon. Il s'empara de sa mallette et constata que les combinaisons des deux serrures étaient intactes. Personne ne les avait forcées. Il vérifia également le contenu du bagage : intact.

Il vérifia ses réflexes, en agitant les doigts de la main gauche ; rien. Il vérifia sa mémoire, en s'efforçant de se rappeler divers numéros de téléphone, le numéro de son compte en banque ; tout fonctionnait. Il appela son médecin d'un ton enjoué pour lui demander un rendez-vous. Il ne faudrait quand même pas courir le risque d'autres amnésies.

16.

À Paris, le même jour, la même mésaventure survint à M. Charles Lévêque, l'un des deux chargés du code à la Banque de France, puis à M. Jean-Jacques François, qui occupait les mêmes fonctions à la BNP. Seul M. Levêque signala l'incident à ses supérieurs, ce dont il se repentit, car on l'accusa d'avoir abusé d'alcool la nuit précédente. M. François, qui avait effectivement célébré le mariage de sa fille la veille, jugea pour sa part inutile d'en alerter qui que ce fût.

À Londres, Mrs. Emmilyn Galsworthy, de la Bank of England, dut signaler à la police un cambriolage au cours duquel un voleur avisé lui avait dérobé les rares bijoux de valeur qu'elle possédait, ne lui laissant que ses colifichets. Le même jour, un collègue inconnu d'elle fut assommé par des malandrins alors qu'il rentrait chez lui, à Knightsbridge, mais on ne lui vola rien. Sans doute avaient-ils essayé, toutefois, car il ressentait une légère meurtrissure au doigt qui portait une bague chevalière.

À Francfort, l'un des trois fonctionnaires de la Dresdner Bank en possession des codes informatiques reçut en cadeau d'un fournisseur de disquettes informatiques un très joli stylo de bonne marque, ce qui lui fit un grand plaisir. Les deux autres reçurent l'un un calendrier de bureau en bronze, l'autre un briquet de bureau massif, ce qui leur fit également plaisir.

À Istanbul, les trois chargés du code de la Turkye Garanti Bankasi et de la KocBank reçurent divers cadeaux destinés à orner leurs bureaux : une miniature de rose sur vélin, dans un cadre portant le nom de la banque, un hologramme sur socle représentant le nom de la banque qui tournait sur lui-même, un plumier en onyx, que sais-je. À Lima, Pérou, le directeur de la Banco de Peru, qui détenait le code, reçut d'un client reconnaissant une pendulette de bureau. Idem pour ses collègues, inconnus de lui, de la Bank Tejarat, de la Bank Saderaty Iran et de la Bank Melli, de Téhéran, de la Bank Espor Indonesia, de Djakarta, de la Caixa Geral de Depositos et de la Banco Espiritu Santo e Comercial, de Lisboa, de la Banco di Napoli et de la Banco di Roma, de Lisbonne, de la Bank of India à New Delhi, de la Banco Español de Credito et de la Banco Popular Español, de Madrid, de la Bank of Nigeria, de Lagos, de la Bank Austria AG, à Vienne, de la Banque Leumi, de Tel-Aviv, de la Banco do Estado do São Paulo, ainsi que de la Banco do Brasil, à Rio de Janeiro, de la Banco di Sicilia, à Palerme, de la Bank of Korea, à Séoul, de la Bank Polska Kasa Opiecki, de Varsovie, de la Banque Misr, au Caire.

Bref, quelque six mille chargés des codes informatiques de trois mille banques et succursales dans le monde reçurent des cadeaux assez décoratifs pour orner un bureau, mais trop précieux, tous de clients et fournisseurs connus ou méconnus.

Dans d'autres cas, les chargés des codes ne reçurent rien du tout. Ce furent certains employés des services de nettoyage, humbles tâcherons sans couleur, de la race éternelle des pauvres, chargés de vider les corbeilles et d'épousseter les sièges, trop contents de gagner quelques picaillons de plus dans la moiteur glacée des bureaux climatisés de New

Delhi, ou dans la touffeur artificielle des bureaux surchauffés de Stockholm ou de Boston, qui collèrent sous les tables de minuscules micros émetteurs.

Une minorité de privilégiés subit le traitement, somme toute bénin, imposé à Gottfarber. Par exemple, Tore Alfstrup, à Stockholm, ou encore Alceo Caltanisetta, à Syracuse. Dans le dossier général des comploteurs, inséré dans un manuel de cuisine japonaise d'un restaurant également japonais de Soho, ils étaient désignés sous l'étiquette de « sujets expérimentaux ».

L'ensemble du système bancaire international fut couvert par une dizaine de milliers de micros minuscules, indécelables, made in Taiwan. L'opération prit onze jours. À l'essai, il s'avéra, pour l'équipe à laquelle appartenait désormais Yagama, que deux mille cent trente et un de ces micros étaient opérationnels. En dix-sept jours, les codes d'un total de huit cent six banques étaient connus des indiscrets qui s'étaient chargés de l'installation des micros. Par ces codes, dans la grande majorité des cas, un modem permettait d'avoir accès aux codes secondaires des succursales, entre autres commodités.

17.

Par les fenêtres du petit appartement au quatrième étage de Lima, Pérou, on apercevait le sommet du gratte-ciel ovalisé du ministère de l'Éducation.

« Vous recevez ? »

« Très bien. Code d'ouverture, Tango 6 Menendez 68. Pas de code de fermeture. »

Et par les fenêtres d'un taudis de Kowloon, on voyait les nuages se suicider en se laissant couler dans les eaux plombées de la baie.

« Bonne réception ? »

« Potable. 77 B Chae Wuh Red. Je n'ai pas le code de fermeture. »

Idem à Milan, Istanbul, Djakarta, Tokyo. Dans le monde entier. Mais c'était seulement dans six villes des cinq continents que des groupuscules de trois à cinq hommes possédaient désormais l'ensemble des codes qui verrouillaient l'accès aux systèmes informatiques bancaires. Tous ces codes, quelque deux mille au total, étaient couchés dans de petits calepins noirs, tous identiques, sous une forme elle-même codée.

L'heure allait sonner. Dans le ciel jaune, un tigre s'étira paresseusement, se fit les griffes sur les nuages, qu'il effilocha, et un sourire distendit ses babines. Puis le regard de ses yeux jaunes devint pensif.

18.

Mafalda Ohlberg n'eut pas grand délai pour se repentir. Elle mourut trois jours plus tard dans des circonstances aussi célèbres que le Jeudi noir de Wall Street. D'abord étouffée, elle fut ensuite piétinée par une foule exaltée et furieuse devant la modeste succursale de la First Bank of Commerce.

À 9 h 36 ou 37, qu'importe, le caissier, prié d'ouvrir pour un client un crédit de quelque huit mille dollars, refit de façon routinière le compte de ce qui restait comme avoir. Or, à l'exception des reliquats de la veille, qui s'élevaient à trente et un mille dollars en espèces, il n'y avait plus rien. Il accorda stoïquement, la lèvre supérieure légèrement perlée de sueur, les huit mille dollars demandés, puis cliqua sur l'ordinateur pour vérifier les logiciels. Le protocole semblait régulier. Le caissier cliqua sur la commande « *check* », puis redemanda le solde créditeur de la banque.

« *Null* », répondit l'ordinateur.

Le caissier demanda la transcription en chiffres et obtint : « $ 0,00 ». Il ferma la caisse et se rendit chez le directeur pour l'informer du dérangement de son ordinateur. Le directeur, Warren T. Krepper, fit la moue, puis répéta l'opération sur son propre appareil. Et obtint le même résultat. Et fronça les sourcils.

« Ce doit être une panne de circuit », dit-il.

« J'ai contrôlé le circuit », dit le caissier. « Il est normal. »

« Appelez Daeh Woh Jong, il a l'habitude de ce genre d'incident. Qu'est-ce qui reste en liquide ? »

« Vingt-trois mille dollars. Dans une heure, nous n'aurons plus rien. »

« Cessez donc de vous affoler », dit le directeur, agacé. « Vous savez bien que c'est un problème de système. »

Le caissier retourna à sa place et releva la vitre du guichet. Trois clients attendaient déjà.

Quelques minutes plus tard, Daeh Woh Jong arrivait à moto, en blouson bleu électrique, et souriant. Il se rendit dans le bureau du directeur, qui l'emmena au sous-sol.

« Veuillez détourner les yeux un instant, je vais composer le code », dit le directeur.

Woh se tourna vers le mur et le directeur composa le code. Woh ouvrit le programme ordinaire. Il vérifia les logiciels, les systèmes de sécurité, l'état des mémoires. Le bilan des actifs électroniques de la banque restait aussi désespérément plat. Non, il se trouva modifié par le versement, pendant ces opérations, d'une somme de six cents dollars en liquide, au compte de Mrs. Marjory Cohen-Puttinsky.

« Je ne vois pas de panne », dit Woh au bout d'une vingtaine de minutes de vérification. « Attendez, j'ai une idée. »

Il appela les mémoires et, là, le détail des opérations précédentes. La dernière opération qui apparut fut :

CC 3 OT Costin. Transfert toutes liquidités Banco Nacional de Paraguay Code ZZ BNP 662, 001. Report. $ 5 790 551. 67.

Elle était datée de 0 h 17. À cette heure-là, un peu moins de six millions de dollars avaient déserté les comptes de la First Bank of Commerce.

« Fermez tout », dit le directeur d'un ton sec. « Et tournez-vous contre le mur, je vous prie. »

Il verrouilla l'ordinateur à l'aide d'un autre code.

« Woh, je vous prie de ne rien dire de ce que vous avez vu. »

« Moi, je dis rien », dit Woh, sans se départir de son sourire. « J'ai mon argent à la Commercial & Industrial. »

Ils remontèrent, après que le directeur eut verrouillé, cette fois, l'accès au sous-sol. Après avoir prié sa secrétaire de le laisser seul, le directeur appela son collègue au siège, à New York. Ses nerfs furent mis à l'épreuve par la nécessité où il se trouva d'écouter pendant dix-huit minutes l'Été, des *Quatre Saisons* de Vivaldi. Il cliqua trois fois sur son poste et l'opératrice dut lui répondre que Mr. Walter Colson était en ligne.

« Mettez-moi quand même sur sa ligne, c'est extrêmement urgent. »

Il obtint enfin Colson. Il lui trouva la voix rauque.

« Walt ? J'ai un problème. »

« Probablement le même que moi. »

« Quoi ? Walt, voulez-vous verrouiller votre ligne ? »

« Elle est verrouillée. »

« Qu'est-ce qui se passe ? »

« Je n'ai plus un sou en caisse. »

« Quoi ? Vous aussi ? »

« Tous les fonds ont été transférés cette nuit. »

« À la Banco Nacional de Paraguay ? »

« Quoi ? Non, à la Bank Melli, à Téhéran, et à la Banco di Roma, à Rome. »

« Moi à la Banco Nacional de Paraguay, à Asunción. »

Les deux hommes soupirèrent.

« C'est une histoire de fous », dirent-ils presque en même temps.

« Je vais téléphoner à la Banco de Paraguay », dit Krepper.

« Pas la peine. Nous avons téléphoné, évidemment, à nos correspondants insoupçonnés. Les comptes de la Bank Melli et de la Banco di Roma ont été vidés, moins d'une heure après les nôtres. Non seulement notre argent, mais le leur aussi a filé dans la nuit. Ils n'ont plus un sou, eux non plus. Il n'y a probablement plus un sou non plus à la Banco Nacional de Paraguay, ni des vôtres, ni des leurs. »

« Quoi ? » cria Krepper. « Mais je deviens fou ! »

« Je viens d'alerter le FBI. Toutes nos succursales, à Boston, à Martha's Vineyard, à Cape Cod, ont été dévalisées de la même manière, à quelques dizaines de minutes d'intervalle, semble-t-il. Attendez, la meilleure est que la même mésaventure semble être advenue à plusieurs autres banques américaines. »

« Vous voulez dire qu'il n'y a plus un sou de liquidités en Amérique ? » demanda Krepper en ravalant sa salive.

« C'est exactement ce qu'il semble. Le Federal Board of Reserve a été avisé, le secrétaire d'État au Trésor aussi et, à l'heure qu'il est, Thorpe et le vice-président doivent l'être aussi. Et le Pentagone et tout le monde. Ted, je dois vous quitter, on m'appelle en urgence. »

« Attendez, un mot encore. Où est parti l'argent de la Bank Melli et de la Banco di Roma ? Est-ce qu'ils ont des programmes informatiques qui puissent les renseigner ? »

« L'argent de la Bank Melli est parti au Gabon et à Madrid, celui de la Banco di Roma à Francfort et à Londres. Et ainsi de suite, sans doute. Ted, cette fois je vous quitte, on se rappelle plus tard. »

Colson se leva pour observer la rue par la fenêtre ; le trafic automobile et piétonnier semblait normal pour le moment, mais Colson ne se faisait pas trop d'illusions. Krepper, lui, téléphona au gouverneur du New Jersey pour demander que la Garde nationale fût mise en alerte. Puis il fit imprimer trois avis, qu'il fit placarder à la porte et sur les deux baies vitrées.

Par suite de panne électronique, la banque est contrainte de fermer jusqu'à demain. Elle présente ses excuses à ses clients.

Il était environ 10 h 30 du matin.

Toutes les banques du monde qui appartenaient aux mêmes fuseaux horaires et aux fuseaux voisins placardèrent des avis libellés à peu près dans ces termes. Dans quelques heures, réfléchit Krepper, ce serait aux banques de l'autre moitié du globe de faire de même. Il se replia dans son bureau, fumant cigarette sur cigarette devant sa secrétaire scandalisée, et tenta de rétablir un peu d'équilibre dans son esprit.

On ne sut pas comment, mais, à midi, la chaîne CNN éventa l'affaire en annonçant qu'une panne des systèmes informatiques bancaires était survenue de part et d'autre de l'Atlantique, qui mettait les banques de la partie occidentale de l'hémisphère Nord en peine de liquidités. À 13 heures, les attachés de presse de la Maison-Blanche enregistrèrent une activité anormale. Quand ils reconnurent, dans des voitures, le secrétaire d'État au Trésor et le directeur du Federal Board of Reserve entrant par la porte sud, ils firent un lien de cause à effet entre la prétendue panne du système bancaire et les visites impromptues de ces deux très hauts fonctionnaires à l'heure du déjeuner. À 15 heures, le président Thorpe annonça une conférence de presse. À la même heure, c'est-à-dire à 9 heures du soir, les chefs de tous les États européens prenaient la parole sur leurs télévisions respectives. Mais dès 6 heures du soir des émeutes avaient éclaté à Moscou, à Saint-Pétersbourg, à Kiev et à Téhéran. Les armées nationales occupaient ces villes, où le couvre-feu avait été décrété. À Moscou, on comptait déjà vingt-neuf morts, à Saint-Pétersbourg onze, à Téhéran cent sept.

Le discours de Thorpe fut remarquablement franc. Un complot de portée internationale, remarquablement bien organisé, disait-il, avait vidé les caisses des banques du monde entier. Une suspension des échanges financiers s'ensuivait obligatoirement, mais sa durée ne pouvait être longue. Aux États-Unis, des dispositions étaient déjà prises pour fournir les banques en bank-notes correspondant à la moitié au moins de leurs disponibilités au moment de la panne. Le président priait la nation de conserver son calme, la situation devant revenir dans l'ordre en quelques jours.

À 15 h 30, quand Thorpe eut fini son discours, les banques de la côte est étaient déjà fermées, mais celles de la côte ouest ne l'étaient pas encore, en raison du décalage horaire. Les banques de Californie et du Nouveau-Mexique ainsi que de l'État de Washington et de l'Oregon furent donc prises d'assaut par les éléments les plus modestes de la population, largement grossis de centaines de manants et marauds qui n'avaient pas un maravédis à leur crédit. C'est ainsi que la succursale de la First Bank of California, à Los Angeles South, fut mise à sac, puis incendiée, que la Garde nationale dut intervenir mais que, impuissante à rétablir l'ordre, elle céda à l'aube la place à l'armée.

On discuta longtemps du nombre des victimes : deux cent douze ou trois cent quarante et une ? Une situation insurrectionnelle s'instaura dans la ville toute la journée du lendemain, des émeutiers étant descendus le long de Sunset Boulevard jusqu'à Hollywood et Beverly Hills. La nuit résonna de coups de feu. Les hôtels de luxe furent pris d'assaut et saccagés. Un voyou portoricain, croyant que le Grand Soir était arrivé, termina sa vie sous les balles d'un producteur de cinéma argentin, dans la piscine du Château Marmont. Un gamin noir de treize ans armé d'une Kalachnikov fut déchiqueté vivant par les dobermans d'un vieil acteur de Beverly Hills dont il avait escaladé le mur d'enceinte. L'exemple aidant, des situations similaires s'installèrent à San Francisco, Detroit dans le Michigan, Chicago dans l'Illinois, Dallas, Austin et Houston au Texas, Atlanta en Géorgie, Miami, Fort Lauderdale et Jacksonville en Floride. Les possédants se révélèrent en l'occurrence proies moins faciles à consommer que ne l'avaient supposé certains *desperados*, et dans les parages du lac Okefenokee, en Floride, par exemple, certains assaillants noirs finirent vivants, revolver encore au poing, sous les dents des crocodiles d'une firme de sacs à main.

Sans oublier quelques petites villes nerveuses, comme Newark, Jersey City et Perth Amboy dans le New Jersey. À Newark, pour ne parler que de cette ville-là, un pilote privé, saisi de folie, survola à la plus basse altitude possible une ruée de pillards qui dévalisaient un supermarché et fit, rien que là, cinquante-neuf morts en arrosant la foule de grenades à main. Membre de la secte des Vigilants du Seigneur, il s'était convaincu que la fin du monde était en cours et qu'il était impératif de « liquider » les adorateurs du Veau d'or. C'était ainsi qu'il avait réinventé le premier genre de bombardement de l'histoire, le bombardement à main.

Ce fut dans ces circonstances déplorables que Mafalda Ohlberg perdit donc la vie. Elle était allée retirer quelques fonds pour subvenir aux frais du ménage. Son cadavre fut méconnaissable au bout d'une demi-heure. Personne, sauf Robbie et sa fille Nella, plus quelques amis, ne s'en souvint. Plus tard, quand on fit le décompte des morts survenues dans ces bousculades, les chiffres oscillèrent entre cinq cents et mille deux cents.

La démocratie américaine venait de clore un chapitre de son histoire.

19.

À l'heure où cheminait un ver aussi vigoureux qu'un dragon au cœur du système économique et financier international, le président de la République française réunissait des amis et des amis d'amis à un petit dîner à l'Élysée.

« Le plus extraordinaire », déclara-t-il de sa célèbre voix nasale, en entamant l'un de ses filets de sole à l'orange, « est que nous sommes certains de nous trouver devant un plan international soigneusement préparé et mis à exécution de façon remarquablement efficace, mais que nous sommes dans l'impossibilité de deviner à qui profite le crime. »

Il dégusta une gorgée de sauternes et reprit :

« Aucun pays ne semble immunisé contre les folies de ces comploteurs. Mais il faut bien que le complot soit originaire d'un lieu, et surtout qu'il serve un but. Or, nous sommes, pour le moment, dans l'incapacité de deviner le but de facéties qui menacent sans doute l'ordre mondial. Qu'est-ce que vous en dites, Dieudonné ? »

Familier et conseiller du président, auteur d'un ouvrage obscur, *Les Pièges de l'économie moderne,* ancien attaché commercial à Washington et à Tokyo, japonisant passé maître dans la langue du Soleil-Levant, et surtout ancien haut fonctionnaire du Trésor, Adrien, ci-devant comte Dieudonné de Montchouart, affronta les regards exigeants de la petite cour présidentielle. Ses yeux gris, sertis dans un masque carré, buriné, fendu par un nez bref et busqué, aux cheveux gris taillés ras, firent le tour des convives.

« L'unique explication est qu'il s'agit d'un complot d'inspiration idéologique », répondit-il.

« Nous nous en doutions », rétorqua le secrétaire général de l'Élysée, Serge d'Elf, un grand mou livide aux lunettes de potache sur un nez trop long et flasque, qui semblait perpétuer à plaisir ou à chagrin une puberté tardive, « mais encore ? À quel courant de pensée ressortissent nos terroristes ? De quel pays sont-ils ? »

« Ce sont des gens qui possèdent sur le bout des doigts toutes les techniques de pointe. Ils appartiennent donc à un pays d'un haut niveau scientifique et technologique. Ce ne sont pas des Russes. Seraient-ce donc des Américains ? Non, parce que l'entreprise à laquelle nous avons affaire est animée d'un esprit de subversion raffiné. Ridiculiser le président des États-Unis ou un archevêque espagnol est une entreprise qui, apparemment, ne séduirait qu'un potache rongé d'intellectualisme soixante-huitard, peut-être un Français, à la rigueur, à l'extrême rigueur un Italien ou un Anglais, mais certes pas un Américain. Car, si les Américains possèdent bien la technologie, l'esprit de subversion en soi leur est aussi étranger que la connaissance de l'hébreu à un chat. Pour la même raison, ce ne sont pas non plus des Allemands. Je dirais que ce ne peuvent être que des Français, des Chinois ou des Japonais. »

« Des Français ! » s'écria le président en s'essuyant les lèvres. « Des Français ! Vous croyez vraiment, Dieudonné, que des Français pourraient monter une opération de subversion de ce genre ? »

On servit de la pintade en sauce, accompagnée de navets.

« Je pense que les seuls Européens, monsieur le président, qui possèdent assez d'esprit de finesse et de compétences technologiques pour organiser une pareille subversion seraient, en effet, les Français. Nous seuls sommes assez critiques à l'égard de tous les systèmes de société pour monter une opération de contestation des pouvoirs établis comparable à celle que nous observons. »

« Il faut quand même beaucoup d'argent pour cela », observa Elizabeth Lange, conseillère du président pour les affaires européennes. Jolie quinquagénaire à laquelle on prêtait une liaison à éclipses avec le premier magistrat de France, Mme Lange brillait par une variété de maximes de faux bon sens inspirées de Monsieur Prudhomme. « Quelle organisation pourrait, dans ce pays, réunir les sommes nécessaires pour alimenter de telles opérations ? »

« J'ai dit que nous serions les seuls Européens capables de concevoir une telle entreprise, surtout au détriment même de leur pays. Je n'ai pas dit que les responsables soient français, et cela pour une excellente raison : il faut un sens de la discipline exceptionnel. Or, ce n'est pas le trait par lequel nous brillons », répondit Dieudonné en découpant artistement sa cuisse de pintade.

« Restent donc les Chinois et les Japonais ? » dit le président sur un ton interrogatif.

Les serveurs versèrent un bourgogne de belle robe et de bonne jambe.

« J'exclus les Chinois », répondit Dieudonné, « parce qu'ils possèdent toutes les qualités requises, sauf l'argent nécessaire pour une entreprise aussi aventureuse que celle à laquelle nous assistons. Et parce que, de surcroît, les Chinois ont un sens familial et social beaucoup trop développé pour tolérer la destruction gratuite de l'argent, fût-ce celui des autres. Or, ce qu'on détruit sous nos yeux, c'est l'argent, le symbole de la richesse matérielle du monde occidental. Les Gardes rouges ont, certes, détruit beaucoup de biens matériels, ce qui nous paraissait alors intolérable, car nous sommes devenus, en Occident, une civilisation d'antiquaires. Mais ce qu'ils détruisaient, c'étaient des symboles historiques, tout de même que les chrétiens iconoclastes des premiers temps ont décapité et mutilé les statues grecques et romaines ; d'ailleurs, il n'y a plus de Gardes rouges en Chine. »

Dieudonné but une longue gorgée de bourgogne, et la pause qu'il observa reflétait son appréciation.

« Là, nous avons apparemment affaire à un projet radical. » Il fixa des yeux le président et répéta, le couteau pointé vers son interlocuteur : « Radical ! »

« Ce qui frappe le plus, reprit-il, dans le complot qui piquette le monde de taches de désordre absurde, c'est une sorte de désintéressement. Nos comploteurs ne se sont pas fait connaître. Ils ne demandent rien. Ni pouvoir, ni argent. Ils n'épargnent personne. Nous n'avons assisté, à mon avis, qu'aux prolégomènes d'une entreprise de destruction totale. Ce sont des kamikazes. »

« Ce sont donc pour vous les Japonais ! » s'écria le secrétaire général.

Dieudonné sourit, but une autre gorgée de vin et admit qu'en effet les inspirateurs du complot étaient selon lui japonais.

« Vous croyez que ce sont les Japonais qui ont entrepris de ridiculiser le président des États-Unis ? » demanda le président français. « Qu'y gagnent-ils ? »

Dieudonné se passa et repassa la main sur le menton.

« Il existe deux Japons », dit-il d'une voix sourde. « D'une part, les fabricants protectionnistes de chefs-d'œuvre d'électronique. De l'autre, les moines maigres, qui conseillent dans l'ombre les hommes d'État et qui constatent avec consternation que le pays sombre dans l'imbécillité consumériste répandue par les États-Unis. Vous avez peut-être lu ce qu'a dit récemment l'un de leurs grands écrivains. "Dans dix ans, le Japon que nous avons connu ne sera plus qu'un souvenir, pareil aux pétales de fleurs de cerisier dans les boues de l'été. Nous ne serons plus qu'une colonie américaine qui n'aura plus de Japon que le nom." Discours révélateur. Nous oublions trop facilement que les Japonais exècrent l'Occident des hamburgers et des discothèques virtuelles. Ce sont des intégristes à leur façon. »

Il enfourna d'un coup une grosse bouchée de pintade. Un silence déconcerté régnait à la table.

« Mais ce sont quand même de formidables rivaux de l'Occident », objecta Elizabeth Lange.

« Le Japon industriel, oui », répondit Dieudonné. « C'est ce que je pourrais appeler un Japon secondaire, une illusion d'optique dont sont surtout victimes quelques industriels arrivistes intoxiqués par les États-Unis et les observateurs étrangers. Mais ce Japon-là ne reflète pas tout le pays qui, dans son ensemble, est un pays où subsiste et prospère sans doute la dernière rémanence aristocratique de la planète. C'est le seul pays où survit l'antique notion des samouraïs selon laquelle le mérite se juge à l'honneur et au sens du service commun. Pas à l'argent. »

Il piqua la dernière bouchée de pintade et reposa sa fourchette.

« Les Anglais, les Allemands et nous-mêmes comptons pourtant des aristocrates », dit Elizabeth Lange.

« Des représentants d'aspirateurs, des photographes et des coureurs de dots ! » coupa Dieudonné. « Quand ce ne sont pas des barons du pape ! »

« Si ce n'était vous qui le disiez, Dieudonné ! » s'écria le président en riant, cependant que son secrétaire général faisait la moue.

« La valeur au Japon ne s'est jamais mesurée aux quartiers de noblesse, ce qui, là-bas, passerait quasiment pour de la simonie », ajouta Dieudonné, sans paraître avoir entendu son hôte. « Elle se mesure aux hauts faits d'armes des ancêtres et à la capacité de les égaler. Nous sommes à cent lieues de nos sang-bleu et sans-terres qui briguent des prébendes républicaines ! Là-bas, on se tue quand on est offensé. Souvenez-vous du suicide de l'écrivain Mishima, humilié de n'avoir pas été entendu des cadets auxquels il prêchait la révolte et la défense du Japon antique. Il y en a eu bien d'autres depuis. »

On servit la salade. Personne n'en prit. On passa donc au dessert.

« Donc, vous pensez qu'il y a complot et qu'il est originaire du Japon », résuma le président. « Pouvez-vous nous en dire davantage ? »

« Ce ne sont, monsieur le président, que des hypothèses fondées sur des analyses. Je n'ai pas un seul fait à vous offrir. Permettez-moi de me résumer. Nous avons visiblement affaire à des gens extrêmement familiers de l'électronique et de l'informatique. C'est le cas des Japonais. Nous avons également affaire à des gens qui disposent de fonds importants pour mener leur subversion à bien. C'est aussi le cas des Japonais. Et nous avons affaire à des gens à la fois disciplinés et capables d'humour, ce qui est encore leur cas. »

« Mais le but de tout ça, une fois de plus ? » demanda d'Elf sur un ton impatient.

Dieudonné plongea la cuiller dans la charlotte aux fraises.

« Je l'ai déjà dit. Idéologique. Philosophique. Mettre fin à la marée mercantile américaine et occidentale — télévision omniprésente, réalité virtuelle, fantasmes infantiles — qui submerge le monde et menace à brève échéance d'inonder le Japon. »

« Mais le Japon en est déjà inondé », observa le président.

« Je parlais de l'autre Japon. Du Japon éternel, cher au cœur de ses dirigeants. »

« Pouvez-vous imaginer plus précisément dans quels groupes, au Japon, se recruteraient les comploteurs ? » demanda le chef d'état-major, le général Broussais, qui jusqu'alors n'avait dit mot.

« Des clercs d'obédience bouddhiste zen, peut-être assistés par la Sokka Gakai. »

« La société secrète japonaise ? » demanda le général.

« Si on peut l'appeler comme ça », répondit Dieudonné.

« Au Japon, les termes “société secrète” n’ont pas du tout le même sens que chez nous. La Sokka Gakai est une fraternité parallèle. Nous autres, Européens, avons tendance à méconnaître le sens que certains mots revêtent dans des civilisations différentes. C’est ainsi que le terme de corruption n’a pas plus de sens au Japon que ne l’aurait eu chez nous la distribution de faveurs sous Louis XIV. »

« Vous ne semblez pas croire beaucoup à la démocratie », observa d’Elf d’un ton détaché.

« Vous y croyez, vous, d’Elf ? » répliqua Dieudonné sur un ton de défi.

Le président se mit à rire et fit un geste d’apaisement.

« Que voudraient ces gens, selon vous ? » demanda-t-il.

« Désorganiser intégralement les sociétés industrielles qui, d’après eux, ont créé, sous couleur d’égalité, un abaissement de la moralité publique, le chômage et le désespoir. Même si leur pays doit en payer le prix. »

Dieudonné acheva sa charlotte, observa par-devers lui que son assiette ressemblait furieusement à un plateau de salle de chirurgie après une intervention, et se tourna vers le président.

« Voyez-vous, monsieur le président, je pense qu’ils ont encore quelques atouts dans la manche. »

Le président, pensif, se leva pour qu’on prît le café au salon. Puis il pria discrètement Dieudonné de le suivre dans son bureau.

20.

« Dieudonné », dit le président en s'asseyant non pas à son bureau, mais dessus, d'une demi-fesse, « j'ai une mission pour vous. »

Les mains jointes sur son veston, debout dans cet antre du pouvoir au décor ridicule et pompeux, digne de l'ancien tripot qu'avait jadis été l'Élysée, au nom encore plus ridicule et pompeux, Dieudonné le considéra sans manifester d'émotion. Il se prit à penser qu'un président de république occidentale commençait à devenir l'un des êtres les moins informés de la planète. Il ne savait du monde extérieur que ce que lui en disaient des collaborateurs ou l'événement ; il n'avait ni le loisir ni la disponibilité d'esprit nécessaire pour lire ; il ne saisissait que la peau de la réalité.

« Je partage votre intuition. Je pense que c'est, en effet, la totalité du monde occidental qui est visée. Je crois comme vous que nous n'avons assisté qu'aux prolégomènes de la subversion. Je vous charge de reconnaître les comploteurs et de les neutraliser, du moins en ce qui intéresse la France. »

Dieudonné ne broncha pas.

« Je n'ai aucune expérience de ce genre de mission. Je n'ai aucun indice. »

« Vous parlez couramment japonais », dit le président. « Vous connaissez le pays. Vous y comptez des amis, en tout cas des connaissances. La France n'est pas, pour le moment du moins, directement menacée par les menées que vous avez esquissées et dont je commence à deviner la portée, vous serez donc moins aisément soupçonné de faire du renseignement. »

« Je n'ai aucun accès aux milieux qui, selon moi, inspirent ces menées. »

« Débrouillez-vous. Je vous donne carte blanche. Vous aurez accès aux crédits nécessaires. »

« Franchement, monsieur le président, je ne crois pas avoir une chance sur mille de parvenir à quoi que ce soit d'utile pour nous. »

Le président fit un pas en avant et un autre de côté.

« De toute évidence, ils ont leurs hommes en Occident. Trouvez-les. Corrompez-les. Vous remonterez la filière. »

Dieudonné poussa un demi-hennissement.

« On peut corrompre des religieux, monsieur le président, il n'est pas d'exemple de philosophe qu'on ait fait changer d'avis. Ou bien alors, ce n'est qu'un rhéteur. Diogène a envoyé promener Alexandre et Socrate a préféré boire la ciguë. »

Le président s'avança vers Dieudonné et lui, d'ordinaire si peu direct, si peu autoritaire, le regarda dans les yeux et lui dit :

« Dieudonné, il n'est pas d'exemple dans l'histoire qu'une entreprise humaine n'ait pu être contrariée par une autre entreprise humaine. »

Dieudonné lui retourna un regard mi-clos, lourd de scepticisme. Mais le défi avait été jeté. Et Dieudonné éprouva l'amère conscience du fait qu'aucun homme non plus ne résistait à un défi. L'idée le contraria.

Un silence interminable se dilata.

« Venez me voir demain matin », dit le président.

Dieudonné se leva et s'inclina.

21.

La théocratie iranienne s'écroula très différemment.

À 8 heures du soir, l'ayatollah Moftahi, chef du gouvernement, prit la parole en robe noire, la barbe plus sombre que jamais, pour mettre en garde la population contre les vertiges que pourrait inspirer la décomposition « matérialiste » de l'Empire des infidèles.

Tels furent du moins ses premiers propos. Puis il y eut un peu de neige à l'écran, la caméra prit du champ et descendit le long du corps de l'orateur. À la consternation apoplectique des populations de Téhéran, Tabriz, Kermanchah, Ispahan, Shiraz, Yazd, Meshed, l'ayatollah Moftahi apparut nu, le nombril mou et l'érection génitale indéniable entre les pans de sa cape noire. Les légers balancements de son corps, impartis par les cadences oratoriales de sa philippique, se répercutaient sur son sexe érigé, qui brinquebalait de droite et de gauche. Néanmoins, il poursuivait imperturbablement ses dénonciations du système matérialiste du Grand Satan.

Dans les casernes l'épouvante succéda à l'incrédulité hilare. Les dignitaires religieux de toutes les villes d'Iran s'élancèrent dans les rues en hurlant que Satan s'était emparé du pays. Les pères de famille chassèrent leurs filles des salons où se trouvaient les téléviseurs. Plusieurs d'entre eux éprouvèrent des malaises cardiaques. Au gymnase de

Téhéran, les manieurs de poids et haltères furent saisis de crises de fou rire, lesquelles entraînèrent des pugilats avec des fanatiques, indignés qu'on osât rire des ruses sataniques aux dépens de la parole et des serviteurs d'Allah.

Ce fut d'ailleurs au gymnase que débuta le désordre qui essaima dans la totalité de la capitale. Des étudiants qui cultivaient biceps et deltoïdes dans une solide odeur d'ail transpiré appelèrent par téléphone leurs camarades à la rescousse. L'un de leurs meneurs harangua l'auditoire du haut de l'estrade qui se trouvait sous le grand balcon pour annoncer que l'hypocrisie et l'insanité mentale des chefs religieux du pays venaient enfin d'être dévoilées à la face de l'univers. Leur argumentation rameuta d'autant plus d'auditeurs que les orateurs, reprenant des ragots de la matinée, mirent la crise bancaire sur le compte de la corruption et de l'impéritie des dirigeants, trop commodément rejetée sur le compte du Grand Satan. Les marchands du bazar, qui se trouvaient là, firent amplement écho à l'allégation.

Une heure à peine après la désastreuse émission télévisée, on comptait bien un millier d'étudiants amassés devant le gymnase, grossi de plusieurs centaines de badauds qui sentaient le vent tourner et n'avaient guère l'intention de manquer cette équinoxe-là. Des fenêtres du gymnase, quelques-uns des plus échauffés parmi les étudiants exhortaient la foule à mettre fin au blasphème de la dictature des hypocrites, tandis que le plus gros de leur masse s'élançait vers la caserne Evin. À ce moment, l'armée quittait ses quartiers pour prendre position dans les rues. Les lieutenants affrontèrent les étudiants face à face et durent subir le feu d'une argumentation passionnée. La foule, qui avait entre-temps envahi les rues pour manifester son indignation, sans que personne pût dire si celle-ci visait la ruse satanique présumée ou bien l'impudicité de l'ayatollah Moftahi, cernait étroitement les deux parties. Étudiants, militaires et populace se retrouvaient épaule contre épaule, et les chefs de l'armée s'avisèrent que la moindre maladresse de leur part déclencherait un bain de sang sans précédent. Le pis était, d'ailleurs, que les soldats écoutaient les étudiants, munis de haut-parleurs, et que leurs attitudes témoignaient d'une sympathie évidente à l'égard des insurgés.

En dépit de quelques velléités de réaction, les chefs militaires se trouvèrent donc réduits à l'impuissance. L'insurrection gagna en ampleur.

Quelques religieux intrépides tentèrent bien d'inverser le courant ; mal leur en prit. Leurs robes noires volèrent et ils se retrouvèrent nus comme des vers en butte aux lazzis les plus pénibles. En dépit des échauffourées, parfois sanglantes, qui s'ensuivirent, l'armée, démoralisée par le spectacle infernal auquel elle venait d'assister, n'osa pas intervenir. Plusieurs militaires se débandèrent même pour accompagner la foule qui s'élança vers le palais présidentiel, où la garde ne parvint pas à faire refluer la marée humaine.

L'ayatollah Moftahi fut saisi, en proie au désespoir, dans son bureau, et poussé nu hors de la présidence, puis promené ainsi dans les rues, les mains liées derrière le dos. Quelques dignitaires, mal instruits des échecs de leurs collègues, tentèrent à nouveau de rétablir la situation, cette fois à coups de feu. Certains y perdirent la vie, d'autres encore ce qui leur restait de dignité et de vêtements. Les événements furent désignés par la suite sous le nom infamant de « la Nuit des hommes nus ».

Une dictature militaire fut imposée dans la nuit. Dans toutes les villes d'Iran, les ayatollahs furent arrêtés pour outrage à la dignité nationale et trouble de l'ordre public. Le Parlement, qui siégeait en session extraordinaire, fut également mis aux arrêts dans un vacarme indescriptible, les députés criant que Satan s'était emparé du pays. Leurs invectives n'y changèrent rien ; le lendemain, le chef de la junte, le général Firouz al Moulk, les fit tous raser et interdit le port de la barbe dans tout le pays.

Aucun pays au monde n'avait toutefois lieu de se réjouir de cette révolution. Ils y étaient tous exposés.

22.

« Les capitaux mondiaux mis en orbite ! » titra le surlendemain le *New York Times.* « L'ordre planétaire en péril » (*« World's capitals put in orbit. Planet's order in peril »*). « Plus un sou au monde ! » titra *El Pais,* de Madrid. (*« No hay mas un peso en el mundo ! »*) « Les caisses des banques mondiales sont vides », annonça *Le Monde,* et *« Kein Geld niemehr ! »* clama le *Frankfurter Zeitung,* ce que chacun savait déjà. Ce n'étaient là que quelques échantillons des manières d'énoncer les mêmes constats, de l'*Asahi Shimbun* au *Globo.*

Avait-on donc affaire à des farceurs ? La considérable First National City Bank de New York ne parvint à bloquer qu'un transfert de quatre-vingt-treize dollars en provenance de la Banque du Bosphore, d'Istanbul, en échange des quelque six milliards perdus la nuit de la catastrophe. Le président du conseil d'administration de cette formidable institution dut d'ailleurs céder son siège à l'un des vice-présidents, car il fut saisi d'une dépression fulminante, à forte coloration mystique.

Lors d'un conseil d'administration extraordinaire, à l'ouverture duquel on communiqua aux membres la ridicule récupération en provenance de la Banque du Bosphore, le président leva les bras au ciel, à la surprise générale.

« Mes frères ! » clama-t-il. « Les signes que l'Apocalypse

avait annoncés sont là ! Les faux prodiges se multiplient ! Les fruits des sueurs que nous avions versées selon le précepte du Seigneur, “Tu gagneras ton pain à la sueur de ton front”, ces fruits-là, garants de la prospérité de nos familles et de notre nation, se sont changés en poussière, la même poussière dans laquelle fut condamné à ramper le Serpent, après la chute d’Ève ! »

Il en était là de sa péroraison, inconscient de son effet désastreux sur le conseil d’administration, et il s’apprêtait à reprendre son homélie quand le premier vice-président, Theodore T. Rangerville, l’interrompit d’autorité.

« Allons, Bill ! Ce n’est pas parce que le monde civilisé subit les conséquences d’un complot de lunatiques que tu vas nous tenir des discours apocalyptiques ! »

Bill, le vénérable William O. DuCamp, jusqu’alors un des luminaires de la finance internationale, le foudroya du regard.

« Silence, suppôt de Satan ! Crois-tu que tu puisses nous duper par ces propos lénifiants ? Ne vois-tu pas que l’heure du Seigneur s’avance ? » cria-t-il, le teint dangereusement marbré. « Comme il a été écrit de tout temps, ce sont là les signes révélateurs de l’agitation du Malin ! Les prodiges décrits par le prophète ! Bientôt le soleil s’éteindra et les étoiles tomberont ! Repentez-vous, mes frères ! Priez ! Priez pendant qu’il en est temps ! »

Sa voix monta à un paroxysme de stridence, et les vingt-deux membres du conseil d’administration de la First National City Bank se consultèrent du regard. DuCamp avait perdu la raison.

« Nous prierons en temps voulu, Bill », déclara Alfred H.E. Smith, *senior vice-president*, patriarche au masque rose couronné d’argent, « mais nous sommes ici pour débattre de problèmes très différents. Tu sais bien que... »

« En temps voulu ? » cria DuCamp. « En temps voulu ? Allons-nous disputer Son temps au Seigneur qui s’approche ? »

« Bill », reprit Smith d'un ton sévère, « si tu ne nous as convoqués que pour nous faire prier, nous allons devoir confier la présidence à quelqu'un d'autre. »

« Ma présidence te pisse à la raie, vieux délabré ! » cria DuCamp.

Le pandémonium s'ensuivit, et la secrétaire du président s'évanouit. Rangerville essaya de calmer DuCamp et reçut en guise de repartie un horion d'une vigueur inattendue, venant d'un personnage à la santé réputée fragile comme DuCamp. Impatienté, il secoua le bras de DuCamp, qui perdit l'équilibre et s'empara de la carafe d'eau posée devant lui, avec laquelle il assomma Rangerville. Smith fit appeler le service d'ordre, qui, s'imaginant, évidemment, que dans un coup d'État miniature Rangerville avait attaqué le président de la banque, lui mit les menottes et l'emmena hors de la salle, cependant que Smith, courant après lui, criait que c'était au contraire DuCamp qu'il fallait neutraliser. Peine perdue, car le vénérable Smith se fit à son tour maîtriser, tandis que le chef du service d'ordre appelait la police. Laquelle ne comprit rien à ce que lui racontaient une vingtaine d'administrateurs enfiévrés et décoiffés. Ce ne fut que vers minuit que les membres du conseil, passablement hagards, se réunirent à nouveau pour élire le successeur de DuCamp, Rangerville, qui portait une compresse vinaigrée sur le crâne.

Les détails d'un pareil hourvari parvinrent à la presse dans l'heure suivante. Cependant, DuCamp parut à la télévision, clamant avec fièvre que la banque avait sombré dans les griffes de damnés en puissance, lesquels avaient tenté de l'écarter de la voie de Dieu. De telles extravagances pouvaient légitimement inspirer le scepticisme, et les téléspectateurs ne crurent donc pas un mot de ce qu'ils entendaient. Ou bien le président de la First National City Bank était réellement devenu fou, ou bien ses déclarations étaient, là aussi, trafiquées par quelque satanique stratagème.

Cet épisode bouffon autant que confus, car personne ne

sut, quarante-huit heures durant, qui était le vrai président de la banque, ni même si cette banque avait un président, voire la moindre raison d'exister, puisqu'elle n'avait pas plus de crédit que le premier marchand de parapluies à la sauvette, cet épisode, donc, ne fit que discréditer davantage les établissements bancaires. Il compliqua également la tâche, déjà délicate, des présentateurs de télévision, chargés de sauver ce qui restait des meubles de la société industrielle occidentale. De jour en jour et de soir en soir, il leur fallait déjà, en effet, affronter leurs publics pour confesser qu'on cherchait l'explication de la volatilisation des capitaux bancaires du monde entier. Quant à avouer de surcroît que le président de l'une des plus grandes banques de la planète avait perdu la raison, c'en fut trop. Si la télévision américaine allait discréditer devant le monde entier la finance américaine, c'en était fait de la bannière étoilée. L'incident du délire de DuCamp fut donc traité sur le mode mineur, mais à la fureur de millions de téléspectateurs ruinés.

Dans certains pays, au sang réputé chaud, les présentateurs de télévision payèrent de leur personne le prix d'un respect excessif de l'ordre public. Ainsi, un groupe d'actionnaires excédés de la Banca del Commercio et dell'Industria, réduite à sa plus simple expression, fit irruption dans les locaux de la Radiodiffusione Italiana, à Milan, rossa d'importance le présentateur et, pour faire bonne mesure, le reste de l'équipe de plateau.

Le plus étrange était que ces péripéties lassèrent très vite le public mondial. Quarante-huit heures après le début de la crise, les taux d'écoute des émissions d'information sur les affaires commerciales et financières, nationales et internationales, commencèrent à piquer du nez. Dans les pays pauvres, où seuls quelques privilégiés étaient équipés de systèmes de réalité virtuelle, la télévision interactive offrait des dérivés bien plus séduisants que les empoignades d'administrateurs dans les corridors des grandes banques.

À Puebla, Mexique, par exemple, près de trente pour cent des téléspectateurs câblés s'excitaient pour le feuilleton *Pepecita,* dont existaient, luxe extraordinaire, deux versions alternatives au lieu d'une. Le jour du krach, le dernier épisode avait laissé pressentir que la pauvre et jolie Pepecita, ruinée par les frasques de son frère, allait subir le chantage infâme d'un usurier qui lui prêterait de l'argent en échange de ses faveurs. C'était le soir crucial. Pepecita allait-elle se laisser violenter par l'ignoble pansu ? Que dalle ! Dans une des versions proposées, Pepecita, qui avait pris des leçons de karaté, envoyait l'usurier dans un joli vol plané (ce qui, incidemment, permettait d'exposer l'un de ses jolis seins, brun et pommé à souhait) et le contraignait, sous la menace de sévices encore pires, à signer un ordre de crédit grâce auquel elle sauvait son petit commerce de fripes et nippes. Dans une autre version, Pepecita, entrant chez l'usurier, était saisie par le garde du corps du salaud et contrainte de se déshabiller en se préparant aux outrages, lorsqu'un admirateur secret de la belle faisait irruption en compagnie de deux acolytes, revolver au poing, et exigeait que l'infâme prêteur consentît sans intérêts le dépannage financier demandé.

De San Luis Obispo à Valparaiso, *Pepecita* était la coqueluche du monde latin, et, à partir de 8 heures du soir, il importait peu que la soupe fût maigre et les enfants hargneux : personne n'aurait manqué un épisode du feuilleton pour tout l'or du monde. À plus forte raison si cet or n'existait pas.

À Kiev, après une journée d'émeutes où les blindés avaient dû intervenir et où l'on dénombra trois morts et vingt-deux blessés, la population se retrouva pour panser ses plaies et assister à la projection d'un feuilleton, *Emmanuelle VII,* doublé en ukrainien, avec une seule version alternative. Dans la version originale, Emmanuelle devenait la proie d'un couple salace, qui la ligotait dans une position idoine, sur le fameux fauteuil en rotin, et faisait l'amour devant elle. Dans la version alternative, l'épouse profitait de la circonstance pour se venger de son mari. Elle le faisait ligoter sur le fauteuil tandis qu'elle faisait l'amour avec Emmanuelle. Or, après une journée pourtant mouvementée, que certains observateurs décrivaient même comme révolutionnaire, on entendit encore bien des querelles bruyantes dans les immeubles de l'antique capitale aux quatre cents églises, chacun des conjoints voulant une version différente.

Mais il est vrai que l'antique Ukraine avait beaucoup changé depuis la chute de l'Empire soviétique. En dépit de son apparente intégrité géographique et linguistique, elle était retournée à ce qu'elle avait été quatre à cinq millénaires auparavant, quand les peuplades indo-européennes étaient parties du bassin du Donetz pour coloniser l'Europe. Nourris, par exemple, d'un quartier d'oie troqué contre une faveur sexuelle et accommodé au jus d'un chou volé, les Ukrainiens se distrayaient avec les fantasmes de l'électronique.

Cependant, l'argent se faisait excessivement rare. Le peu de liquide en circulation au moment de la catastrophe se volatilisa à son tour, cette fois, du fait de la prévoyance, c'est-à-dire de l'avarice.

Commise aux soins de Robbie, la petite Nella Ohlberg dut, après les obsèques de sa mère, se passer de faux chocolat pour se consoler. De toute façon, il avait disparu des supermarchés.

23.

Hurlements d'horreur, passants courant dans tous les sens, boutiquiers abaissant précipitamment les rideaux de fer, explosions successives, piétons couverts de débris sanglants, embouteillages, police-secours, Samu, yeux hagards. 3 h 17 un samedi à Paris, place des Vosges. Un couple de touristes allemands s'y promenait, plein d'admiration, quand un pigeon prit son envol et leur explosa à la face, projetant des morceaux ruisselants sur leurs accoutrements d'ailleurs absurdes — pantalons de Mystral ♥ (c'était le seul sigle qu'autorisait le fabricant) vert pomme à rayures orangées fluo et coupe-vent magenta iridescent.

Des scènes similaires se produisirent çà et là dans Paris. Trois pigeons explosèrent dans la cour de l'Élysée, déclenchant un branle-bas de combat sans précédent depuis les jours mythologiques où la capitale attendait le parachutage des soldats rebelles de la guerre d'Algérie. Vingt et un de ces volatiles explosèrent dans le quartier des Champs-Élysées, salissant les vitrines de luxe et les parterres fleuris de plumasse sanguinolente et de fragments gluants d'intestins. Avenue Montaigne, parce qu'un pigeon explosif lui avait obscurci le pare-brise, un conducteur d'autobus entra, véhicule compris, dans la vitrine d'un couturier qui exposait à la convoitise des passants des liquettes chiffonnées et, comble de raffinement, préalablement salies de cambouis, pour la modique somme de vingt-cinq mille francs pièce. Sentant sans doute imminente son heure dernière, un pigeon entra à Saint-Eustache et s'y volatilisa peu après, semant la panique parmi quelques dévotes. Les urgences des services neurologiques des hôpitaux furent rapidement débordées par l'abondance des crises de nerfs.

Vers 6 heures de l'après-midi, Paris était jonché de débris de pigeons. Dans la lumière du crépuscule, certains badauds pervers prenaient plaisir à observer les lueurs sanglantes dont quelques explosions de pigeons constellaient encore le ciel.

La soirée fut tendue. Les restaurants, cinémas et autres établissements de loisirs ne firent pas recette, les explosions se poursuivant tard dans la nuit et les Parisiens craignant de se faire asperger de sang.

La journée du lendemain fut passablement plus rude. Vers midi, un détachement d'autruches, venues on ne savait d'où, remonta l'avenue de Wagram vers la place de l'Étoile, y sema d'abord la confusion, les automobilistes ébahis ou paniqués essayant d'éviter les pesantes volailles qui avaient fait irruption dans le trafic, puis paralysa entièrement la circulation quand, une à une, ces bêtes explosèrent sous l'Arc de triomphe, à l'entrée de l'avenue Foch, place de l'Alma, après avoir dévalé l'avenue Marceau au pas de course, la dernière s'étant offert le luxe de descendre les Champs-Élysées jusqu'à la Concorde et, là, de se pulvériser dans un fracas étouffé sous l'Obélisque.

Les enquêtes de police ne trouvèrent pas grand-chose, n'étaient quelques témoins qui se souvinrent avoir vu un camion ouvrir ses portes place des Ternes et les autruches, dérobées dans un élevage de l'Aveyron, en sortir à grande allure. Comme pour les pigeons, les croupions des volatiles avaient été farcis de bombes à retardement miniaturisées.

La circulation parisienne fut bloquée pour deux jours, de nombreux automobilistes ayant déserté leurs voitures sur-le-champ. Une certaine névrose s'empara des Parisiens ; le commerce en souffrit beaucoup. C'était deux jours après que Dieudonné eut dîné à l'Élysée.

Dieudonné considéra les événements avec froideur. Il avait toujours su que les bouddhistes zen avaient un sens aigu de l'humour. Ces avertissements grotesques n'en méritaient pas moins d'être pris au sérieux, comme il le confirma au président lui-même, déconcerté par ces parodies d'attentats. Ces avertissements sans frais signifiaient que les comploteurs étaient capables d'actions de plus grande envergure.

Comme on eût pu s'y attendre, les réseaux d'Internet commencèrent à se détraquer. De Paris, de Berlin, de New York, puis de maintes autres villes, de mauvais plaisants encombraient les lignes par des transcriptions de l'Apocalypse de saint Jean dans toutes les langues connues.

« Jean aux sept Églises de la province d'Asie. Grâce et paix vous soient données, de lui qui est celui qu'il est... »

24.

Tous les gens du métier le savent : le pire, dans le renseignement, c'est la bureaucratie. Il n'avait pas fallu moins de cinquante-quatre lettres, toutes évidemment marquées du sceau *Très secret* et *Mission spéciale de la présidence*, circulaires restreintes, accusés de réception, numéros de code, fiches d'attribution de budgets, de locaux, de voitures et de chauffeurs, de numéros de téléphone, de matériel de bureau et d'informatique, contrats de salaire et de fax, émanant de la Présidence, de l'hôtel Matignon, des Domaines, du ministère de l'Intérieur, du ministère des Affaires étrangères, du ministère des Postes et Télécommunications, de la préfecture de police, de la Caisse des dépôts et consignations, et, bien évidemment, du SST, pour que Dieudonné, huit jours après qu'il eut donné son accord au président de la République, disposât enfin de deux bureaux d'une superficie totale de trente-six mètres carrés, rue du Faubourg-Saint-Honoré, d'un secrétaire informaticien, ainsi que d'un budget plausible. Et encore, les formalités avaient-elles été accélérées à la suite des attentats aux oiseaux : une moitié d'entre elles avait été expédiée à un train d'enfer, l'autre moitié attendant les visas de chefs de service, la diligence de comptables, les humeurs fastes de secrétaires. Même incomplètement informées, deux cents personnes participaient à ce qui était censé constituer un secret d'État absolu.

« Et nous prétendons lutter contre l'Asie, qui double sa bureaucratie mandarine, car elle en a une elle aussi, d'un système informel de signes instantanés où les non-dits ont force de décret ! » maugréa Dieudonné. « Quant au prétendu secret, tintin ! Ce serait un miracle qu'il n'y eût pas de fuites. »

Il avait requis du SST les noms des spécialistes qui s'occupaient des Japonais en France. On lui avait indiqué, mais sans excès de grâce, le commandant Alain Baudrier. Dieudonné lui avait donc donné rendez-vous et s'efforçait de tromper son impatience en lisant la presse du matin. Dans la pièce voisine, son secrétaire, un petit jeune homme au cheveu plat d'origine orientale, Bechir el Afghani, éternellement mal rasé, tritouillait son ordinateur, un jouet qu'il avait doté des perfectionnements les plus raffinés, y compris une commande vocale qui permettait d'appeler sans bouger un cil douze postes de téléphone et douze ordinateurs différents. On lui en avait dit merveille. Dieudonné avait songé au dicton thaï : « Un soc en or ne fait pas une bonne charrue. »

Le commandant Baudrier se présenta à l'heure militaire. En vingt secondes, Dieudonné repassa mentalement au crible de son intuition la fiche du militaire : marié — deux enfants — santé top — mentalité réglementaire — fin, mais sans imagination.

« On va au café », dit Dieudonné. « On sera plus tranquilles. Monsieur Bechir », cria-t-il à la cantonade, « je suis au café ! »

Baudrier commanda un crème, Dieudonné un double serré.

« Allons vite », dit Dieudonné en remuant son sucre.

Il exposa l'objet de sa mission et son hypothèse. Et il ajouta :

« On cherche une vipère dans une prairie. À mon avis, pas une chance sur mille de la trouver. Mais il faut le faire, pour sauver l'honneur du service. Sinon, il y aurait beaucoup de gens pour conclure que ce service est composé d'ignares, de vendus ou de tire-au-flanc. Si nous réussissons, tout le mérite en reviendra à nos supérieurs, qui ont pris l'initiative de l'enquête. Si nous ratons le coup, vous, moi et quelques autres serons des crétins. Paysage ordinaire. Je signale que je ne suis pas un professionnel des renseignements. On m'a désigné parce que je connais le Japon et le japonais. À mon avis, ce n'est pas en France que siège le gros de la bande des Japonais, mais aux États-Unis. Il faut quand même chercher en France. Peut-être ont-ils des antennes en Europe. Pas certain. Qu'est-ce que vous savez ? »

Baudrier se laissa tomber sur le dossier de la banquette.

« Presque rien. Personne dans nos services ne parle vraiment japonais. Les prétendus experts sont incapables de lire plus que les manchettes de l'*Asahi Shimbun*. On nage. Tout ce que nous avons surveillé, parce que c'est tout ce que nous pouvons faire, c'est l'espionnage industriel. Quand des Japonais commencent à téléphoner à des firmes d'électronique, d'aviation ou de chimie, nous pistons les numéros appelés et nous faisons interroger leurs correspondants, plus ou moins diplomatiquement. C'est primaire, mais c'est comme ça. Nous avons pu bloquer deux ou trois tentatives frauduleuses d'achat d'informations, mais ça ne va pas plus loin. Vous parlez vraiment le japonais ? »

« Oui. »

« Chapeau ! »

« Vous avez dit que vous ne savez presque rien. Mais encore ? »

« Un ou deux numéros bizarres. Et surtout un étudiant, Hideshi Yagama. Pas très clair, sait qu'il est surveillé, joue des tours à la filature, utilise beaucoup son modem. »

« Qu'est-ce que vous entendez par "joue des tours à la filature" ? »

« Nous avons installé des micros dans son appartement. Voici huit jours, on l'a cru chez lui, parce que les micros transmettaient des bruits caractéristiques, des cris de femme, si vous voyez ce que je veux dire, donnant à croire qu'il donnait une partie fine et triangulaire chez lui. On a appris le lendemain que pendant ce cinéma il dînait tranquillement au bistrot du coin. On n'a pas pu savoir avec qui. L'intention de duperie était évidente. Il nous narguait presque. »

« Qu'est-ce que vous surveillez ? »

« Les bruits chez lui, par les micros donc, son vidéophone et son ordinateur quand il le branche sur modem. En plus d'une filature à peu près constante. »

« Depuis quand le surveillez-vous ? »

« Trois semaines. »

« Pourquoi ? »

« Beaucoup trop d'intérêt pour l'électronique de pointe. Et une tentative réussie de braquage du code bancaire de la Société générale. »

« Réussie ? »

« Oui », avoua Baudrier, dépité. « Nous avons avisé la banque. Je peux prendre un autre café ? »

Dieudonné hocha la tête.

« Vous avez les bandes sonores ? »

« Les bandes micros ? Il n'y a presque rien dessus. Il vit seul et il est aussi bavard qu'un poisson rouge, à part les numéros tels que celui que je viens de vous décrire. Les bandes téléphoniques, oui. Vous allez peut-être nous dire ce qu'il y a dessus. »

« Si ce garçon est aussi malin, il aura surveillé ce qu'il dit. Vous avez les numéros appelés ? »

« Oui. La plupart sont au Japon. »

« On peut aller écouter ces bandes ? »

Baudrier vida sa tasse. Dieudonné passa prévenir son

secrétaire qu'il ne serait de retour qu'après déjeuner. Sur le chemin du retour, il demanda à Baudrier s'il avait un collaborateur de confiance à lui suggérer.

« Essayez Dutertre », répondit Baudrier.

25.

Arpentant une plage du Maine, en chemise, pantalon et cravate, mais les pieds nus, l'Ancien et son acolyte s'arrêtèrent pour observer la mer grise.

« Vous aviez raison », dit l'Ancien, « le système est moins inerte que je ne l'avais craint. »

« Je suis très honoré de votre approbation, *roshi.* »

« Les petites provocations aux autruches et aux pigeons farcis ont, semble-t-il, beaucoup affecté l'état d'esprit des Français. »

« C'est sur le point le plus faible qu'il faut intervenir, vous nous l'avez dit, *roshi.* Et ce point est le moral des gens. »

« L'érosion est lente, mais elle s'opère », reprit l'Ancien.

« Le Japon en souffre aussi, hélas », observa l'autre.

« Ce n'est pas le Japon qui en souffre, c'est son image ou, plus exactement, l'image qu'il se faisait de lui-même. »

Ils reprirent leur promenade.

« Avons-nous des nouvelles de nos amis ? » demanda l'Ancien.

« Une enquête a été engagée par les États-Unis, qui requièrent l'aide des services secrets japonais. »

L'Ancien sourit.

« L'idée de ces services secrets connus de tout le monde m'a toujours diverti. C'étaient des nouvelles fraîches que vous avez reçues ? »

« Elles sont arrivées par la méthode ordinaire. Cette fois-ci un catalogue de grands magasins expédié par avion avant-hier et porté par un messager. »

« Très bien. Continuons à nous méfier de leurs réseaux. Avons-nous reçu une observation ? »

« Oui. Deux, même. La première est que les services de sécurité des banques américaines finiront tôt ou tard par détecter les émissions des micros et qu'il ne faudra alors pas espérer un répit supérieur à quarante-huit heures. La seconde est que le bœuf est capturé. »

« Il nous faut donc aller au marché animés de compassion », dit l'Ancien. « Et ont-ils émis un souhait ? »

« Que nous passions à la phase trois. »

« Où en êtes-vous ? »

« J'attends de m'en entretenir avec Yagama. Il a dû arriver tout à l'heure à New York. Les premiers résultats semblent concluants. Des composants électroniques sont tombés en poussière au bout de trois jours. »

Ils rebroussèrent chemin vers le motel où ils étaient descendus. Leur sérénité contrastait avec la tension de la vigile planétaire qui s'était établie depuis quarante-huit heures.

Après plusieurs conférences dont la durée et la fièvre causèrent la mort, par arrêt cardiaque, du Premier ministre de l'Espagne, les pays de la Communauté européenne décrétèrent que, jusqu'à plus ample informé, les banques seraient tenues de faire crédit à leurs clients à concurrence de la moitié certifiée de leurs avoirs avant la catastrophe. Les banques centrales imprimèrent en hâte du papier-monnaie pour approvisionner les établissements, mais l'ennui fut que, les services informatiques étant devenus hautement suspects, il fallut, de Dublin à Athènes, recourir à l'antique méthode des écritures. Les personnels des banques triplèrent en moins d'une semaine. Le commerce devint d'une lenteur désespérante.

Certes, les systèmes informatiques en place lors de la catastrophe étaient toujours opérationnels, mais nul n'osait plus s'en servir, de peur que les terroristes ne fissent une fois de plus voltiger les rares capitaux que des audacieux se seraient aventurés à déposer et que des banquiers encore plus téméraires auraient osé gérer par ordinateur.

Bien évidemment, toutes les banques du monde avaient changé leurs codes d'accès, et beaucoup d'entre elles en avaient même institué, par une mesure de prudence surtout académique, un changement quotidien, mais le plus alarmant de l'affaire est que cela n'améliora aucunement la situation. Quelques minces crédits inscrits par l'informatique, à titre expérimental, disparurent dans le tourbillon satanique qui circuitait par les systèmes bancaires. Les mystérieux terroristes étaient apparemment au fait, jour par jour, si ce n'était heure par heure, de tous les nouveaux codes d'accès et de fermeture.

Parallèlement à l'obligation de crédit limité édictée par l'Europe, et rapidement appliquée par le reste des pays de la planète, la vigilance mondiale fut doublée par une surveillance informatique appliquée par toutes les banques du monde. Son objet était de maintenir vingt-quatre heures sur vingt-quatre un personnel expérimenté en poste devant les ordinateurs, de manière à bloquer sur-le-champ toutes les opérations de transferts internationaux qui s'inscriraient sur les écrans.

Quoique théoriquement prometteurs, les résultats de cette tentative de gel des capitaux volants, comparable à la résolution d'un dormeur soudain réveillé et énervé qui essaie d'abattre des moustiques agressifs, se révélèrent décevants. Au terme d'une semaine de surveillance, la Banca del Lavoro, à Turin, par exemple, parvint tout juste à bloquer un transfert de la Turkiye Garanti Bankasi. La Chemical Bank de New York, elle, bloqua un transfert du Crédit Agricole d'Ile-de-France et un autre de la Banque du Koweït. Et ainsi de suite.

L'infortuné DuCamp de la First National City Bank ne fut pas le seul à y perdre son équilibre psychique : en moins d'une semaine, quelque six cents directeurs de banque du monde industrialisé furent hospitalisés, certains à l'issue de crises de démence caractérisée. À Lausanne, l'un des directeurs de la Société de banque suisse dut être arraché des toilettes de l'établissement, où il s'était enfermé pendant trois heures. À Helsinki, le directeur de l'Union Bank of Finland fut rattrapé par les pompiers alors qu'il menaçait de se jeter de la fenêtre de son bureau. À Osaka, le président de la Sumitomo Bank Ltd. se jeta sur sa secrétaire et la mordit sauvagement.

On avait sans doute mis fin au carrousel fantomatique de milliards de milliards de francs, marks, pesos, dollars, lei, et autres piastres d'un écran l'autre, au travers des fuseaux horaires, mais l'énorme effort nerveux et financier consenti n'avait pas valu la chandelle. Dans un monde désemparé par la perte de ses économies et de son économie, et, de plus, castré par l'évanouissement de perspectives d'un retour à l'ordre, la déclaration du président du Federal Board of Reserve : « Les neuf dixièmes des avoirs bancaires du monde ont disparu », fit un effet calamiteux.

Entre-temps, les activités de la totalité des Bourses du monde avaient été suspendues sine die. Le monde industriel se trouva réduit à ses usines, à ses laboratoires et à ses cadres, en attendant qu'on trouvât une façon d'accélérer les échanges de capitaux. Les cours de l'or atteignirent des sommets inouïs, et ceux de l'argent suivirent de près.

Il devenait urgent de rétablir la sécurité des systèmes informatiques nationaux et internationaux. On s'y employait fiévreusement en établissant de nouveaux logiciels et de nouveaux circuits, qu'on s'efforçait de rendre inviolables.

« Le prestige des systèmes démocratiques vient de subir sa plus effroyable défaite depuis la chute d'Athènes », dit le chancelier allemand. « Même si l'on parvenait à rétablir le statu quo ante dans le système bancaire, il n'est pas certain qu'on puisse restaurer les régimes politiques de la planète tels qu'ils étaient. »

Mais était-il bien possible de rétablir le système bancaire ? Et souhaitable ? Les yeux du monde entier se tournaient vers la NSA.

26.

La dernière vision que Dieudonné emporta du monde de la surface fut un couple de garnements de quinze ou seize ans qui faisaient de la planche à roulettes entre les automobiles. L'un d'eux réussit un volé extraordinaire au-dessus du capot d'une voiture et dévala à un train d'enfer vers l'esplanade, tandis que l'automobiliste qui avait vu cet Icare en herbe filer devant son pare-brise s'efforçait de refermer ses mâchoires.

« La jeunesse », pensa Dieudonné, tout en se disant qu'il ne savait même pas ce qu'il devait en penser. Ce voltigeur de grâce et de génie dont les tendons d'airain défiaient la lourdeur militaire du trafic occidental suffisait à rayer la vieille plaque gravée que des institutions séniles s'obstinaient à imprimer. « Icare rend le soleil pédant », disait un de ses vieux maîtres.

Baudrier et lui enfilèrent des couloirs coupés de deux petits halls, où les deux hommes durent glisser chaque fois leurs passes dans des lecteurs électroniques, prirent un ascenseur et parvinrent au deuxième sous-sol. Nouveaux couloirs. Puis une porte métallique. Baudrier et Dieudonné débouchèrent dans une vaste salle meublée de consoles électroniques, de tables et de chaises, et parsemée de petits habitacles vitrés qui offraient un minimum d'isolement sonore, car le lieu était bruyant. Le cœur de la fameuse Piscine.

Baudrier se pencha vers une jeune femme pour lui demander un renseignement ; elle pointa l'index vers un habitacle. Baudrier y trouva Dutertre sous un bureau.

« J'ai perdu une pièce de dix francs », dit Dutertre.

Baudrier tira de sa poche une pièce, la tendit à Dutertre, qui l'empocha, et il emmena le jeune homme vers Dieudonné.

« Le lieutenant Jean-François Dutertre. Monsieur Dieudonné, qui est chargé d'une mission spéciale et auquel vous et moi devons tout notre temps. »

Dieudonné écarquilla les yeux, puis interrogea Baudrier du regard. Dutertre demeurait inexpressif.

« Le lieutenant Dutertre est un homme compétent », dit Baudrier en soupirant. « C'est même le plus compétent que je puisse mettre à votre disposition. Mettons qu'il soit déguisé. »

Dieudonné tendit la main comme à regret et en rencontra une autre agréablement sèche et ferme. Le regard, décidé et clair, laissa transparaître de l'étonnement, vite dissimulé.

« Est-ce que vous pouvez retrouver, pour audition immédiate, les bandes de Yagama ? » demanda Baudrier. « M. Dieudonné, qui parle japonais, serait désireux de les écouter. »

Dutertre partit.

« Qu'est-ce que c'est que ce zigue ? » demanda Dieudonné. « C'est un lieutenant, ça ? »

« Ne vous fiez pas aux apparences », répondit Baudrier, alors que Dutertre revenait, chargé d'une pile de cassettes.

Les trois hommes se déplacèrent vers un habitacle libre. Dutertre introduisit la première bande dans le magnétophone, indiqua à Dieudonné le bouton marqué *Start* et attendit à la porte de l'habitacle.

« Je reste à votre disposition, je suis à côté », dit Dutertre.

Il s'assit à un bureau voisin et lut une revue, les baskets en évidence sur la table. Baudrier s'était absenté.

Dieudonné appuya sur le bouton.

Une conversation avec Tokyo. Un homme âgé, peu loquace, qui se révéla être le père de l'intéressé. Conversation d'argent, nouvelles de la famille, une sœur à l'hôpital. Onze minutes. Sur le boîtier de la cassette, comme sur ceux des autres, la date et le numéro de l'appel.

Conversation avec Paris, immédiatement après. Correspondant japonais. Rendez-vous pour déjeuner. Pas de nom de lieu. Une minute trente environ. Numéro mal enregistré.

Conversation avec Tokyo, correspondant différent de la première fois. Conversation professionnelle. Yagama demande si son correspondant a lu un article de la revue américaine *Electronics*. Le correspondant l'a lu et le trouve vaseux. Les puces à composants biologiques sont une histoire pour littérateurs impubères, dit-il. Rires. Parasites. Six minutes. Numéro indiqué.

Appel à Paris. Sans réponse. Numéro indiqué.

Autre appel à Paris. Répondeur téléphonique. Numéro indiqué.

Appel à Osaka. Conversation incompréhensible avec un personnage vif et sec, presque impatient. Deux minutes quinze. Numéro douteux. Baudrier fronça les sourcils. Le ton et la teneur de la conversation lui parurent bizarres. Il compta les enregistrements : trente-huit. Il vérifia du regard, à travers la vitre, que Dutertre était toujours là. Il mit le dernier enregistrement de côté et prit le suivant.

À 1 heure, il eut faim. Dutertre lui fit porter un sandwich mixte et une canette de bière. Baudrier et Dutertre vinrent l'interroger du regard. Dieudonné hocha lourdement la tête. Baudrier vint et repartit en regardant sa montre.

Peu avant 7 heures, la tête en compote, Dieudonné arrêta le magnétophone et compta les enregistrements qu'il avait mis de côté. Il pria Dutertre d'aller quérir Baudrier d'urgence.

« Il faut bloquer la sortie de France de Yagama », dit-il, les yeux mi-clos.

« Je m'y emploie sur-le-champ », répondit l'autre.

Dutertre le raccompagna chez lui dans un minuscule et archaïque tacot.

« Les chasseurs sibériens reconnaissent le passage d'un animal, et sa date, à ses excréments. Ils peuvent même dire ce qu'il a mangé », dit Dutertre.

« Quoi ? » demanda Dieudonné, surpris.

« Les cassettes que vous avez écoutées, c'est comme des excréments de loup. »

« Où avez-vous trouvé ça ? » demanda Dieudonné en riant.

« Dans un récit d'ethnologue. Je suis certain que vous avez trouvé un indice au moins. »

« Comment le sauriez-vous ? » demanda Dieudonné.

« Par l'ordre dans lequel vous avez laissé les cassettes. »

Dieudonné dévisagea Dutertre du coin de l'œil. Une fois chez lui, il s'allongea sur le lit, la cervelle ensuquée. Il fut réveillé par le téléphone. Simultanément, il enregistra l'heure et la voix de Baudrier :

« Yagama est parti hier à midi pour les États-Unis. Air France, classe économique. »

« Obtenez qu'on fasse mettre les scellés sur l'appartement. »

Dieudonné alla se doucher, en proie à l'anxiété. Il restait une pochette de jambon et des œufs dans le frigo. Ça commençait mal.

« Tout seul avec une cervelle d'Occidental contre une armée de cerveaux exercés, servis par des capitaux considérables et le sens du devoir. Finir ma vie sur un échec ! »

27.

Responsable de la surveillance de l'ensemble des antennes rhombiques et du réseau Wullenweber de Vint Hill, en Virginie, et de la collecte et du décodage des informations recueillies dans ce centre, le major Ted W. Squareham avait, ce soir-là, des yeux de lapin menacés de façon imminente par une conjonctivite. Depuis le début de la crise bancaire, soit cinq jours et cinq nuits, il n'avait pas dormi plus d'une vingtaine d'heures. Il ouvrit le tiroir de droite de son bureau, en tira un flacon de collyre Visine, s'en instilla deux gouttes dans chaque œil et se pencha à nouveau sur les relevés de fréquences enregistrées depuis six jours et préalablement triés par un ordinateur Cray 916 selon les instructions d'une équipe d'informaticiens de la meilleure farine, trois garçons et deux filles.

L'équipe était partie se coucher depuis plusieurs heures, bredouille. Et le temps pressait. Depuis trois jours que ces jeunes gens appliquaient à leur recherche les algorithmes les plus raffinés et leurs plus délicats neurones, ils auraient déjà dû avoir trouvé ce qu'on cherchait.

L'alter ego de Squareham, le major Bill T. Reichen, responsable, lui, de la collecte des informations expédiées par les trois satellites de surveillance Keyhole, était parti très tôt, pas pour se coucher, mais pour participer à un banquet d'anciens de West Point. Ce qui valait à Squareham une rancœur vaguement teintée de jalousie. Reichen était beau garçon, bien noté, de famille riche, doté d'une femme élégante et jolie, alors que Squareham tirait le diable par la queue, qu'il aspirait au divorce comme un bureaucrate aspire à une semaine de pêche à la truite arc-en-ciel dans les Adirondacks et qu'on ne l'invitait quasiment jamais que là où il ne faisait pas de différence.

« De l'avis général, Ted », avait dit Reichen d'un ton dégagé, « ce ne sont pas les satellites qui pourraient trouver ce qui intéresse Comstock. Il doit s'agir d'émissions de trop faible puissance pour être détectées par des satellites. À mon avis, d'ailleurs, mais ce n'est qu'un avis personnel, tu ne trouveras rien avec tes installations formidables. »

C'était là le bon sens même, mais le bon sens n'est pas également apprécié de tout le monde.

Squareham n'était pas, de surcroît, de la meilleure humeur possible. Son supérieur, le général Alden U. (pour Ulysses) Comstock, lui avait dit, la veille, à 11 heures p.m., l'enfant de pute, qu'à Rhode Island, au centre de surveillance téléphonique, ils avaient trouvé quelque chose, qu'il était probable que certains messages hertziens anormaux correspondent à ce « quelque chose », et qu'il devenait urgent de définir ces messages à Vint Hill.

« Qu'est-ce qu'ils entendent par "quelque chose", général ? » demanda Squareham.

« Je ne peux pas vous le dire », répondit énigmatiquement Comstock, ce qui pouvait signifier aussi bien qu'il n'en savait fichtre rien ou qu'il n'était pas autorisé à le révéler.

À quarante-deux ans, affligé d'une femme acariâtre et d'une fille incontrôlable, qui en était à son troisième divorce à vingt-quatre ans, Squareham avait investi toute son énergie dans son travail. Or, ce travail revêtait des dimensions quasi mythologiques, comparables à l'un des travaux d'Hercule ou, mieux encore, aux souffrances des Danaïdes s'obstinant à remplir des tonneaux percés. On le comprenait rien qu'à survoler Vint Hill, si l'on y était jamais autorisé, et qu'on possédait des rudiments de ce qui s'y faisait.

Vus d'avion, les deux ensembles de Vint Hill ressemblaient à des pelotes d'aiguilles déployées sur une colline. Le premier était constitué de plus de trois mille antennes, implantées depuis 1942, qui suivaient toutes les transmissions hertziennes sur la côte est des États-Unis, toutes, absolument toutes, depuis les conversations des camionneurs en CB, entre Cape Cod, par exemple, et Atlantic City, jusqu'aux émissions naïvement codées des ambassades et autres missions étrangères à Washington ou aux Nations unies, à New York. Le second, le Wullenweber, était constitué de quatre cercles concentriques d'antennes de hauteurs variant entre deux mètres et demi et trente-trois mètres de haut. Tandis que le Wullenweber captait toutes les émissions hertziennes, de quelque direction qu'elles vinssent, l'autre système, le rhombique, était capable, grâce à ses câbles coaxiaux, de déterminer la direction d'où provenaient ces émissions. Ce qui était beaucoup plus raffiné. Trois fois par jour, cent deux employés allaient recueillir au pied des antennes les enregistrements des dernières huit heures.

Le déchiffrement révélait des dialogues aussi palpitants que celui-ci : « Ma miquette, je serai en retard ce soir. — Quelle heure ? — Mettons 9 heures. — Qu'est-ce qui se passe ? — Les attendus du conseil d'administration à mettre au net avant de les imprimer dans la nuit. — Elle est jolie ? — Qu'est-ce qui est jolie ? — Ta séance de conseil d'administration ? » Etc.

Incidemment, les communications téléphoniques étaient, elles, gérées par Green Hill, à Rhode Island, qui écoutait également tout, absolument tout encore une fois, depuis les caquetages de chipies de la mode entre Boston et Londres jusqu'aux conversations de touristes espagnols ou français avec leurs mères patries.

Autant dire qu'à Vint Hill Squareham cherchait une aiguille dans une botte de foin. Car personne ne se faisait d'illusions excessives sur la capacité totale d'interception de tous les messages réellement importants, pas plus par Vint Hill que par son centre jumeau, Two Rock Ranch, au nord de San Francisco, ou même Green Hill. Il y a des limites à la surveillance, et une conversation innocente entre Washington et Paris, dans le genre : « Comment vas-tu, maman ? — Et toi, je suis contente de t'entendre ! Mon arthrose de la hanche me fait atrocement souffrir », pouvait signifier, par exemple : « Assemblez la bombe atomique dont les éléments sont entreposés dans les sous-sols de l'ambassade et faites-la exploser à midi pile. » Mais enfin, on surveillait, quoi, et parfois on tombait sur une bonne aiguille dans cette maudite botte de foin.

Le secret de l'affaire résidait dans les mots clefs. Selon les circonstances, on surveillait les Chinois, les Français, les Coréens, les trafiquants de drogue et, de toute façon, les Russes et leurs alliés passés et présents. On donnait aux ordinateurs l'ordre de repérer toutes les conversations où se prononçaient, dans telle ou telle langue, par voie hertzienne ou câblée, certains mots clefs. Méthode généralement efficace, mais parfois susceptible d'aboutir à des couacs cuisants. Squareham se rappela sans gaieté la semaine infernale où tout ce qui comptait comme systèmes de surveillance aux États-Unis avait vécu sur les dents pendant des tours entiers d'horloge. On avait, par hasard, intercepté une conversation suspecte entre l'ambassade d'URSS et Moscou dans les derniers mois de la Guerre froide. Plus que suspecte : hautement alarmante. Six échanges téléphoniques de longue durée, prétendument sur un problème culinaire. L'argument supposé de ces échanges intercontinentaux était le suivant : pouvait-on préparer un bortsch à la fois avec des choux et des betteraves ? Et quel était le degré de fermentation tolérable pour chacun des deux ?

Un enfant de cinq ans aurait compris que c'était là un

prétexte fallacieux. Du bortsch, voyons ! Les Soviétiques préparaient un coup fourré de la plus sinistre espèce ; mais lequel ? La présidence s'en inquiéta et devint même, à ce sujet-là, atrabilaire. « Et cette histoire de bortsch, où en est-on ? » avait demandé le président Ronald Reagan à plusieurs reprises. À la NSA et à la CIA, la tension nerveuse et intellectuelle atteignit un point insupportable. Trois personnes s'écroulèrent, l'une en proie à une crise de nerfs, les deux autres victimes de l'épuisement physique.

Cela dura jusqu'au soir où le secrétaire d'État aux Affaires étrangères de l'époque fut invité à l'ambassade d'URSS. Là, on lui fit déguster une invention du chef, un bortsch aux betteraves et aux choux. Avec des lardons. Le ministre faillit s'en étrangler. Ce bortsch-là avait coûté quelque dix millions de dollars au contre-espionnage américain.

Squareham analysa pour la septième ou huitième fois, sur la liasse de feuilles au bord perforé, les classements informatiques selon les longueurs d'onde des émissions captées. Ces bords commençaient à devenir gras, de la graisse naturelle de ses doigts, et à se détacher. Il s'intéressait surtout aux émissions décimétriques. La crise avait commencé dans la nuit de dimanche à lundi. Et elle durait jusqu'à ce jour. Normalement, on devait retrouver le « quelque chose » qui confirmerait ce que les gens de Green Hill auraient trouvé, selon Comstock, par exemple une plus grande fréquence d'émissions dans une bande donnée, entre 10 et 900 mégahertz, soit de trente mètres à trente-trois centimètres.

Dans ce domaine-là, les tentatives de traitement par ordinateur étaient très longues et surtout aléatoires. Entre les brouillards de la CB et les communications téléphoniques de voitures, les télécommandes et les talkies-walkies, sans compter les voitures de police, automatiquement éliminées par le Cray 916, on comptait, de New York à Washington et de 8 heures du soir à 8 heures du matin, pas loin de deux millions d'émissions au Wullenweber.

« Inutilisable ! » grommela Squareham. « Réfléchissons.

Pour pirater informatiquement une banque et effectuer les virements sataniques que chacun sait, on ne peut s'y prendre que par modem, c'est-à-dire téléphoniquement. C'est vachement compliqué, quand on sait les systèmes de sécurité bancaires, mais admettons. »

Squareham se servit une tasse de café noir, parce qu'il ne supportait plus le goût du sucre. Puis il alluma une cigarette.

« Les virements, on ne peut les faire qu'après la fermeture des banques, c'est-à-dire une fois que le dernier employé est parti, vers 8 ou 9 heures p.m., parce qu'il y a des intoxiqués du travail qui restent tard au bureau pour boucler leur agenda de la journée. Donc, les gens de Green Hill ont dû capter des émissions suspectes vers cette heure-là, ce qui explique que cet enfoiré de Comstock ait téléphoné à 11 heures du soir : on a dû l'informer vers 10 heures qu'on avait trouvé "quelque chose" de significatif, il en a discuté un moment, il a réfléchi et m'a appelé une heure plus tard.

« Mais pour pirater une banque, il faut connaître le ou les codes d'accès. Ça, ce n'est pas possible par modem. Il faut avoir un autre système à l'intérieur de l'établissement, un système hertzien qui capte le code de l'intérieur, Dieu sait comment, et le communique à l'extérieur, à l'enfant de pute qui va jouer au casino avec l'argent des banques. Par exemple, à l'aide de micros. Ça paraît bizarre, quand on sait les féroces systèmes de sécurité des banques. Donc, le travail a commencé avant ! Et comme des cons, nous avons cherché dans la mauvaise bande horaire, celle correspondant aux heures des piratages durant lesquelles on a envoyé valser les capitaux de trois cent quarante-huit banques de New York et de Washington, qui se sont fait baiser comme des idiotes ! Alors que ce qu'il aurait fallu, c'était chercher dans les bandes horaires qui précèdent le piratage ! Le piratage a eu lieu jeudi, donc il aurait fallu chercher les émissions anormales de lundi à mercredi. Mais chercher trois cent quarante-huit émissions dans deux millions, c'est idiot. Ce sont à coup sûr des émissions de très faible puissance, comme l'avait justement estimé Reichen. Le Wullenweber ne trouvera rien. Les rhombiques pas davantage. Qu'est-ce que ces crétins en haut lieu s'étaient imaginé ? Que les bricoleurs qui avaient pénétré le secret des banques avaient utilisé des puissances de cent ampères pour transmettre leurs informations ? Et pourquoi pas des sémaphores sur les toits, pendant qu'ils y étaient ? »

Squareham entendit d'avance la question de Comstock : « Et vous avez vérifié ? Vous êtes sûr qu'il n'y a rien au Wullenweber et aux rhombiques ? » Il s'entendit aussi, d'avance, répondre à Comstock d'aller se faire foutre ailleurs, mais cela ne servirait à rien. Force était cependant de vérifier que les merveilles de la surveillance électronique américaine n'avaient rien perçu des fameuses trois cent quarante-huit émissions. Squareham vida ce qui restait dans la cafetière ; pas grand-chose. Il se leva pour demander au sergent qui sommeillait sur un banc à la porte et dégageait un remugle insupportable, pensez, sept heures de veille à suer dans la chaleur, sans une douche, d'aller chercher du café au mess. Le sergent objecta, non sans raison, qu'à cette heure-là le mess était fermé.

« Allez le rouvrir et remplissez-moi une cafetière ! Il me faut du café, vous avez compris ? »

Le sergent roula des yeux chassieux et courut vers le mess la cafetière au poing, dans des grattements de godasses sur le plancher de bois. Squareham se leva et alla dans la salle où se trouvait la merveille des merveilles de l'informatique moderne, le Cray 916. Un vaste bahut gris pâle orné de loupiotes, qui chauffait tranquillement dans son jus de métal, de silicium et de câblages infernaux, sans parler de l'eau distillée, parce qu'il y avait aussi de l'eau dans ces bouilloires. Le major s'assit à la console et tapa :

Sélectionnez toutes émissions de 10 à 900 MHz — De lundi à mercredi.

Et il cliqua sur la touche opérationnelle. La loupiote d'activité s'alluma. Squareham s'avisa qu'il fumait, ce qui était strictement interdit, car cette merveilleuse machine avait les poumons fragiles, la pauvre, et ne supportait absolument pas la moindre bouffée de tabac à proximité ; les particules de fumée étaient magnétisées par l'appareil et allaient encrasser ses circuits. Le major jura et alla éteindre son mégot dans le cendrier à la porte. Il aperçut au bout du couloir le sergent qui revenait du mess, tenant la cafetière à bras tendu comme si c'était le Saint-Graal. Il rentra dans la pièce et referma la porte. Le Cray gargouillait. Cl-cl-cl — Grrrrr — sic — sic — sicsic — cla — tisiitt. Squareham crut même l'entendre émettre un rot. Puis la loupiote orange s'éteignit. L'écran afficha des informations que Squareham ne se donna même pas la peine de consulter, parce qu'il savait bien qu'elles ne lui apprendraient rien.

Enregistrer.

La loupiote se ralluma quelques secondes, puis s'éteignit. Mission accomplie.

De ce lundi-là au mercredi, il avait dû y avoir trois cent quarante-huit émissions de plus, et surtout plus longues, que pendant la période correspondante de la semaine précédente. Un micro, c'est idiot, ça émet sans arrêt, c'est pourquoi il n'y a plus que les mafieux sous-développés et les maris cocus qui s'en servent. Avec tous les systèmes de détection dont on dispose depuis des années pour les déceler, un micro, c'est un bidule pour gamins impubères. Bizarre que ces gens-là s'en soient quand même servis, si c'est bien le cas. Mais on ne le saurait jamais à Vint Hill.

Squareham tapa les instructions pour obtenir le même travail sur les émissions de la même fréquence du lundi au mercredi précédents. Le Cray recommença à gargouiller. Un de ces jours, un opérateur sensible attraperait une crise de nerfs à cause de ces gargouillements. Voilà le progrès : on disposait d'une machine admirable qui effectuait en quelques dizaines de secondes un travail qui occuperait des clercs pendant des semaines, et on ne supportait même plus ses bruits intestinaux. Bref. La machine finit par afficher les résultats du nouveau travail qu'on lui avait demandé et qu'elle jugeait peut-être, elle aussi, idiot autant que fastidieux. La loupiote s'éteignit, et Squareham se demanda si cette machine du diable ne souriait pas, des fois.

Enregistrer.
Clic-clic — sicsic — sic. Cloc.
« Effectuer comparaison nombre d'émissions entre séquence A et séquence B. »
Mêmes bandes ? demanda la machine, ce qui exaspéra Squareham, qui cliqua néanmoins avec le curseur sur la touche OK.

Le Cray afficha de nouvelles données. Squareham se pencha sur l'écran et tapa :

Dénombrer statistiquement.

Le résultat lui parvint quelques secondes plus tard.

Statistically null.

Squareham bâilla, se gratta les mollets sous ses chaussettes et consulta sa montre : 2 h 17. La nuit était foutue. Il aurait bien pris une douche et se serait allongé avec délices dans des draps frais pour lire un roman policier.

Enregistrer.

Le Cray obéit.

Les borborygmes se prolongèrent. Squareham sortit pour aller se verser une tasse de café frais dans son bureau. Il avait laissé la porte ouverte.

« Le café est bon, capitaine ? » demanda le sergent.

« Buvable », répondit Squareham.

« Est-ce que je suis autorisé à en demander une tasse ? J'ai les yeux qui se ferment. »

Squareham se mit à rire.

« Venez vous servir. »

Le sergent entra en titubant. Il saisit un gobelet, le remplit aux trois quarts et but une longue gorgée.

« Vous faites quelque chose de très important, major », dit-il.

Squareham, étonné, l'interrogea du regard.

« Nous allons au diable », dit le sergent. « Le monde va au diable. Vous êtes un archange. »

« Merci, sergent », répondit Squareham, déconcerté.

Il faudrait vérifier que ce sergent-là n'était pas un allumé ou un pédé. Mais on allait certainement au diable si un sergent prenait un major pour un archange. Bref. Le major atteignait les limites de résistance. Que faisaient donc les États-Unis ? Ils dépensaient des millions de dollars pour enregistrer tout et n'importe quoi, pour essayer de s'emparer d'une chose presque aussi immatérielle que la pensée, les ondes hertziennes grâce auxquelles les restaurants chinois surveillaient leurs rivaux vietnamiens ou cambodgiens, par exemple. Il soupira. Puis il éteignit la pièce, en verrouilla l'accès, alla chercher son blouson dans son bureau, éteignit aussi, et souhaita bonne nuit au sergent.

Il regagna son bungalow à pied, remerciant le ciel que sa femme fût partie chez sa sœur dans le Vermont, prit une douche très chaude et se coucha après avoir fixé le réveille-matin à 8 heures. 8 heures, oui, il dormirait pour une fois tout son soûl. Ce travail, c'était comme les femmes. On les baise passionnément dans l'attente d'un orgasme, elles ne ressentent rien, rien de rien, et au bout d'un moment, pour en finir avec ce machin inepte, cette folle tumeur masculine rigide et heureusement transitoire qui leur laboure le ventre, elles montent leur monologue, elles font « haha — ha ! ». Alors, par politesse, on arrête. On a sacrifié à la cérémonie de la copulation : « Tu as pris ton plaisir, je t'aime, j'ai pris le mien aussi, quelle beauté que l'amour ! » On s'endort en se demandant si cela valait bien la peine, etc.

À 10 heures, il appela Comstock et lui expliqua pourquoi tout le centre de Vint Hill, satellites, Wullenweber et rhombiques, ne trouverait rien.

« Écoutez, général », dit-il d'un ton fatigué et péremptoire, « il y a peut-être quelque chose, mais je ne peux pas le trouver. Sherlock Holmes ne le trouverait pas davantage. Si vous voulez en avoir le cœur net, allez poster quelques mecs avec des scanners dans les banques. »

Suivit un silence menaçant. La réponse vint enfin, articulée comme à regret.

« Je pense que vous avez raison, major. J'ai aussi réfléchi à la question. Mais ce n'est pas là notre travail. C'est celui du FBI. Dommage. »

Le FBI mit deux jours pleins à mobiliser une douzaine d'agents qui s'équipèrent de scanners et allèrent se poster d'abord, à titre expérimental, dans cinq ou six banques. Ils le firent avec une mauvaise humeur non dissimulée.

« Il n'y a plus que les écoliers boutonneux et les débiles qui placent encore des micros ! » protestèrent-ils. « Personne ne se sert plus de ces machins préhistoriques ! Tout le monde sait que ça se détecte en dix minutes ! »

« C'est peut-être pour ça que nos lascars s'en servent, justement », objecta leur chef.

Bien évidemment, ils trouvèrent les micros en un quart d'heure.

Hélas, c'était beaucoup trop tard.

28.

Ce fut assez brutal.

La respectable Mrs. Emmilyn Galsworthy, de la Bank of England comme spécifié un peu plus haut, se fit arrêter la première, en chemise de nuit de molleton bleu à ramages imprimés rouges, à l'heure du laitier, par quatre agents de Scotland Yard, dont deux femmes.

« Quoi ? » dit-elle en considérant les gens dans son vestibule.

Une femme lui montra le mandat d'arrêt. Et d'amener. Elle demanda à faire sa toilette. On lui signifia sans tendresse que ce serait sous le regard d'un agent de police.

La mâchoire (dotée de plusieurs dents fausses) de Stephen C. Gottfarber tomba quand il vit entrer dans son bureau, sans être annoncés, cinq agents de la police fédérale.

« Quoi ? » fit-il lui aussi.

On lui montra le mandat d'arrêt. Et d'amener. Il ouvrit un tiroir, un agent bondit sur lui, revolver au poing. Gottfarber voulait simplement prendre ses cigarettes. On les lui confisqua. Son briquet aussi.

Charles Lévêque et Jean-Jacques François furent cueillis séparément, mais l'un et l'autre en pleine conversation télé-honique, par des inspecteurs du Quai des Orfèvres mpagnés de représentants des Renseignements géné-

De Tokyo à Buenos Aires et de Rome à Stockholm, on arrêta beaucoup de gens dans les banques. On en arrêta même plus qu'il n'aurait fallu. Quelque vingt-trois mille, alors qu'il eût suffi de trois ou quatre mille, à supposer qu'il y eût eu quelque raison de les arrêter. Dans le nombre, il faut le dire, comptaient les chefs des services de sécurité des banques.

Le cas le plus romanesque, et, de fait, il inspira deux livres et un documentaire télévisé, fut celui de Gottfarber. Après deux interrogatoires soutenus, l'un de huit heures, l'autre de sept, au terme desquels il perdit connaissance, on l'expédia à Vint Hill et on l'enferma dans une cellule spéciale, équipée de récepteurs.

Carl Loewe, le spécialiste de la NSA chargé du « dépunaisage » des locaux, y perdit son latin.

« Ce n'est pas croyable ! Cet homme émet même quand il dort ! »

On le radiographia. On ne trouva rien.

« Examinez ses dents », exigea le directeur de la NSA.

Le dentiste enleva les jaquettes de porcelaine de Gottfarber. Il resta à celui-ci à peine assez de dents pour bredouiller. Ce diable de Gottfarber émettait toujours.

Loewe fabriqua un appareil exprès pour la circonstance, un détecteur à pointeau, qu'il promena pendant des heures sur le corps de Gottfarber, allongé tout nu. Loewe trouva, au bout de deux heures passées à promener une sorte de bassine sur le corps du malheureux, l'émetteur dans l'oreille. On emmena Gottfarber à la clinique de Vint Hill, où on put enfin extraire l'émetteur.

« Il y a longtemps que vous portez ça ? » demanda Loewe.

« Ça quoi ? »

« Cet émetteur. »

Gottfarber écarquilla les yeux en s'efforçant de distinguer l'objet minuscule que Loewe tenait entre le pouce et l'index.

« Je n'ai jamais vu ça. »

« Qui vous l'a installé ? »

« Personne ne m'a jamais installé quelque chose de ce genre. »

Gottfarber se mit à pleurer, puis, à bout de nerfs, il hurla de façon ininterrompue, ce qui épouvanta Loewe. Celui-ci, les yeux exorbités, quitta la pièce de la clinique. Une infirmière accourut en compagnie de deux hommes pour faire une injection de tranquillisant à Gottfarber. Dans la torpeur qui déconnecta ses récepteurs neuronaux, Gottfarber se rappela l'incident de l'ascenseur.

Quand les cas des quelque trois mille chargés des codes des banques piratées furent enfin éclaircis, six semaines avaient passé, et l'affaire était devenue quasiment désuète. On avait surtout réussi à produire quelques milliers d'adeptes forcenés des neuroleptiques, plus un nombre inappréciable de divorces et de détraqués sexuels, plus à peu près autant de chômeurs.

Gottfarber était devenu fou.

« La santé mentale, voyez-vous », dit un des psychiatres qui eurent à s'occuper de l'infortuné Gottfarber, « est une affaire d'honneur. Analysez bien les cas de tous les fous, et vous verrez que ce sont des gens qui ont perdu l'estime d'eux-mêmes. Je ne crois pas à la folie. D'ailleurs, savez-vous encore, il n'y a pas de fous en Afrique. La raison est qu'on ne les traite jamais comme des fous. Avez-vous jamais noté que ni les Grecs, ni les Romains, ni les Égyptiens, qui ont pourtant décrit bien des maladies, y compris le cancer, n'ont jamais fait mention de la folie ? C'est qu'elle n'existait pas ! La folie est apparue à partir du moment où nous avons introduit l'idée de la faute, qui était la déchéance. »

Cela ne faisait pas l'affaire de Gottfarber, qui devint clochard, puis alcoolique, et mourut de pneumonie, un soir de décembre, sur la Septième Avenue à New York, sous des tas de cartons.

29.

À Paris, Dieudonné partit à 8 heures du matin pour la Piscine avec une petite, toute petite idée en tête : reprendre la conversation de Yagama avec Tokyo qui l'avait intrigué.

« Hideshi. Je suis à Paris. Ça va ? »

« Oui, et toi ? »

« Bien. Je te parle sous le ventilateur. »

« Tu as chaud ? »

« Temps lourd. On le voit aux insectes qui pullulent. »

Un silence.

« Ha ! Tu travailles bien ? »

« Très bien. »

« Tu passeras l'examen ? »

« Je crois. »

« Prends tes dossiers et va travailler avec ton oncle. »

« Si c'est ton souhait. »

« C'est mon souhait. Il y aura un billet pour toi à Roissy après-demain. Air France. »

« Je te souhaite une bonne santé. »

Dieudonné arrêta la bande. Dutertre venait d'arriver.

« Faites retrouver le numéro d'appel de cette bande », demanda-t-il. « Et quand vous aurez mis ça en route, allons voir l'appartement de Yagama. »

Il était à ce moment-là 4 h 30 du matin à Washington. Au

moment où Dieudonné et Dutertre arrivaient à l'appartement de Yagama, le secrétaire d'État au Trésor enfilait ses pantoufles et sa robe de chambre et, après avoir jeté un coup d'œil à sa femme, mal réveillée, et après avoir enjambé son labrador noir, passait à la salle de bains.

« Où est donc passé tout ce nom de Dieu de fric ? » grommela-t-il sous la douche.

C'était, à quelques variantes, à quelques fuseaux horaires et à quelques intonations près, la question que finirent, à bout de nerfs, par hurler les ministres des Finances de très nombreux États de la planète. Une commission informatique interbancaire internationale (CIII, en Europe latine, IIIC en Europe anglo-saxonne) avait été formée pour la circonstance, après qu'on eut isolé les salauds qui s'étaient laissé refiler des micros espions.

Cent sept informaticiens de haut vol, connectés par un réseau téléphonique spécial, arrivèrent enfin à localiser la destination finale des capitaux qui avaient orbité pendant dix jours : la Central Bank of Rehoboam.

À la Bundesbank, à la Bank of England, à la Banco Central, à la Banque Melli, à la Banque de France et dans d'innombrables autres établissements qui avaient été plumés comme des dindons à l'anniversaire supposé de la naissance du Christ, la réaction des gouverneurs fut la même :

« Banque centrale de quoi ? »

Les secrétaires s'emparèrent furieusement d'annuaires bancaires et d'atlas. Rehoboam ? Pas trace de Rehoboam dans les ouvrages les mieux tenus. Le gouverneur de la Bank of England, sir Brian Wolfridge, dont le teint revêtait une couleur décidément malsaine, finit par téléphoner à l'Amirauté. Ce fils légendaire du roi Salomon était inconnu des cartographes du *Times* et de l'*Encyclopaedia Britannica*. Le Premier lord promit de faire effectuer les recherches dans les meilleurs délais sur des cartes de l'Amirauté.

« Rehoboam ? » demanda cependant l'auguste personnage, d'un ton incrédule.

« *Mylord* », expliqua sir Brian, « cet endroit impossible semble posséder une banque centrale qui détient la meilleure partie des avoirs bancaires du monde civilisé et même sauvage, huit mille trillions de dollars à ce jour. Je vous supplie de m'aider ! »

Le Premier lord de l'Amirauté mit sur les dents la perle de ses géographes, le vieux Quentin Mac Farlane, qui ne requit qu'un quart d'heure pour localiser cette Golconde : 4° de latitude nord et 81° de longitude ouest. Îlot inhabité d'un petit archipel de récifs.

« Mais comment diantre ce lieu oublié de Dieu possède-t-il une banque et, pis encore, une banque centrale ? » cria sir Brian Wolfridge.

Comment le savoir, et auprès de quel office de renseignements ? On téléphona à droite et à gauche, au hasard Balthazar. La séance de recherches dura une bonne heure, à la fin de laquelle un pâle jeune homme au sexe incertain, qui s'était efforcé, mais en vain, de placer un mot pendant les allées et venues de plus en plus erratiques, hurla à pleins poumons dans le bureau même du gouverneur :

« Je sais, moi, ce qu'est la Central Bank of Rehoboam ! »

Le silence tomba comme une pierre. On considéra le trublion avec stupeur. La sueur perlait sur son front.

« Monsieur, pardonnez-moi. Nous avons, nous-mêmes, en 1991, reconnu dans nos compétences le dominion de Rehoboam, qui se trouve dans le Pacifique, au large de la Colombie britannique ! »

« *My God !* » murmura le gouverneur. « Il a raison ! Je me le rappelle, maintenant ! » Et il se rassit, consterné. « Allez me chercher le dossier ! »

Il ouvrit un placard et en tira trois verres et un flacon de whisky, à l'intention des collaborateurs présents, y compris le jouvenceau.

« Je pense que j'ai besoin de ça », dit-il à mi-voix en se

versant une rasade. « Que ceux qui le veulent se servent. En attendant, appelez-moi l'Amirauté. »

Le pâle Éliacin qui avait retrouvé la trace des attributions bancaires du territoire mythique revint, triomphant, et déposa respectueusement un dossier sur le bureau du gouverneur. La main marbrée de fleurs de sépulcre et de grosses veines de sir Brian ouvrit fiévreusement la chemise. Le dominion de Rehoboam était un territoire ecclésiastique souverain, comprenant un ensemble d'îles au large de la Colombie. Sa représentation financière était la TransPacific Management of Canada, sise à Toronto, qui offrait à la vente, avec la reconnaissance de la Bank of England donc, un certain nombre de banques, pour des sommes allant de quinze mille à cent mille dollars, avec droits de dépôt et, parmi d'autres privilèges, une exemption fiscale.

« Qu'est-ce que c'est, au nom du Tout-Puissant, qu'un territoire ecclésiastique indépendant ? »

« C'est un territoire consenti par le pape, selon la convention de partage de 1521, à tout découvreur d'une terre qui se trouve à l'ouest de la ligne de partage des terres du roi d'Espagne, à la condition qu'elle soit nantie d'un évêque. Rien n'a changé depuis. Rehoboam a appartenu au premier évêque du Canada. »

Le Premier lord de l'Amirauté rappela sir Brian. Le nom et la localisation de l'infernal endroit étant avérés, le maître de la Royal Navy estimait qu'il était de son devoir d'en informer sur-le-champ le Premier ministre, qui organisait un dîner à Downing Street. L'affaire devait reposer dans ses mains. Entre-temps, le gouverneur lui-même appela le secrétaire d'État américain au Trésor et l'informa de la situation et de la découverte. L'Américain organisa une conférence téléphonique avec le contrôleur de la monnaie. Celui-ci à son tour fit appel à ses archives informatiques, et l'on découvrit que la Banque de Rehoboam avait, en effet, une agence sur la 18e Rue à Washington. On y délégua sur-le-champ deux voitures avec des représentants, qui informèrent le contrôleur par téléphone que le gardien de l'immeuble n'avait vu qu'une femme qui venait retirer le courrier une fois par semaine.

« La plus folle mystification que j'aie jamais vue ! » déclara le gouverneur de la Bank of England.

« Il faut, avec votre permission, que j'informe le secrétaire d'État aux Affaires étrangères », dit le secrétaire au Trésor.

La conférence prit fin sur ces paroles. Le secrétaire d'État au Trésor fit donc appeler le secrétaire d'État aux Affaires étrangères, qui dînait, lui, sur le Potomak, en compagnie de banquiers. À Londres, le Premier ministre fit informer en urgence le ministre des Armées. À Washington, le secrétaire d'État aux Affaires étrangères informa directement, à son tour, le conseiller du président qui, lui, alerta le président, et, ensuite, le Pentagone. Une heure plus tard, la Bundesbank et la Banque de France étaient au fait. Puis le chancelier d'Allemagne et le président de la République française. Nouvelle conférence vidéo internationale.

« Il faut informer l'ensemble des chefs d'État des pays intéressés », dit le président français.

« Nous allons monter d'urgence une expédition navale », observa le président Thorpe. « Nous ne pouvons pas y inclure des bâtiments de tous ces pays. Vous voyez d'ici les délais nécessaires pour mobiliser le convoi ? »

« Alors, il vous faut demander une représentation internationale », dit le président français.

« Nous n'avons pas besoin d'une autorisation internationale pour aller récupérer notre propre bien sur ce Rébo... Rabo... je veux dire Rehoboam ! »

« Permettez-moi de vous faire observer que ce n'est pas votre seul bien que vous allez récupérer, en l'occurrence, mais celui de la communauté bancaire internationale », objecta le président français. « En tout état de cause, je dois vous dire que j'en informe les présidents d'Italie, d'Espagne, du Portugal, de Grèce, des pays de Scandinavie et de l'Europe orientale... »

« Cela va retarder l'expédition », dit le président américain, agacé.

« Vous pouvez obtenir la représentation par un vote des Nations unies dans la matinée de demain. »

30.

Dutertre planqua deux agents en civil à la porte ; le serrurier examina soigneusement la serrure et commença de la triturer avec un « parapluie ».

« Pas très compliqué », murmura-t-il.

« Donc, il n'y a plus rien », en déduisit Dieudonné.

Un deux-pièces pas très propre. Des nattes au sol, des affiches de cinéma, des fleurs en papier. Stores baissés, tatami défait, draps pas très nets.

« Les poubelles sont parties hier », dit Dutertre, comme s'il lisait dans les pensées de Dieudonné.

Celui-ci se penchait sur le Macintosh.

« Il a pris le disque dur. »

« Tout l'équipement électronique a disparu », confirma Dutertre. « Hier après-midi, deux hommes sont venus l'embarquer dans une camionnette. Ils ont dû faire deux voyages dans l'ascenseur. C'est le gardien qui nous l'a dit. »

« Il n'a pas relevé le numéro de la camionnette ? »

« Non. Une camionnette Citroën bleu-gris. »

« Vous avez encore besoin de moi, messieurs ? » demanda le serrurier.

« Faites un tour pour voir s'il n'y a pas d'autres serrures », répondit Dieudonné.

Dutertre déplaça le tatami et trouva dessous des bouts de papier manuscrits et une photo qui représentait une jeune

Japonaise souriante en compagnie d'un jeune homme mince et grand.

« C'est lui ? » demanda Dieudonné.

« On vérifiera. »

Dutertre glissa le tout dans une pochette de papier. Il allait passer à la kitchenette, quand un reflet sur une affiche de cinéma retint son attention ; un léger relief accrochait la lumière. Dieudonné le vit arracher les punaises qui fixaient l'affiche ; une feuille manuscrite, portant plusieurs numéros, tomba. Elle avait glissé derrière l'affiche depuis un certain temps déjà, car elle était poussiéreuse. Il étudia les numéros ; l'un d'eux était suivi de la mention « 24 E 6th ». Une adresse new-yorkaise. Il reconnut alors un numéro de téléphone également new-yorkais. Rien dans la kitchenette que des tasses, des bols et des couverts sales. Rien dans la salle de bains. Les serviettes étaient sèches. Rien non plus dans les placards, sinon un oreiller crevé et des chaussettes trouées. Pas très soigneux de sa personne, Yagama. Un détail revint à la mémoire de Dieudonné ; il retourna à la salle de bains et se mit à quatre pattes pour savoir ce qui avait crissé sous ses semelles. Des traces de grosse poussière noire. Il les rassembla avec du papier hygiénique et nota la présence de plusieurs débris de la taille d'une grosse miette de pain. Ça ressemblait à du caoutchouc durci. Il recueillit le tout dans une pochette de fortune faite avec du PQ et se lava les mains par précaution.

Avant de quitter l'immeuble, Dutertre demanda le courrier au gardien. Une carte postale en japonais, à la signature illisible, adressée du Mont-Saint-Michel. *Iki et moi t'adressons nos pensées chaleureuses.*

« Il me faudra ses relevés bancaires. Et l'origine du billet d'avion », dit Dieudonné en montant dans la voiture.

Le téléphone sonna dans la Citroën de service.

« Monsieur Dieudonné ? Ne quittez pas. Je vous passe l'Élysée. »

« Dieudonné ? Vous avez vu ce qui se passe ? Vous avez trouvé quelque chose ? »

« Peut-être, monsieur le président. Mais le soleil ne s'est pas encore levé sur moi. »

« Quoi ? Ah, je vois. Passez me voir demain matin avant le conseil des ministres. Petit déjeuner. Faites vite, le temps presse. Bonne chance. »

Dieudonné regarda les petites employées courir dans la rue ; ce fut à ce moment qu'il mesura son âge. D'abord, il éprouva le désir irraisonné (« caprice sénile », se dit-il) du corps de Nade, ensuite, il prit conscience de la frivolité des impatiences d'un président de « grand État moderne » confronté à la sagesse de quelques bonzes facétieux.

« Qu'est-ce que vous croyez qu'est l'objectif de ces terroristes ? » demanda Dutertre.

« Foutre cette chabraque de modernité dans un cul-de-basse-fosse », répondit Dieudonné.

Il comprit à un couinement étouffé que Dutertre riait silencieusement, à l'intérieur de lui-même. Il était secoué d'une crise de rire blanc. Finalement, se dit Dieudonné, cet ostrogoth mérite l'attention.

31.

On débattit toute la journée du lendemain, aux Nations unies à New York, au Conseil de l'Europe à Strasbourg, des modalités de la mobilisation d'une escadre internationale. L'Inde demanda un observateur élu par le Conseil de sécurité des Nations unies, cependant que la Chine, elle, exigeait la présence d'un observateur indépendant chinois et s'opposait à celle d'un observateur de Formose. Le Benelux dut se ranger à l'avis du Luxembourg, selon qui la délégation d'une commission de saisie menaçait le secret bancaire dont elle s'enorgueillissait, point de vue que la Suisse fit valoir d'emblée devant le tribunal international de La Haye.

« Nous ne nous en sortirons jamais ! » cria le président américain.

Ce furent presque mot pour mot les propos que le roi d'Arabie Saoudite, le chancelier d'Allemagne, le président d'Argentine, les émirs du Koweït, d'Oman et autres lieux, le sultan de Brunei et le Premier ministre de Suède tinrent à quelques heures d'intervalle.

Quarante-huit heures plus tard, risquant le pire, le président Thorpe apparut à la télévision, arguant que la communauté internationale perdait un temps précieux en discussions, lesquelles, si l'on observait la légalité consensuelle, dureraient au moins trois mois.

« Nous devrons envoyer une escadre avant l'aboutissement des conversations, étant donné que nous n'avons pas besoin de l'avis des Nations unies pour récupérer des capitaux américains piratés. »

Le Congrès applaudit à cette mâle détermination et la Maison-Blanche décida donc de faire appareiller sur-le-champ la 8e escadre du Pacifique vers ce point totalement mystérieux, portant le nom d'un roi ou d'un patriarche du grand passé, et situé par 4° de latitude nord et 81° de longitude ouest, à quelques minutes près. Le comble fut que le satellite français d'observation Hélios II et le satellite indien Na Indra notèrent presque aussitôt les mouvements de la flotte américaine quittant la rade de San Diego et que, dans l'heure qui suivit, le président de la République française faisait donner l'ordre aux bâtiments de la flotte ancrés à Tahiti d'appareiller séance tenante, et à toute vapeur, pour le mystérieux îlot nommé Rehoboam. Comble de perfidie, peu après avoir mobilisé la flotte du Pacifique, le président français informait les Australiens et les Néo-Zélandais, qui avaient, eux aussi, perdu le plus clair de leurs avoirs dans la nouvelle aventure du Jeudi noir, que les Américains se préparaient à mettre la main sur le pot-aux-roses, dont le ministère français de la Marine communiqua sur l'heure les coordonnées aux autorités navales correspondantes.

Les services d'espionnage taïwanais et chinois ne perdirent pas une miette des conversations franco-australes et s'empressèrent de dépêcher à leur tour les bâtiments de leurs flottes, avisos, torpilleurs et autres escorteurs d'escadre, vers le fameux Rehoboam.

Après avoir longuement délibéré, les Canadiens, les Chiliens et les Colombiens firent filer leurs bâtiments les plus idoines vers le même point stratégique.

Ce fut ainsi qu'un samedi soir, vers 5 heures, à l'heure où

jadis l'ouvrier parisien conviait sa compagne au café-concert, les sternes et goélands de Rehoboam virent l'horizon se charger d'ombres d'abord gris pâle, puis plus précisément colorées. C'étaient les bâtiments de toute une flotte disparate battant en l'occurrence pavillons de cocus.

Le débarquement fut riche en péripéties. Pour commencer, Rehoboam était à peine plus qu'une vaste crotte gardée par des récifs coralliens. Il n'était pas question d'y aborder en eau vive. Six hélicoptères du porte-avions américain *Saratoga,* armés jusqu'aux dents, avaient survolé le site et rapporté, petit a, qu'il était impossible de s'y poser ; petit b, qu'il était impossible d'y aborder avec des embarcations d'un tirant d'eau supérieur à un mètre. Sur près d'un mille, les parages de Rehoboam, encombrés de rochers à fleur d'eau, étaient cernés de profondeurs variant entre dix et trois pieds. Seul moyen d'accoster : des canots pneumatiques. Les Américains, arrivés les premiers, mais dépités, mirent un temps fou à trouver ces canots. Ils avaient escompté assez de tirant d'eau pour permettre à des chaloupes de naviguer, mais ils étaient loin de compte.

Le vice-amiral Leonard F. Harriwell était encore sur son dinghy, en tête d'une file de quatre autres chargés à ras bord de marines, quand il fut informé que les Français venaient d'arriver. Puis les Canadiens. Puis les Colombiens, les Taïwanais, les Australiens, et l'on en passait. L'horizon était piqué de petites taches noires sur un fond de taches grises. Les noires étaient les dinghies, les grises, les bâtiments des marines de guerre. On signala bientôt les Japonais, accourus à la recherche des yens perdus.

« *Goddamit !* » grommela le vice-amiral Harriwell, le talkie-walkie rivé à l'oreille.

« Hardi les gars ! » criaient les occupants de dinghies qui serraient de près les Américains.

C'étaient les Français, à trois cents mètres à peine.

« *Avanti ! Sù ! Arriviamo prima di loro !* » criait le capitaine d'escorte italien.

On entendait, car ils se trouvaient à portée d'oreille, les Chinois vociférer sur leurs propres pneumatiques. Cependant, les Australiens souquaient dur et menaçaient de rattraper tout le monde au poteau. Le vacarme céleste était insupportable : une trentaine d'hélicoptères de toutes dénominations voletaient au-dessus des lieux.

Les jumelles rivées aux orbites, Harriwell s'efforçait de distinguer quelque relief intéressant sur le tas flottant au-dessus de l'océan, n'importe quoi qui permît de justifier l'étendue de l'expédition internationale qui s'était improvisée. Une casemate, des parasols, des canons, que sais-je. Même des humains. Or, rien.

« Vérifiez à la plus basse altitude qu'il n'y a pas de structures enfouies », commanda Harriwell au chef d'escadrille des hélicoptères.

Les hannetons américains se détachèrent du peloton et s'élancèrent donc vers Rehoboam, à l'altitude de dix mètres. Ils signalèrent la présence d'un bâtiment bas, carré, apparemment constitué de structures de bois et de toile.

« Qu'est-ce que vous voyez d'autre ? » demanda Harriwell.

« Un parasol replié, deux serviettes de bain et deux caisses vides de bière Budweiser », répondit le pilote. « Ah, et un flacon de crème solaire. »

« Budweiser ? » demanda Harriwell, scandalisé à l'idée que des forbans bussent une bière de gens civilisés.

« Peut-être me suis-je trompé. »

À part cela, Rehoboam ne semblait habité que par des pétrels et des sternes, que les hélicoptères contrariaient sans doute aucun.

Ça ne faisait décidément pas sérieux, toute cette armada internationale qui allait conquérir, apparemment, une cabine de plage, un parasol, deux serviettes et deux caisses vides de Bud. Harriwell serrait les dents. Cela sentait le piège à plein nez. Il fallait s'attendre au pire. Par exemple, une bombe atomique qui exploserait au moment même du débarquement. Harriwell évoqua sa femme et la gloire qui serait la sienne quand la presse annoncerait qu'il avait péri au cœur d'un champignon atomique. La bombe pouvait être enfouie au centre du rocher, qui exploserait de façon apocalyptique au moment où il y mettrait le pied. Il serait tué par un roc, et son cadavre serait emporté par le raz-de-marée qui s'ensuivrait. Il faillit en pleurer.

Américains et Français abordèrent quasiment au même moment, à une centaine de mètres de distance. Harriwell toisa de loin le vice-amiral Touzey de Saint-Marian, lequel pacha le toisa avec une égale hauteur, cependant que marines et fusiliers marins cuisaient au soleil dans leurs canots pneumatiques.

« Nous sommes ici en tant que représentants de l'Europe unie », déclara avec une lenteur calculée, et les jambes de pantalons mouillées jusqu'aux genoux, le vice-amiral Touzey de Saint-Marian, après avoir fait deux pas en direction de Harriwell.

« Nous sommes ici sur ordre du gouvernement des États-Unis », répondit Harriwell.

Ils prirent tous deux la pose, que des photographes s'empressèrent d'immortaliser. Le silence qui suivit fut assez pesant. Marines et fusiliers se toisèrent lourdement. Allaient-ils se tirer dessus ? La question fut oblitérée par l'arrivée haletante des Australiens. Le vice-amiral Harriwell s'en entretint au téléphone avec le Pentagone, qui lui donna l'ordre de rester neutre. Mieux valait, d'ailleurs, car Chinois et Taïwanais venaient d'arriver à leur tour, tirant leurs canots sur la plage.

Pendant l'heure qui suivit, une douzaine et demie de chefs d'escadre se tinrent assez gauchement sur la plage, caquetant à qui mieux mieux dans leurs téléphones, pour informer leurs quartiers généraux de la situation. Le sable était blanc, l'eau claire et tiède, et les troufions de toutes nationalités résistaient à une furieuse envie de se mettre à poil et de barboter dans cette piscine.

« Je suis d'avis que nous partions à l'exploration de Rehoboam », dit Harriwell.

« On est là pour ça », rétorqua Touzey de Saint-Marian.

Le chef d'escadre australien, Owen McMarty, allait dire quelque chose quand Harriwell l'interrompit d'un air solennel.

« Il faut, messieurs, nous préparer au pire. Je n'exclus pas la possibilité d'un engin atomique qui exploserait au moment précis où nous mettrions la main sur le pot-aux-roses. »

Le vice-amiral Touzey de Saint-Marian ajusta ses lunettes fumées, sans paraître autrement ému par cet avertissement. Le chef d'escadre Owen McMarty se tourna vers le cameraman de son équipe et lui chuchota quelques mots. La caméra de l'Australien bourdonna et Harriwell prit l'air offensé, puis tourna le dos. Les Chinois, d'ailleurs, avaient commencé l'escalade du rocher. Une partie des deux mille cent six hommes qui avaient débarqué sur cet étron géologique au nom majestueux leur collèrent aux basques, tandis que les autres continuaient de barboter les pieds dans l'eau, avec leur pesant équipement : lance-grenades, fusils-mitrailleurs, téléphones de campagne dernier cri, trousses de pharmacie, ravitaillement, et l'on en passait.

« Hey ! Hey ! » criait Harriwell à l'adresse des Chinois, sans que cela eût le moindre effet sur la détermination des Asiates.

Finalement, tout le monde arriva presque ensemble à la fameuse cabine de plage. On se bouscula au portillon, cela manqua de tourner à l'esclandre. Touzey de Saint-Marian faillit y perdre l'équilibre mais se raccrocha à l'épaule d'un gradé asiatique, il ne savait même plus de quel pays.

C'était une cabane aux murs de toile avec un toit de plastique ondulé. Un banc d'ordinateurs de fortune s'enorgueillissait de ce qui apparaissait au premier abord comme la copie assez réussie d'un Cray 908. Un socle bétonné portait un ensemble de tubes métalliques dont un boy-scout eût compris que c'était une antenne télescopique. A droite, un groupe électrogène. Les Chinois le mirent d'emblée en marche.

« Attention ! » cria Harriwell.

Pitou Lenfant, l'informaticien qu'avait emmené Touzey de Saint-Marian, n'eut cure de l'avertissement et s'installa à la console sous les yeux éberlués des assistants. Tout le monde commenta désagréablement cette initiative intempestive, voire insolente, mais personne n'en perdit une bouchée. L'amiral Harriwell eut beau protester, Lenfant lui répondit qu'il ne parlait pas l'anglais et ne bougea pas de sa place, prêt à décocher un coup de poing si le besoin s'en faisait sentir. Autre sujet de discorde, les lampes du cameraman australien éclairaient la scène d'une lumière crue, qui gênait le cameraman de la marine américaine, ce qui causa une prise de bec. Un vrombissement prometteur emplit la cabane. Les loupiotes de l'ordinateur clignotèrent. Au bout de deux minutes, l'écran s'alluma enfin. Chacun retint son souffle. Les lettres d'un message en anglais apparurent sur l'écran :

The Heavenly Tiger welcomes you. All data in this machine and the machine itself will now self-destroy in your honor.

(Le Tigre céleste vous salue bien. Toutes les données de cette machine et la machine elle-même s'autodétruiront maintenant en votre honneur.)

Puis des sifflements menaçants résonnèrent. Les loupiotes s'éteignirent. Des détonations sourdes secouèrent la caisse. Une fumée noire sortit de l'appareil. De l'eau gicla de toutes parts. Il y a, en effet, beaucoup d'eau dans un Cray.

« Putain ! » grommela Lenfant. « Mille milliards de milliasses de francs qui foutent le camp en fumée ! »

« Tout le monde dehors ! » cria Harriwell, épouvanté.

Mais personne ne sortit, tout le monde avait compris. L'ordinateur s'était détruit lui-même comme il l'avait annoncé. On sortit respirer un peu d'air pur, car la fumée était âcre. Tout ce fric qui filait comme un pet de dragon ! Touzey de Saint-Marian réprimait mal un sourire sardonique. McMarty lui tendit une canette de bière fraîche. Le Français la décapsula avec plaisir et les deux hommes levèrent leurs canettes à leurs santés réciproques, au grand scandale des représentants des autres marines nationales. Pendant ce temps, les agents des services de renseignements de cinq ou six pays fouillaient la cabane et les environs à la recherche d'indices, un mégot, un bout de papier, un vieux briquet...

Les Américains, consciencieux et méticuleux, téléphonèrent pour obtenir du renfort afin d'emporter les ruines fumantes du faux Cray à bord d'un de leurs bateaux, à l'indignation des Australiens et des Indiens. Les plus bruyants à cet égard furent les Chinois, taïwanais et continentaux. Néanmoins, des marines en maillot et gants blancs vinrent démonter la machine. Touzey de Saint-Marian décréta une demi-journée de baignade et remonta sur-le-champ sur le navire amiral pour faire son rapport.

Tout compte fait, la journée fut assez gaie.

32.

On amena à la morgue un cadavre dont la main serrait fermement un journal. C'était un homme d'une cinquantaine d'années, très convenablement habillé et bien rasé, qui s'était fait renverser par une voiture, sans doute dans un moment d'égarement. Robbie répugna à l'idée de le laisser entrer au ciel tenant à la main un objet aussi prosaïque, non, profane, qu'un journal. Il lutta un bon moment pour extirper la publication du poing du macchabée. Enfin, il y parvint, non sans avoir poussé deux ou trois jurons. Il jeta un coup d'œil sur le journal et nota que certains passages d'un article avaient été soulignés au stylo, sans doute par le défunt. La publication était le *Wall Street Journal* et quand il eut regagné son bureau, Robbie se mit en demeure d'éplucher l'article que cet homme avait probablement lu avant de laisser son âme filer de son enveloppe terrestre.

UNE LEÇON DE TÉNÈBRES ET DE SAGESSE

La destruction de la monnaie scripturaire mondiale, à laquelle nous venons d'assister sur un îlot inhabité du Pacifique, comporte une leçon de philosophie économique. Elle rappelle, en effet, que cette monnaie était une convention de civilisation, c'est-à-dire une fiction. Le monde continue de tourner, l'électricité alimente nos immeubles, et il est douteux que des enfants aient manqué de lait par la faute de cet événement extravagant, d'apparence apocalyptique.

Robbie ignorait totalement ce que signifiaient les termes « monnaie scripturaire », et ne percevait absolument pas le fil de la pensée de l'auteur, prix Nobel d'économie. Il s'efforça de maintenir son effort intellectuel et poursuivit la lecture.

> Apparemment, nos systèmes de crédit permettent à chacun de continuer à acheter les denrées de première nécessité, et même quelques-unes qui sont moins utiles à maintenir nos âmes attachées au corps. Si les transactions boursières se sont interrompues pour un nombre de jours indéfini, il n'en est pas moins vrai que l'espoir, sinon la certitude de leur reprise sont ancrés dans le psychisme international. Dès que les comptes auront été rétablis, par le déchiffrage et la reconstitution des états de comptes, tout sera comme avant.
> Du moins le croyons-nous. Toutefois, l'expérience que nous venons de vivre, en attendant de l'expliquer, est, elle, infiniment lourde de conséquences. Car il suffirait que cette catastrophe se reproduise deux ou trois fois pour que la même opinion publique commence à s'interroger sur l'essence de la monnaie scripturaire. Des questions insidieuses s'infiltreront dans le même psychisme, aujourd'hui secoué, mais confiant. Et si cette monnaie était après tout inutile ? Si elle n'était qu'un parasite des économies réelles, au sens où peut l'entendre un citoyen qui n'est pas rompu aux secrets de l'économie ? Après tout, raisonnera-t-il, elle n'empêche ni de vivre, ni d'aimer, ni de manger. Qui sert-elle ? Et qui son absence lèse-t-elle ?
> Il sera alors laborieux, pour moi et mes pairs, d'expliquer à cette opinion que la circulation de la monnaie scripturaire contribue à sa prospérité. Dans quelle mesure ? demanderont certains. Pouvez-vous le démontrer ? N'est-il pas vrai que certains en retirent des bénéfices inconsidérés qui ne leur reviennent que par la grâce d'un système artificiel, fragile et même dangereux ?
> Ces questions flottent à l'état latent dans les inconscients de

tous ceux, et ils sont nombreux, qui n'ont pas appris l'économie et même de quelques autres qui, l'ayant apprise, restent sceptiques. Nous affronterions alors une situation de défaite telle que le capitalisme n'en connut jamais, même aux temps les plus agressifs du marxisme, ceux où un certain révolutionnaire cubain du nom d'Ernesto « Che » Guevara rêvait d'abolir toute circulation fiduciaire.
Les auteurs de cette action insensée, sans précédent dans l'histoire de l'humanité, n'ont pu manquer d'en considérer les conséquences. Ils les auront donc approuvées. Et il nous faudra alors admettre qu'ils ont agi selon des convictions philosophiques, sinon religieuses, dont il serait à mon avis dangereux d'ignorer la puissance.

Robbie posa le journal sur son bureau en poussant un soupir. Il regretta de n'être pas instruit. Il devinait que l'auteur de ces lignes disait quelque chose d'important, et il regrettait de n'en pas saisir la portée. D'ailleurs, on venait d'amener un autre cadavre.

33.

À cette heure-là, à Londres, une femme d'une quarantaine d'années, au corps soigneusement conservé, tira les rideaux de son salon, puis des autres fenêtres de son appartement. Elle alla à la salle de bains, s'y dévêtit entièrement et décrocha d'un placard une combinaison arachnéenne, sertie çà et là de pastilles métalliques. Elle l'enfila soigneusement, en prenant soin de ne pas tirer imprudemment sur les fils, mais de les tendre exactement sur sa peau. Elle vérifia que les pastilles étaient bien disposées sur son pubis, ses seins, l'intérieur de ses cuisses. Elle s'installa dans un fauteuil de velours rouge opéra, qui sertissait plaisamment son corps blanc, et se plaça bien en face de l'écran de son visiophone. Elle composa un code sur sa télécommande et l'écran s'alluma. Apparut d'abord un jeune homme nu qui, la bouche entrouverte et les lèvres luisantes, de pommade à coup sûr, s'efforçait de prendre une expression séduisante. L'écran à double couche de cristaux liquides lui prêtait un certain relief. Un numéro scintillait sous l'image. « 55091, Leeds, Lenny. » Elle scruta son corps, puis son sexe et son visage, et les trouva peu suggestifs. Elle cliqua sa télécommande ; apparut un Oriental massif, qui déployait avantageusement un corps lourd et sombre tout en se flattant le sexe. « 80112 — B, Manchester, Ali. » Elle cliqua encore. L'image suivante fut consternante : un septuagénaire qui avait maltraité son image et dont le ventre faisait beaucoup trop de plis. De plus, il portait une perruque absurde qui lui tombait sur les poches orbitales. Elle cliqua. Apparut un homme au physique de rugbyman, assis sur un tabouret ridiculement petit pour sa corpulence. Il semblait mal à l'aise, un sourire faux peint sur le visage. Le sexe était considérable. « 367001, Cardiff, Ben. » Elle le trouva pittoresque et engagea le son.

« Allô, Ben, je suis Valerie. »

« Allô », répondit une voix un peu rauque.

« Première fois sur le circuit ? »

« Euh, non, pas vraiment. Mais c'est un peu... enfin, un peu intimidant. Je peux vous voir ? »

Il se cachait maladroitement le sexe, doté de quatre capteurs. Elle cliqua rapidement sur « Échange images » et put juger du résultat de son apparence sur Ben.

« Mince, vous êtes bien balancée ! Vous êtes vraiment... »

Il laissa la phrase inachevée.

« Vous n'êtes pas mal non plus, Ben. C'est votre vrai nom ? »

« Ouais. Et c'est le vôtre ? » demanda-t-il, la main crispée sur sa télécommande. Il possédait vraiment un sexe impressionnant.

« Oui. Quel programme avez-vous ? »

« Hein ? »

« Quel programme d'interaction ? Regardez sur votre écran. C'est écrit en bas, en lettres vertes. »

« Ha ! HL 8. »

« Heavenly Love 8, c'est un programme de l'année passée », dit-elle en tapant sur sa télécommande deux chiffres qui adressèrent des décharges décisives à Cardiff et firent sur-le-champ dresser le sexe de son correspondant. « Mais il est compatible avec le mien. »

« Ouah ! » cria-t-il en se tenant le sexe. « C'est fort ! »

« C'est la première fois ? »

« Non, pas vraiment. Mais c'était pas aussi fort la fois précédente. »

« Et vous, qu'est-ce que vous me faites ? »

« Baby, baby, ce que je vous fais ! » s'écria-t-il avec une telle innocence qu'elle éclata de rire.

Elle reçut à son tour une série furieuse de décharges sur le pubis, puis sur les seins. Il pianotait avec une célérité étonnante pour un pareil balourd.

« Ho, vous allez vite ! Pas si vite. »

« *Lovey bird*, je travaille un peu les seins, huh ? » dit-il en lui adressant sur la poitrine des décharges qui produisirent sur Valerie l'effet escompté.

Elle observait le visage en gros plan, tendu dans l'attente du plaisir.

« Ça vous fait quelque chose ? » demanda-t-il en se caressant le sexe, tout à fait déployé, comme un missile qui sort de son silo.

« Tu parles ! » répondit-elle en lui expédiant des décharges sur les seins et le sexe.

« Haw ! » cria-t-il. « Comment sais-tu que j'ai les seins sensibles ? »

« Ça se voit, Ben. »

« Tu es belle à crever », murmura-t-il, les yeux fermés. « Je te prends, je te prends, je rentre, je sors... »

Elle haletait, imaginant la souffrance voluptueuse d'un sexe aussi énorme et dur labourant le satin perlé de son vagin.

« Tu m'embrasses, Ben ? » murmura-t-elle.

Il tendit les lèvres dans un baiser et expédia à sa virtuelle maîtresse une giclée de décharges sur le pubis. Elle poussa un petit cri.

« Oui, oui, encore. »

Il récidiva, elle arqua son corps. Puis elle renvoya une série de décharges accélérées. La voix de Ben devint plus rauque.

« Ouais, ouais, baby, je t'enfile à mort, à mort. Tu es à moi, ma poupée... »

De part et d'autre de Londres et de Cardiff, ils s'expédièrent des rafales de décharges électriques. Au bout de quatre minutes, ils jouirent presque ensemble. Il avait, comme un primitif, fermé les yeux pendant l'orgasme. Mais elle l'observa, elle, le regard acéré. Elle détailla les grimaces, les mouvements des cuisses, la coloration du corps.

« Ha, baby, baby, je viens tout de suite à Londres, je te... »

Elle avait coupé le contact. Elle n'allait quand même pas installer un rugbyman dans sa vie. Puis elle s'étira, pensive. Ce genre de rapports valait quand même mieux que les assommantes liaisons réelles, où il fallait supporter dix aunes du pire pour avoir un pouce du meilleur. Cela faisait bien deux ans qu'elle n'avait eu un homme de chair contre son corps, et, bien qu'elle ressentît parfois des absences, elle avait fini par s'en accommoder. Tous ces corps malodorants et lourds, ces ronfleurs dilatés dont il avait fallu se satisfaire autrefois ! Là, elle ne cueillait, se dit-elle en se levant, que le miel de la vie. Demain, elle tenterait de retrouver ce Noir de Liverpool qui l'avait tant émue trois soirs auparavant. C'était quand même une belle invention que le sexe virtuel, se dit-elle en se glissant dans ses draps de percale glacée et parfumée.

34.

Dieudonné se pencha vers le corps endormi de Nade, examina attentivement son sexe et se demanda pourquoi pour des centaines de millions d'hommes, depuis des générations, la conquête de cet orifice avait revêtu tant d'importance. Et pourquoi, dans un mélange de terreur et de fascination, l'ensemble du monde se tournait désormais vers un acte sexuel sans réalité, par le truchement d'électrons.

« Une ruse de la nature pour nous contraindre à nous reproduire », dit-il, mais l'explication lui sembla banale.

Nade entrouvrit les yeux. Un éclat métallique, évoquant des yeux de loup, y scintilla. Il mit la main sur un sein. Elle posa un bras sur l'épaule d'Adrien. Il se pencha vers elle, assez près pour que ses lèvres pussent effleurer celles de Nade, mais pas plus. Elle répondit en lui caressant la bouche d'un souffle. Il lui embrassa la commissure gauche. Elle attira sa tête vers elle et la vie s'éleva dans leurs corps, comme un fleuve souterrain gonflé par une crue.

Adrien Dieudonné renonça lentement à sa solitude, son autonomie, son équilibre impassible. Il se fit esclave. Mais il le fut au-delà de son corps. Il fut l'esclave d'une voix, de regards, d'attitudes, de partages anciens. Il fut l'esclave de la confiance. Le corps de Nade évoqua celui d'une nageuse, dont la mer aurait été Adrien Dieudonné. Elle fit de lui un dauphin, une pieuvre, une murène. Ils descendirent ensemble dans les profondeurs, qui semblèrent pourpre et rose, elle manqua d'air, se raccrocha à lui, il perdit les limites de sa peau et fut la mer enveloppant la baigneuse. Puis ils remontèrent et le lit ressembla à une plage.

Elle lui passa la main sur la bouche d'un geste rêveur. Et remonta la main sur les cheveux.

« C'est beau, le gris », dit-elle.

Il se demanda si, les artifices de la médecine aidant et autorisant le gris à redevenir blond, il souhaiterait retrouver la couleur de sa jeunesse. Il n'en était pas certain.

Le téléphone interrompit ces réflexions. C'était la jeune femme du CNRS chez laquelle avaient abouti, pour analyse, les fragments noirâtres de caoutchouc qu'il avait recueillis dans l'appartement de Yagama.

« Pour parler simplement », dit-elle, « du caoutchouc pulvérulent. Apparemment, du caoutchouc protecteur de câbles électriques. À l'examen microscopique, nous avons relevé des bactéries d'un genre inconnu. Nous essayons de les identifier. »

Dieudonné la remercia et consulta sa montre : 8 heures et demie. Largement le temps d'attraper le prochain avion pour New York. La plupart des départs se situaient aux environs de 11 h 30. Il se leva pour faire du café, téléphona de la cuisine qu'on lui réservât un billet sur Air France et qu'on lui portât une provision de voyage, une trentaine de milliers de francs.

« Nade, je serai à New York pour quelques jours. »

« Nous ne dînons pas ensemble ce soir ? »

« Pardonne-moi. »

« Téléphone-moi de là-bas. »

Et elle se rendormit.

Des bactéries inconnues, songea-t-il. Il se félicita de s'être lavé les mains après avoir ramassé ces débris. Il éprouvait ce qu'il appelait des coliques cérébrales. Une idée était en cours de formation dans sa tête, mais il n'arrivait pas à la distinguer. Il reprit le téléphone et demanda au ministère de l'Intérieur qu'on prévînt la CIA de son arrivée.

Il se représentait déjà son arrivée à Langley, siège de l'illustre organisation. On le traiterait avec une aimable condescendance et on l'inviterait à déjeuner à la cantine. Il haussa les épaules. Nade s'éveillait de nouveau quand il descendit une valise du haut du placard, dans le couloir. Il se demanda quel temps il pouvait faire à New York et se félicita de dîner au Shezan, excellent restaurant indien de la Cinquième Avenue.

35.

Huit jours s'étaient écoulés depuis ce qu'on nommait, une fois de plus, le Jeudi noir. Aucun nouvel incident notable n'étant venu défrayer la chronique, les gouvernements commençaient à espérer que l'alerte était passée et que leurs mystérieux ennemis avaient fini par désarmer, découragés par ce que le promeneur du Maine avait appelé l'« inertie des systèmes ».

Simultanément, deux incidents prouvèrent que l'accalmie n'avait été qu'une trêve trompeuse.

À l'heure de la fermeture des bureaux, à Londres, un bourdonnement mystérieux emplit le ciel du quartier de la City. Les financiers et clercs qui regagnaient leurs domiciles levèrent la tête, et la stupeur le céda rapidement à la panique. Une escadrille de deux à trois cents avions, apparemment des avions à deux réacteurs, survolait le quartier à basse altitude. Il était impossible d'en déterminer le type, mais nul n'en eut vraiment le loisir, car tout le monde s'empressa de prendre refuge dans les immeubles voisins, et, vieux réflexe cultivé par les films de guerre, d'y gagner les caves le plus rapidement possible. Des engorgements se produisirent aux entrées de ces caves, qui, d'abord, étaient pour la plupart verrouillées et qui, ensuite, lorsqu'elles étaient ouvertes, n'étaient plus du tout équipées pour accueillir une telle affluence. On y entreposait des barriques de bière, des meubles surnuméraires ou des caisses de documentation ; les escaliers en étaient, de surcroît, exigus. Ce fut ainsi que cinq personnes moururent écrasées.

Ce fut surtout ainsi que les piétons contraints de rester au niveau du sol enregistrèrent, en dépit de leur panique, un fait déconcertant : il était impossible de déterminer l'altitude réelle et, partant, les dimensions de ces avions mystérieux.

« Mais... on dirait des modèles réduits ! » s'écria, au comble de la stupeur, un agent de police plaqué contre la vitrine d'une boutique de savonnettes et eaux de senteur.

Il n'eut pas le temps de vérifier son intuition, car les avions lâchèrent des bombes qui atterrirent sur les chaussées et les trottoirs avec des sifflements, puis des explosions pareilles au bruit étouffé d'un melon qui tombe. Les cris emplirent les rues de la City. Les témoins amassés aux fenêtres des immeubles environnants ne virent pas grand-chose, n'était que les bombes n'explosaient pas normalement, mais s'ouvraient par le bas, et qu'elles lâchaient des fumées blanches ou jaunâtres. Celles-ci emplissaient l'air à une vitesse déconcertante. Elles n'étaient pas vraiment pénibles à respirer, mais, dans la panique, chacun s'imagina qu'il suffoquait.

En près de deux minutes, la totalité de la City avait été plongée dans une vapeur cotonneuse et blanchâtre. De nouveaux cris dominèrent le vacarme et le tohu-bohu qui s'ensuivirent, notamment en raison des taxis et voitures bloqués sur la chaussée faute de visibilité :

« Guerre bactériologique ! Sauve qui peut ! »

Ivres d'épouvante, les gens tentèrent de s'enfuir, mais, désorientés, aveuglés, ils se heurtèrent à des murs, à d'autres fuyards, à des véhicules. Quelques dizaines de chanceux parvinrent à gagner des quartiers moins atteints, et l'on en retrouva, délirants, hagards, les yeux exorbités, jusqu'à Charing Cross, à Westminster, voire Marble Hall, incapables de s'arrêter et comme atteints par un virus du mouvement perpétuel.

De temps à autre des explosions ponctuaient la panique, et des fragments d'objets inconnus filaient dans l'air ou bien à travers la chaussée.

Du fond de sa voiture, Anthony Sallwaite, sous-directeur dans une compagnie d'agents de change, vit alors des billets de banque qui voltigeaient dans le brouillard. Des banknotes de dix livres sterling tournoyaient lentement dans l'air avant de se fondre dans le néant laiteux. Il les observa attentivement et baissa même la glace de son auto, un instant, pour tenter d'en saisir un au passage, tant l'illusion était forte. Sa main laboura l'air, puis le corps d'une femme secouée de spasmes. Il remonta la glace et ouvrit la portière.

« Entrez vite ! » dit-il.

La femme fit irruption dans la voiture, il se pencha pardessus ses jambes pour refermer la portière. Elle fondit en larmes. Il coupa le contact et serra le frein à main, appréhendant le choc que causerait un imbécile qui tenterait de faire avancer son véhicule dans cette bizarre purée de porridge.

« Je ne peux pas... je ne peux plus ! » articula-t-elle dans ses sanglots.

« Vous ne pouvez pas quoi ? » demanda calmement Sallwaite.

« Le monde est devenu fou », se lamenta-t-elle en reniflant.

« Croyez-vous qu'il ait jamais été raisonnable ? » marmonna-t-il.

La fumée commençait à se dissiper et Sallwaite entrevit l'arrière du taxi qui le précédait quand la satanée fumée hallucinogène s'était abattue sur le quartier. Le dernier billet de dix livres virtuel voltigea un instant dans le lointain avant de s'évanouir. Sallwaite examina sa compagne improvisée. Trente ans environ. Coquette, bien mise, aisée, raffinée. De jolies jambes. Beaucoup trop émotive. Et sans homme, sinon elle aurait sans doute témoigné d'un peu plus de contrôle de soi. Il ralluma le moteur. Le trafic se remit en mouvement, au pas d'abord. Au fur et à mesure que la fumée se dissipait, on entrevoyait, plaqués sur les murs des maisons, les réverbères, les cabines téléphoniques, des gens effarés, la bouche ouverte, les yeux fous, plus un certain nombre d'imbéciles qui riaient de manière provocatrice. Devant une librairie porno qu'il connaissait bien, Sallwaite cueilla du regard le spectacle d'une femme à genoux qui priait les mains jointes en regardant le ciel. C'est, d'ailleurs, qu'on commençait à l'entrevoir, ce ciel, et il n'était pas joli ; il ressemblait à une palissade grise de chantier de construction.

« Où alliez-vous ? » demanda Sallwaite.

« Je ne sais plus », répondit-elle, épuisée. « Je suppose que je rentrais chez moi. »

« Où habitez-vous ? »

Elle tourna vers lui un visage dont le regard lui parut un peu alarmant.

« Curzon Street », dit-elle, comme si elle avait dit le Taj Mahal ou le Kremlin. Et au bout d'un moment, tandis qu'il s'engageait dans Oxford Street : « Vous conservez toujours le même sang-froid ? »

« Je ne m'impatiente que lorsque cela peut être utile », répondit-il. « À propos, je m'appelle Anthony Sallwaite. »

« Vous avez respiré cette fumée ? »

« Comme tout le monde, je suppose. »

« Vous n'avez pas peur d'une guerre bactériologique ? »

« Déclenchée par qui ? »

« Je ne sais pas... Les musulmans, l'IRA, la Libye... »

Il se mit à rire.

« Je serais très étonné que ces gens aient autant d'imagination. Des modèles réduits ! Nous avons affaire à des gens très intelligents. Des farceurs supérieurs ! Ça ressemble furieusement à un gag d'Oxoniens ! Ces bank-notes n'étaient que des hologrammes. »

Elle sortit un mouchoir de cellulose de son sac et se moucha discrètement, puis elle tourna vers lui un visage à la fois immature et menacé de flétrissement.

« Tout cela me paraît faire partie de la même vaste entreprise de démoralisation du monde, qui a commencé avec le discours délirant de Thorpe, qui s'est poursuivie par la disparition de l'argent des banques et je ne sais quelles autres folies », poursuivit-il.

« Vous croyez que ce sont des... humains qui font ça ? »

Il fut pris cette fois d'une crise de fou rire.

« Excusez-moi. Je crois que ce sont des humains, en effet, et pas des Martiens. Quelque chose comme de vieux potaches farceurs qui veulent donner une leçon au monde industriel et électronique. »

« *God !* » soupira-t-elle. « Vous me rendez confiance, dans une certaine mesure », dit-elle en étendant les jambes.

« À propos, attachez votre ceinture, voulez-vous ? Les flics sont capables de verbaliser, même dans les circonstances présentes. Pourquoi seulement dans une certaine mesure ? »

« Que se passera-t-il s'ils arrivent vraiment à désorganiser le monde ? »

« Je me retirerai à la campagne et je mangerai les légumes de mon potager. »

« Rien ne vous effraie donc ? »

« J'y songerai. »

« Vous pouvez me laisser au coin de la rue. »

Il arrêta la voiture et la considéra. Elle détachait sa ceinture d'un air soucieux, comme à regret.

« Pardonnez-moi de vous le dire. Je regrette de vous quitter. Je vais retrouver mes angoisses. »

« Vous vivez seule ? »

Il scruta les yeux bleu-vert qui le fixaient, certain d'un mensonge à venir.

« Oui. »

« Alors, ne me quittez pas. »

Elle le considéra avec incrédulité.

« Et vous, vous vivez seul aussi ? »

« Non. Je suis marié et ma femme s'en fiche. »

« Pardon ? »

« Ma femme s'en fiche. Elle a un amant, ou deux, je ne sais plus. C'est une excellente amie. Je peux très bien vous emmener dîner avec elle. Mais je préférerais un tête-à-tête. »

« Seriez-vous un gangster ? » demanda-t-elle, mi-sérieuse.

« Pas le moins du monde, à ma connaissance. Je suis un col blanc. Je suis un garçon très simple. Je vous invite à dîner, et, si vous me permettez de le dire, l'idée ne semble pas vous rebuter. »

« Elle ne me rebute pas, en effet », dit-elle avec un soupir.

À force d'onanisme électronique, elle était redevenue vierge, et, comme telle, ressentait la fascination juvénile des filles pour le corps masculin. L'air était clair. On eût aisément juré que la scène de tout à l'heure avait été un fantasme.

« Il faut que je prenne d'abord un bain chaud », reprit-elle. « Voulez-vous revenir me chercher dans une heure ? »

« Je ne connais pas votre nom. »

« Valerie Dix. J'habite là, en face. Le code est 88 A 88. »

« Facile. Rappelez-vous mon nom : Anthony Sallwaite. »

Alors qu'elle mettait pied sur le trottoir, un vieux monsieur en manteau court vert bronze traversa Curzon Street en agitant les bras comme s'il imitait un moulin à vent. Valerie le suivit du regard, puis ses yeux désolés revinrent vers Sallwaite.

« À tout à l'heure », cria-t-il.

Ces fausses bank-notes de dix livres laissaient quand même rêveur. Sallwaite alluma la télévision pendant qu'il se faisait couler un bain. Les présentateurs lui parurent agités de tics.

« L'avantage d'une bonne éducation », se dit-il tandis qu'il se dévêtait, « est qu'on ne se laisse pas duper par les sottises qui font les délices du peuple. »

36.

À 8 h 30, décidément l'heure favorite du président de la République française, Dieudonné se fit passer un savon au chlorate par le premier magistrat du pays. Si un raid tel que celui qui venait d'avoir lieu sur Londres avait eu Paris comme objectif, glapit le président, il y aurait des émeutes dans les rues. Il en avait assez des interprétations savantes, il voulait des résultats, etc. Dieudonné lui représenta une fois de plus que les États-Unis, avec leurs immenses moyens, n'avaient rien trouvé ; alors, la France, avec ses trois bouts de ficelle et ses pièges à souris rouillés, ne pouvait prétendre à plus. C'était le genre de discours qui mettait le président en fureur pour deux heures. Mais il était vrai que Dieudonné n'avait pas grand-chose à offrir en matière de résultats.

À la même heure, l'Amirauté britannique donna le spectacle d'une fourmilière qu'aurait piétinée un éléphant. Au deuxième étage, où le Premier lord venait d'organiser un conseil d'urgence, les portes claquaient, les téléphones sonnaient sans répit, les visages luisaient.

Six hommes siégeaient autour de la table recouverte du sempiternel tapis de drap bleu sombre, rangeant des chemises devant eux.

« Nous n'avons que dix minutes », annonça le Premier lord, William Osserley. « Je dois être à 9 h 30 à Downing

Street. A-t-on une liste des bateaux qui ont croisé au large de nos côtes à l'heure de l'attaque ? »

« Nous avons une première liste, que voici », répondit le premier secrétaire de l'Amirauté. « Elle ne révèle rien de notable. Vu le rayon d'action supposé de ces engins, nous nous sommes limités à un territoire situé entre 1 et 2 degrés de longitude est et 51 et 52 degrés de latitude nord. Des chalutiers, des navires de commerce battant pavillons panaméen, japonais, allemand, américain, norvégien, quelques navires de plaisance. Rien que de très ordinaire. N'importe quel cargo aurait pu servir de porte-avions de fortune pour le lancement de ces engins. De plus, il nous est impossible de savoir avec certitude si le navire de lancement allait vers le détroit de Douvres en venant de la mer du Nord, ou bien s'il venait de la Manche. »

« La direction du vol était bien est-nord-est ? » demanda le Premier lord.

« Oui. Vers 16 h 25, des habitants de Southminster ont aperçu l'escadrille, si je peux dire, qui se dirigeait vers l'intérieur des terres, et ils se sont étonnés du nombre des avions et du faible bruit qu'ils émettaient, mais ils n'y ont pas prêté autrement attention. Le survol de la City a commencé vers 17 h 30, ce qui nous permet de calculer que la vitesse de ces appareils était approximativement de quatre-vingt-dix kilomètres à l'heure. Ce calcul semble confirmé par le fait que la police de Southend-on-Sea, entre autres, a été étonnée de voir cette escadrille venir de l'intérieur des terres et se diriger vers la mer à 18 h 30. »

« Serait-il possible, à votre avis, d'estimer la distance éventuellement parcourue par ces engins ? » demanda l'officier de liaison interarmes, le brigadier Clive Torough.

« Nous ne l'avons même pas tenté. Cette distance serait au minimum de cinq cents kilomètres, aller et retour, mais nous pourrions aller jusqu'à un millier. Depuis l'introduction d'engins de ce genre, les RPV Pioneer, dans la guerre du Golfe, en 1991, nous savons que ces avions robots ont une endurance étonnante. Certains d'entre eux sont demeurés vingt-quatre heures en vol, couvrant plusieurs centaines de kilomètres. Et nous savons que les Marts français et les CL-89 canadiens ont été considérablement perfectionnés. Des Marts expérimentaux sont allés de Malte à Marseille sans l'ombre d'un problème. »

« Connaît-on les pays qui poursuivent des recherches dans ce domaine ? » demanda le Premier lord.

« Officiellement, ce sont la Grande-Bretagne, les États-Unis, le Canada, la France et, depuis peu, l'Allemagne et la Suède. Mais leur technologie est accessible à n'importe quel amateur de modèles réduits. »

« Les recherches d'épaves en mer ? » demanda le Premier lord.

« Nos avions des garde-côtes, survolant les parages à très basse altitude et tenant compte des courants nord-sud, n'ont pas repéré la moindre trace d'épave. Ou bien ces engins se sont abîmés en mer, sur commande des terroristes, et ont sombré très rapidement, ou bien ils ont regagné leur base de lancement. Une première enquête m'incline personnellement à préférer cette seconde hypothèse. »

« Pourquoi ? »

« Un policier de Southend-on-Sea m'a rapporté que les appareils semblaient voler très bas, comme s'ils allaient amerrir. Il a estimé leur altitude à moins de cent mètres. S'ils avaient dû s'abîmer en mer, ils auraient piqué. Ce policier est un passionné d'aviation, qui se rend chaque fois qu'il le peut à la foire aérienne de Farnborough. Je crois que c'est un témoin fiable. Il a même estimé l'envergure des appareils. »

« Combien ? »

« Près de trois mètres cinquante. »

« Une version inconnue des RPV qu'utilisent les Américains et dont ils avaient une base en Albanie pour l'observation des opérations en ex-Yougoslavie », dit un expert du Département de l'aviation maritime.

« Sait-on combien de ces appareils ont survolé la City ? »

« Les témoignages londoniens ne semblent pas fiables, en raison de la panique. À Southminster, on a indiqué trente. Mon constable de Southend-on-Sea est, lui, plus précis : il cite le chiffre de vingt-six. »

« Il n'a pas eu l'idée de photographier ces engins ? »

« Si. Voici les clichés », répondit le premier secrétaire. « Ils sont malheureusement pris en contre-jour et comportent peu d'indices utilisables. »

« A-t-on les rapports des satellites ? »

« Aucun satellite militaire, c'est-à-dire doté de caméras avec une puissance de résolution suffisante, ne couvrait ces parages à l'heure de l'attaque. Nous attendons toutefois que le Pentagone soit alerté pour savoir s'il existe des clichés de cette région à cette heure-là », déclara le premier secrétaire, en colorant ses propos d'une nuance d'interrogation.

Mais le Premier lord ne répondit pas. Il parut pensif, remercia ses collaborateurs, enfila à la hâte un imperméable et se pressa vers la porte.

À Downing Street, il trouva les autres chefs d'état-major, le ministre de la Défense et celui des Affaires européennes assemblés autour du Premier ministre. Une heure plus tard, les mêmes recevaient l'ambassadeur des États-Unis, l'attaché naval et l'attaché militaire américains. À midi, les dépêches dûment codées partaient pour les divers centres de l'OTAN, le président des États-Unis, le chancelier d'Allemagne, le président de la République française. Deux heures plus tard, le Pentagone était alerté. Dans l'après-midi, le Kremlin et les pays membres de l'Europe unie étaient mis au courant.

« Ces fils de putes connaissent toutes nos technologies et s'en servent contre nous », grommela le général Casey en buvant son café, les yeux rivés sur les rapports qui venaient d'atterrir sur son bureau. « Ils auraient aussi bien pu bombarder Londres pour de vrai. »

37.

Quand il eut surmonté la leçon de ténèbres que lui avait value le fait de glisser sa propre maîtresse sous un drap de plastique blanc dans un tiroir de la morgue de Jersey City, d'avoir subrepticement évalué les dommages infligés par la foule à un corps qu'il avait chéri, meurtrissures et fractures qui avaient pris une teinte violet foncé, nuancée de vert, quand il eut ensuite subi le chagrin de la voir mettre en bière et d'avoir assisté à la lente descente de celle-ci dans la fosse, Robbie Cashman prit la petite Nella dans ses bras et rentra à la maison, le visage baigné de larmes.

Le lendemain, il alla à la mairie remplir les papiers de demande d'adoption de Nella, puis il se rendit à son travail, comme d'ordinaire, parce que c'était un garçon consciencieux. Il ne pouvait s'empêcher de penser aux paroles de Mafalda : ces signes-là annonçaient à coup sûr la fin du monde. Il ne pouvait donc plus continuer à vivre dans un tourbillon coupable.

Mafalda avait été l'agneau sacrificiel qui lui indiquait le Chemin de lumière. Où avait-il donc trouvé ces mots ? Il ne le savait pas. Il ne les avait pas trouvés, c'était évident, car ces mots lui étaient dictés par le Ciel, par l'entremise de Mafalda.

On lui amena le macchabée d'un vieillard mort électrocuté par une combinaison défectueuse de réalité virtuelle. Un circuit à nu avait grillé les parties du vieux.

« Péché et damnation ! » grommela Robbie.

Il eût voulu prier, mais il avait oublié les paroles de toutes les prières.

« Gloire au Seigneur unique ! » cria-t-il, si fort que Tax le voiturier sursauta et que le mégot lui tomba des lèvres.

Et, d'un geste trop énergique, Robbie Cashman repoussa le tiroir sur ses rails dans un fracas épouvantable.

Robbie et Tax se firent face, dans des attitudes menaçantes, aux extrémités opposées du couloir vert et glacé de l'allée numéro 3 de la morgue.

« Gloire au Seigneur unique, je dis ! » cria Robbie.

« J'te l'avais dit, connard ! Gloire à Dieu ! »

« Le Dieu unique ! » cria Robbie, au bord de la crise.

« Il est bien temps, pourri, de t'en aviser ! » grommela Tax. « T'as forniqué toute ta vie comme un putois et maintenant tu te réveilles ! Tu imagines comment il te regarde, maintenant, Dieu ? »

« Et toi, t'as pas forniqué, vieille carne ? »

« Moi, j'ai cessé quand il en était temps, bite à pattes ! Alors, mets-toi à genoux, Cashman ! Pasque tu finiras dans un tiroir toi aussi, et les vers du diable te mangeront vite fait si tu ne te repens pas à genoux ! »

« Et la miséricorde du Seigneur, vieille prostate desséchée, qu'est-ce que tu en fais ? » cria Robbie.

« Le Seigneur, il accorde pas sa miséricorde aux rats et aux poubelles comme toi. À genoux, Cashman ! » cria Tax.

La sonnette de la porte retentit. Un nouvel arrivant dans l'antichambre de l'éternité.

« Si tu crois que je vais me mettre à genoux devant une raclure de ton acabit », gronda Robbie en avançant vers Tax.

« Des fois que j'ai peur de toi, saucisse vérolée ! » rétorqua Tax.

Ils se ruèrent l'un sur l'autre. Robbie saisit à la gorge Tax, qui lui décocha un coup dans les parties. Ils roulèrent sur le linoléum en grondant comme des bêtes. Les ambulanciers arrivèrent sur ces entrefaites, poussant une civière, et les séparèrent.

« Gloire à Dieu ! » hurla Robbie.

« C'est moi qui dis gloire à Dieu, fils de coopérative ! » hurla Tax.

« C'est bien le moment, y'a un client ! » cria l'un des ambulanciers en secouant Robbie.

Tax souleva le drap et resta pétrifié.

« Grand ciel ! » pleura-t-il. « Mon neveu ! »

Un hurlement déchirant, un de plus, retentit sous la voûte de l'allée numéro 3 de la morgue. Tax s'effondra à genoux, la tête contre le sol, comme pris de coliques mortelles, secoué de sanglots à le démantibuler. Robbie alla le relever.

« Tax ! Tax ! » dit-il en prenant le vieux dans ses bras pour le consoler et, regardant par-dessus son épaule, sur la civière, le tendre jeune homme à la chemise sanglante, dans laquelle les trous de balles faisaient des taches noires : « Tax, ton neveu ! Mon Dieu ! »

« Ce n'est pas mon neveu, Rob ! Pas mon neveu ! » cria Tax. « Rob, c'est mon fils ! » Et Tax hurla comme un loup. « Le fruit de l'inceste ! »

Les ambulanciers se retirèrent. Tax pleurait toujours et Robbie l'entraînait doucement vers le bureau, pleurant lui aussi.

Ils partirent dîner ensemble, en face. Ils se beurrèrent et sortirent vers 11 heures du soir, en gueulant :

« Louez le Seigneur ! »

Un camion faillit les écraser, mais ce furent la détresse et le sommeil qui les écrasèrent. Un être humain peut en encaisser juste assez, pas plus.

38.

Élu depuis six mois seulement, le président de la République mexicaine souffrit d'une dépression nerveuse, dont la presse d'opposition laissa entendre à mots couverts qu'elle était suspecte.

On prétendit que le président Cesar Santosospir de Los Montes était devenu fou. Qu'il avait quitté son bureau en criant : « Oui, oui, Quetzalcóatl m'encule ! » (« *Si, si, me chinga Quetzalcóatl !* »)

Mais la folie du président était sans doute contagieuse, car sa secrétaire avait, elle aussi, dû être internée. Elle tenait des propos d'une égale obscénité. Par ailleurs, plusieurs témoins, qui avaient rendu visite au président, assurèrent qu'ils avaient de leurs oreilles entendu dans le bureau présidentiel un bourdonnement mystérieux dans lequel on discernait très bien un message correspondant à peu près aux déclarations du président de Los Montes.

L'archevêque de Mexico alla exorciser le bureau présidentiel.

Il n'y avait pas de quoi rire. Une mésaventure similaire était advenue peu auparavant au président du Bangladesh. Le cas n'échappa à aucun observateur. Une puissance maléfique s'en prenait aux présidents.

Des paysans de sa province organisèrent à leur tour une cérémonie d'exorcismes. Ils n'avaient pas lu un article du quotidien *Excelsior* qui expliquait en détail comment, à partir d'une simple camionnette, on pouvait faire entendre n'importe quoi à n'importe qui, en dirigeant sur la vitre de sa fenêtre fermée un faisceau infrarouge dont les modulations étaient calquées sur celles d'une voix humaine.

Le propre archevêque de Mexico en fit lui-même l'expérience malheureuse, deux jours plus tard, quand il entendit les mêmes paroles fatidiques qui avaient rendu à moitié fou le président Los Montes.

39.

Trois hommes vêtus de blouses blanches, coiffés de toques de la même couleur et les visages oblitérés par des masques hygiéniques, se penchaient sur une grande cage de verre. Un laborantin dans la même tenue manipulait, à l'aide d'un gant de sécurité, de grandes pinces à l'intérieur de la cage. Dans celle-ci, on distinguait des boîtes de Petri rectangulaires. Et dedans, des morceaux de ce qui semblait être des câbles.

Tout le monde semblait fasciné et content.

« Voilà le résultat après incubation de trois jours », dit le laborantin. « Notez que les fibres de verre se sont presque désagrégées. À droite, vous avez le résultat de l'infection sur une souche mangeuse de cuivre, il n'est pas aussi éloquent que sur les macrophotographies, mais il est quand même décelable à l'œil nu. Notez comme les fils, rectilignes à l'origine, ont ondulé. Sur les macrophotos, on note très bien les points où le courant électrique ne passe plus ou passe à des seuils critiques. »

« C'est opérationnel ? » demanda l'un des trois visiteurs, masque d'ivoire bruni.

« Immédiatement. »

« Vous avez songé à des vecteurs ? »

« Nos amis les rats. »

« Quels sont les effets de la bactérie sur l'être humain ? »

« Totalement nuls. J'ai consommé moi-même de la viande ensemencée avec une culture des mêmes bactéries, et vous me voyez ! »

On devinait son sourire à travers le masque.

« Vous savez », reprit le laborantin, « il n'y a que trois pour cent environ des bactéries connues qui soient dangereuses pour l'homme. Ce sont ce que nous appelons des bactéries idiotes, parce qu'elles compromettent la santé de leurs hôtes. La grande majorité des bactéries a appris depuis des millions d'années à vivre en bonne intelligence avec les êtres vivants. Nous-mêmes ne serions pas vivants si nous n'avions des bactéries qui dégradent la cellulose dans nos intestins, du moins dans une certaine mesure. »

« Est-ce que vous disposez de données sur la longueur de câble qu'une infection puisse détruire dans un temps donné ? » demanda un autre visiteur, un homme massif, aux cheveux coupés ras et aux yeux particulièrement bien fendus.

« Nous avons établi trois stades de l'infection », dit le chef de laboratoire. « Stade un : irrégularités dans la transmission du signal, causées par les érosions de la gaine et les premières attaques des fils conducteurs. Dix à douze heures sur huit cents à mille cent mètres. Stade deux : au bout de six à huit heures, risque d'interruptions graves du signal sur la même longueur, les effets du stade un se reproduisant sur une longueur égale supplémentaire. Stade trois : le segment initial est rendu pulvérulent sur plusieurs sections, et le message est complètement interrompu. Dans le cas où il existerait des relais, ils deviendraient complètement inopérants. Cela signifie qu'en seize à vingt heures un réseau est détruit. »

« Vous avez, nous avez-vous rapporté, testé les deux souches sur des ordinateurs ? » demanda le second visiteur.

« Nous avons testé trois souches », corrigea le chef de

laboratoire. « La troisième, celle qui est efficace sur les ordinateurs, agit de la manière suivante. Le silicium est normalement attaqué par l'oxygène, mais à des températures élevées. Dans cette réaction, la croûte de SiO_2 qui se forme sert alors théoriquement de protection jusqu'à un micron de profondeur. Notre bactérie, Sir-5, possède une enzyme qui n'agit que lorsque la température interne de l'ordinateur a été portée aux environs de 30 °C. Elle élève alors la température du composant de silicium à quelque 70 °C, enclenchant une formation brève, deux à trois minutes, d'oxyde de silicium qui suffit à perturber le passage des électrons, ce qui grille le composant. Dans certains cas, nous avons noté une très singulière dérivation des messages, selon un phénomène comparable à celui qui se produit dans un cerveau lésé par une attaque. Il se crée alors des circuits annexes, totalement imprévisibles. »

« Imprévisibles ? » demanda le visiteur.

« Ils dépendent de la configuration des ordinateurs. Certaines fonctions sont affectées, d'autres pas. La seule chose certaine est que les dix ordinateurs que nous avons testés se comportent tous de façon aberrante. »

« C'est-à-dire ? »

« C'est-à-dire que des liaisons absurdes commencent à se créer là où le signal passe encore. On dirige une information vers Paris et elle est détournée vers une autre ville. »

« Votre rapport relève que l'infection se propage aux disquettes ? » reprit le visiteur.

« En douze heures environ, en effet, une disquette est mise hors d'état. »

« Il n'y a donc pas moyen, alors, de sauver les données d'un ordinateur ? »

« La seule manière de les sauver serait de les copier avant l'infection. Toutefois, une disquette saine insérée dans un ordinateur malade est inévitablement infectée. »

« Cela doit atteindre tous les ordinateurs, de quelque origine qu'ils soient ? » demanda le visiteur.

« L'électronique n'a pas de patrie », répondit en souriant le chef de laboratoire.

Les visiteurs hochèrent la tête. Ils quittèrent le laboratoire, se défirent de leurs masques, de leurs calottes, puis de leurs combinaisons et de leurs chaussons. Dans l'ascenseur qui les ramenait vers la rue, ils se contentèrent d'échanger quelques regards. Ce ne fut que dans le vacarme de la rue qu'ils se hasardèrent à échanger quelques remarques.

« C'est bien parti », dit le plus âgé d'entre eux.

« Le Tigre est heureux », dit l'un de ses deux interlocuteurs.

« Allons dîner », dit l'aîné.

« La tendresse du Tigre est infinie », dit le troisième.

Ils montèrent dans une limousine ordinaire. Les néons de Ginza peignaient de maintes couleurs, au passage, leurs visages souriants. Ils s'arrêtèrent devant un restaurant à l'enseigne discrète. On les y accueillit avec déférence. Ils dînèrent sobrement.

40.

Le paysage eût, dans un film, paru ridicule de convention et de sentimentalisme. La lune éclairait les cerisiers en fleur et argentait les velours de l'herbe. Un rossignol chantait.

Une lanterne diffusait une lumière orangée sur la façade d'un temple en bois, un peu vermoulu, et la brise la balançait doucement.

Une quinzaine de limousines luisaient à brève distance, veillées par des chauffeurs bottés.

À l'intérieur du temple, une quarantaine d'hommes étaient accroupis en deux cercles concentriques. Des bols étaient posés devant eux. À brefs intervalles, un jeune moine passait les remplir de thé. Un des participants, le seul qui tînt devant lui une baguette de jonc, prit la parole.

« La réunion de ce soir a été organisée à la demande de notre très estimé compagnon Ketsuke Imamishi. Sa requête ayant été soumise à notre vénérable maître Akio Hitahito, celui-ci n'a pas estimé qu'il y avait obstacle à ce qu'elle fût présentée à l'honorable assemblée. La parole est à Ketsuke Imamishi. »

Personne ne tourna la tête. Un homme du premier rang hocha imperceptiblement la tête.

« Je remercie humblement le vénérable maître Akio Hitahito de son extrême bienveillance à mon égard. Je remercie ses assesseurs et mes compagnons de la patience qu'ils témoignent envers ma requête. Je rappelle que je suis jeune et n'ai pas été instruit par des maîtres aussi augustes que ceux qui sont ici présents. Je me suis rallié d'emblée au Projet du Tigre en raison de son étincelante noblesse. Mon cœur a été empli de joie à l'idée de collaborer à une entreprise aussi héroïque et bénéfique à l'empereur et à notre pays. J'y ai engagé sans la moindre réserve la fine fleur de mes troupes, et j'ai avancé sans compter toutes les sommes qui m'ont été demandées. Je veux redire que je suis comblé par l'honneur d'avoir été choisi comme associé. Dans mon ignorance, il est toutefois des questions que je souhaite soumettre à l'honorable assemblée, parce qu'elles me sont parfois posées et que je me les pose moi-même, et parce que je n'en trouve pas les réponses. »

Il dirigea son regard vers un homme qui se tenait entre les deux grands piliers du temple. C'était un vieillard à l'abondante chevelure blanche. Celui-ci hocha distinctement la tête. Les hommes assis à sa droite et à sa gauche firent de même.

« Je remercie l'auguste maître Akio Hitahito et ses assesseurs de leur patience. Ma première question est la suivante : notre grandeur nationale est-elle ou n'est-elle pas liée à notre prospérité ? »

Le vieillard sembla fixer du regard le bol de thé.

« La grandeur est indépendante de la prospérité. Aucun porc gras ne vaut un cheval étique, répondit-il. Nous avons perdu une guerre il y a un demi-siècle, mais notre génie a triomphé si vite que nos vainqueurs en ont pris ombrage. Mais entre-temps nous avions commis l'erreur de nous identifier à nos vainqueurs. L'erreur fut visible aux yeux de tous : qu'adviendrait-il du lion s'il s'identifiait au porc qu'il mange ? »

Imamishi hocha la tête tandis que des friselis de rire parcouraient l'assemblée.

« Ma deuxième question est la suivante : notre pays et nos

concitoyens ne vont-ils pas souffrir de la réussite du Projet du Tigre ? »

Le vieillard leva la tête.

« L'homme ivre ne sait pas qu'il souffre. Il ne sait pas non plus qu'il va souffrir encore plus des conséquences de son ivresse. L'homme sage boit pour se réchauffer, le fou, pour oublier. La vertu est dans l'abstinence. La force aussi. Tu seras sans doute moins riche, Imamishi. Mais tu seras aussi plus puissant. Que préfères-tu ? Deux lits et deux paires de chaussures ? Ou bien le respect ? »

Imamishi s'inclina, l'esquisse de l'ombre d'un sourire sur le visage.

« Ma troisième question est la suivante », reprit-il. « Si l'on vient à apprendre qui sont les organisateurs du Projet du Tigre, ne va-t-on pas nous taxer d'hégémonisme ? »

Le vieillard hocha la tête.

« L'homme cerné par les loups est contraint de les tuer tous. Cela ne fait pas de lui le roi des loups. »

Un sourire cette fois distinct détendit le visage de son premier assesseur. Imamishi s'inclina par trois fois, les mains jointes.

« Je remercie notre auguste maître Hitahito. Je mesure une fois de plus la cruelle carence qui fait que je n'ai pas été instruit par lui. Il est clair comme l'eau pure et tranchant comme le fil du sabre. »

Le premier assesseur se pencha vers Hitahito et, au terme d'un très bref aparté, hocha la tête. L'homme à la baguette de jonc dit ensuite :

« Notre très honorable maître Issei Omamiro a la parole. »

Visage rond, crâne tondu de près, dans le goût militaire, Issei Omamiro leva la tête qu'il tenait jusqu'alors penchée dans une attitude méditative.

« Tout cela a été dit dès les premières sessions du Projet. Il est utile de le rappeler. Notre pays est insidieusement infiltré par des courants qui semblent à première vue innocents. La force de ces courants procède des pressions qui nous sont imposées sans relâche au nom du commerce international. Le plus envahissant d'entre eux veut nous induire à penser que le commerce est essentiel à la paix mondiale. Nous avons vu qu'il n'en est rien. Le monde est à feu et à sang depuis la fin de la dernière guerre avouée, et le commerce ne protège pas plus de la guerre que le papier huilé ne protège du feu. Un autre courant veut que le commerce entretienne la paix sociale. Il n'en est rien non plus. Il accentue les déséquilibres internes. Le meurtre est devenu la première cause de mortalité aux États-Unis, pays marchand par excellence. Il est plus dangereux de traverser certains quartiers des villes américaines que le désert de Gobi en été. Le mal a d'ailleurs gagné Tokyo, Osaka, Yokohama, et l'on y voit sévir une criminalité que nous ignorions en des temps moins prospères. Vous semblez avoir une question à poser, Imamishi ? »

« Oui, *roshi.* Faut-il considérer le commerce comme néfaste ? »

« Ce n'est pas le commerce en lui-même qui est néfaste, c'est sa divinisation. Le paysan doit vendre son riz et son porc. Mais s'il substitue son riz et son porc au respect qu'il doit aux autres, il ne vaut ni l'un ni l'autre. Un peuple qui ne vit que pour le commerce perd sa vertu et sa compassion. Pourquoi le ferait-il ? Dans l'espoir de la puissance. Voilà qu'il l'obtient. Il aura négligé la souffrance qu'elle a causée aux autres, et en cela il aura contrevenu aussi bien au bon sens qu'à l'enseignement de nos ancêtres », dit Omamiro, le ton plus accentué, en tournant son regard fané vers son interlocuteur. « Il tiendra pour acquis que la souffrance des autres lui est due. Il abusera donc de sa puissance. Cela ne peut durer. La loi d'équilibre fera que la souffrance engendrera la révolte, donc l'injustice, et plus de souffrance encore. »

Il but un peu de son thé, pour laisser à l'auditoire le temps d'assimiler ses paroles et d'en demander d'autres.

« Ces choses-là sont simples, mais on les oublie », reprit-il. « Puis il se trouve que la puissance engendre la paresse, d'abord celle du corps, puis celle du cœur, puis encore celle de l'esprit. Vous êtes puissant, donc tout vous est dû, croyez-vous, à vous, à vos enfants et aux générations qui découleront de vos enfants. Voilà que vous créez l'injustice, qui porte en elle les germes du désordre. Notre jeunesse commence à manifester les mêmes symptômes du mal que certaines autres de l'Occident : elle perd le goût de l'effort, elle devient passive et, pis, elle devient indifférente. L'abus des images et des émotions factices l'a menée à confondre celles-ci avec la réalité, et à confondre la douleur d'autrui avec les images qu'elle en voit. Les adolescents occidentaux tuent d'autres adolescents parce qu'ils croient que la mort est factice. »

Il but une autre gorgée de thé et reprit :

« Il y a parmi nous d'autres jeunes gens qui, à l'instar d'Imamishi, ont été séduits par l'héroïsme du Projet du Tigre, mais qui n'en perçoivent pas en permanence l'urgente, l'immanente nécessité. Ils se sont habitués à un certain mode de vie, et sa destruction peut les déconcerter. Je tiens à les assurer tous de notre compassion vigilante. »

Un silence courtois et respectueux suivit cette déclaration. Quoiqu'il demeurât impassible, le visage d'Hitahito semblait exprimer un sentiment de plénitude.

« Comment pouvons-nous expliquer l'errement de l'Occident, *roshi* ? » demanda un autre jeune homme, qui se tenait au deuxième cercle. « Et pourquoi est-ce seulement l'Occident qui erre ? »

Omamiro parut réfléchir, puis se pencha vers Hitahito, qui fit un geste de la main et hocha la tête.

« L'Occident est marqué par sa religion. Celle-ci est contradictoire. Elle dit d'une part que son dieu est descendu sur la terre, et de l'autre que le paradis — c'est le nom qu'ils donnent à un lieu de félicité suprême et divine — n'est pas sur cette terre. Comme les Occidentaux ne sont pas certains de gagner le paradis, ils s'attachent aux biens terrestres comme biens suprêmes, mais en même temps ils prétendent que c'est au nom de leur dieu qu'il leur faut gagner cette terre. Conformément à ce que leur religion leur a appris, ils disent que les biens terrestres sont méprisables et que leur dieu leur a dit de les mépriser, mais quand ils les ont quand même acquis, ils prétendent que c'est grâce à la bénédiction de leur dieu. Quand le marxisme a triomphé au nom des pauvres, leur religion a honni le marxisme et s'est rangée du côté des riches. Quand les riches ont triomphé, elle a dit que le marxisme était vivant. L'Occident chrétien est une bête impossible qui veut à la fois être un mâle et connaître la grossesse, une femelle et ensemencer le monde. »

Il but une gorgée de thé et reprit :

« Nous avons subi la fortune des armes. Nous n'avons pas changé de sexe comme les lézards. »

« Notre pays a consacré beaucoup d'argent à la technologie, *roshi* », intervint un autre jeune homme. « Nous sommes-nous donc trompés en suivant l'exemple de l'Occident, dont nous détruisons aujourd'hui la technologie ? »

« Nous ne nous sommes pas trompés », répondit Omamiro. « Nous avons démontré à l'Occident que notre intelligence nous permettait, en dépit de la défaite militaire que nous avions subie, d'être son égal. Là où certains d'entre nous errent, c'est quand ils pensent que cette technologie est la souveraine du monde. »

« Pourquoi ne l'est-elle pas ? »

Omamiro tourna la tête vers la voix, qui émanait du deuxième cercle, dans l'ombre.

« Yoishi, est-ce toi ? »

« C'est moi, *roshi.* »

« J'aurai été un mauvais maître, Yoishi. Il me semble que

nous avons déjà débattu de ta question, le soir de la naissance de ton fils. »

« L'idée m'en serait odieuse, *roshi*. Pardonne, je t'en prie, mon étourderie et mon impertinence. »

« Je vais te répondre à nouveau, pour le bénéfice de ceux qui sont ici présents. La science et la technologie ont allongé la durée de vie. Elles ont donc ajouté trente ans de misère à l'existence. Ton père est mort glorieusement, d'un coup, d'une hémorragie cérébrale à cinquante-huit ans. Il t'a laissé un souvenir splendide. Aujourd'hui il serait vivant et infirme, ses capacités intellectuelles diminuées, car aucun savant n'a appris à maîtriser le cours du temps sur nos chairs. Il te laisserait un souvenir déplorable. Il est probable, Yoishi, que tu mourras gâteux et que tu laisseras un souvenir déplorable à tes enfants, soulagés de ne plus avoir à essuyer tes sanies et à entendre tes sottises. »

Hitahito releva imperceptiblement la tête.

« La science et la technologie », poursuivit-il, « ont fabriqué des voitures par millions. Le résultat est que l'on va aujourd'hui, dans toutes les villes du monde, au pas du cheval il y a un siècle, mais à bien plus grands frais. Nous avons multiplié par mille les canaux de communication et nous avons multiplié par autant le nombre des imbéciles. Te souviens-tu que je t'ai dit tout cela, Yoishi ? » conclut-il avec une pointe d'impatience.

« *Roshi*, jusqu'à mon dernier jour je remercierai les génies de ma race de t'avoir mis sur mon chemin et je resterai ton très abject serviteur. »

Hitahito hocha la tête et leva la main.

« Le souhait du Tigre est de restaurer l'élan de la vague et la floraison du pêcher. »

Un long silence suivit cette péroraison.

« Nous sommes en passe de triompher, *roshi*. Peut-on deviner ce qui adviendra ? » demanda une autre voix du deuxième cercle, décidément le plus inquiet.

Un mouvement de tête d'Hitahito, en direction de son

assesseur de gauche, donna la parole à ce dernier. C'était un homme maigre, à la barbiche argentée, le nez chaussé de lunettes qui voilaient son regard de reflets.

« Je ne saurai que paraphraser les paroles de notre maître à tous. Si le Projet du Tigre aboutit, le monde cessera de manger de l'air. De l'argent qui n'existe pas. Des images qui n'ont pas de contenu et ne signifient rien. Des idées moins durables que la pluie. Des émotions moins estimables que l'impatience du moucheron. »

Hitahito vida son bol de thé. C'était le signal que la conférence avait pris fin. Il se leva. L'assemblée aussi. Dans le silence qui se déposa sur ces hommes, il dit :

« Nous sommes au service de l'empereur. »

Une demi-heure plus tard, le temple était vide. La lune avait décliné. Les voitures étaient parties. Le rossignol chantait encore. Les branches d'épicéas frissonnaient dans la nuit. La lanterne au fronton du temple se balançait toujours. Un moine ferma la porte, offrant son crâne à la lueur orangée de la lanterne, sous laquelle il étincela un instant. Puis la fraîcheur de la mi-nuit fit taire les grillons.

41.

New York est de ces villes sans transition : on n'y peut être que minable ou puissant. Les hôtels des minables sont encore plus surveillés que ceux des puissants. Dieudonné avait choisi le Plaza. Deux portes, trois restaurants, cela permettait une certaine souplesse dans les allées et venues.

À peine installé dans sa chambre, il téléphona à Paris, à la jeune fille du CNRS à laquelle il avait fait confier les fragments de caoutchouc.

« Vous avez trouvé quelque chose ? »

« Bizarre. Des archéobactéries qui n'ont rien à faire sur terre. »

« Des archéobactéries ? »

« Bactéries très anciennes dont on trouve le plus grand nombre au fond des mers. On essaie actuellement d'identifier les vôtres. »

« Quelles sont les caractéristiques des archéobactéries ? »

« Goulues », répondit la jeune femme en riant.

« Mais encore ? »

« Ça bouffe n'importe quoi, des métaux lourds, par exemple. Et résistantes. Elles vivent et même se portent très bien à trois cents degrés centigrades. Elles mangent du cuivre, du plomb, je ne sais pas, moi. »

« Merci. Je vous rappellerai. »

Dieudonné se frotta le menton. Ça bouffait donc du

matériel électrique. Électronique. Pas seulement l'argent, mais le moyen de le transporter. Le sang des économies, les réseaux électroniques. Il se dit encore une fois qu'il n'y arriverait jamais. « Je suis le seul au monde à savoir de quoi il s'agit », murmura-t-il. Il composa le numéro de téléphone qu'avait appelé Yagama. Deux sonneries, puis un déclic, un disque, une voix nasale, indéniablement extrême-orientale.

« *Please leave a message after the signal.* »

« *Etic horse calls Yagama,* dit-il avec un excellent accent. *Call back room four fourteen Plaza Hotel.* »

« Cheval étique appelle Yagama. » Le cheval étique était un thème rare de la philosophie zen, connu de quelques initiés. Dieudonné avait conscience de prendre de grands risques. Mais l'essentiel était d'entrer en contact avec les esprits des ténèbres, vieille tactique dont il avait jadis entendu vanter les mérites. Quand vous ne savez pas quel visage a votre ennemi, défiez-le. Pour guérir la maladie d'un ami ou d'un parent, invoquez le démon responsable. Il se frotta encore le menton et descendit acheter des cigarettes. Le hall bruissait de pas feutrés, de rires, d'appels discrets et des éclats de musique qui filtraient de l'Oak Room Bar. Le bel Occident, sûr de sa puissance malgré les embûches. Dieudonné trouva des cigarettes à trois blocs de là, profita de sa course pour humer l'air de New York, vieux mélange d'électrons et d'iode, puis rentra à l'hôtel, se doucha, et en dépit du décalage horaire qui lui plombait un peu les mollets, descendit prendre un verre à l'Oak Room Bar.

« Un dry Martini. Doucement remué. Olive. »

Il grignotait quelques cacahuètes, lorgnant ces femmes dont on se demande si c'est une grâce génétique qui leur a fait les jambes si longues et si fuselées, ou bien si c'est une disgrâce culturelle qui a fait qu'on s'est mis à préférer ce type de jambes, quand un serveur en veste rouge passa entre les tables, demanda Mr. Dieudonné. Dieudonné leva le bras, on lui apporta le téléphone sur la table.

« *Etic horse ?* » demanda la voix.

« *Etic horse* », répondit-il, passablement étonné.

« Adrien Dieudonné de Montchouart ? » reprit l'autre en français avec un petit rire.

« Adrien Dieudonné de Montchouart lui-même. À qui ai-je l'honneur de parler ? »

« Hideshi Yagama. Vous vouliez me voir ?

« Je suis venu de Paris pour cela. »

« Trop d'honneur ! Je suis à votre disposition. »

« Vous êtes loin ? »

« Vous voudriez m'inviter à l'Oak Room Bar, monsieur Dieudonné ? »

« Telle était mon intention. Nous pourrions dîner après. »

« Je connais un excellent restaurant japonais sur Park Avenue. »

« Nous en débattrons. »

« Laissez-moi le temps d'arriver. »

Dieudonné reposa le combiné. Foutrement forts, songea-t-il. Ils n'ont pas peur de se montrer à visage découvert. Il vida son dry Martini et en commanda un autre, mais n'y toucha pas. Partie foutue. Je rentre à Paris, je déclare forfait, je me retire dans ma maison de l'Ariège. Potager, chèvres, lectures classiques. Son moral baissait à vue de nez. Apparut un jeune homme oriental en costume noir, chemise bleu pâle, cravate sombre de bon goût. Dieudonné le regarda avec insistance et leva le bras, l'autre se dirigea vers lui, tendit la main et s'assit à sa table comme s'il avait été une vieille connaissance.

« Que voulez-vous boire ? »

« Un gin-fizz. »

Yagama le considérait d'un œil moqueur.

« Que puis-je faire pour vous, monsieur Dieudonné ? »

« Je représente le gouvernement français. »

« Je le supposais, étant donné l'ampleur de vos informations. »

« Vous faites partie de l'entreprise ? »

« Laquelle ? »

« Démolition générale ? »

Yagama éclata d'un rire juvénile.

« Intervention antibiotique, monsieur Dieudonné. »

Il avala une gorgée de son gin-fizz.

« Réaction normale du système immunitaire de l'humanité », reprit-il.

« Première fois que je vois un système immunitaire faire intervenir des archéobactéries », répondit Dieudonné, ne parvenant pas à concilier la jeunesse de son interlocuteur avec l'ampleur du projet qu'il soupçonnait.

« Votre information est rapide », nota Yagama avec une pointe de surprise, en hochant la tête à plusieurs reprises. « Mais tout cela ne me dit pas ce que je peux faire pour vous. »

« M'informer. Que voulez-vous ? »

« Moi ? Rien. Je ne suis qu'un très modeste novice au service de mes aînés. »

« Que veulent-ils ? »

« Rétablir l'équilibre, n'est-ce pas évident ? »

« En détruisant les structures de l'Occident ? De l'Orient ? Et même du Japon ? »

« Structures, monsieur Dieudonné ? Je suppose que vous réprimez une envie de sourire quand vous utilisez ce mot. Le monde sur lequel mes aînés interviennent a autant de structures qu'une tumeur cancéreuse. Cela prolifère à l'infini avec pour seul effet, à la fin, de détruire les tissus sains. »

Autre gorgée de gin-fizz.

« Vous connaissez le Japon, monsieur Dieudonné. Rien de ce que je vous dis ne devrait vraiment vous surprendre. »

« Nous allons intervenir. Nous allons vous arrêter. »

« C'est normal que vous réagissiez. Il se peut même qu'à la fin vous nous arrêtiez. Mais le bien sera déjà fait. »

« Le bien ? » demanda Dieudonné en buvant son dry Martini.

« Le choc. Le monde se sera réveillé de sa narcose d'argent, d'électronique, de frivolité psychotique. Votre réaction coïncidera sans doute avec notre retrait. »

« Et si elle se produisait avant ? »

Yagama sourit.

« Vous ne pouvez pas nous arrêter avant l'heure, monsieur Dieudonné. Je suis chargé de vous transmettre ce message. Vous venez d'arriver, vous n'avez même pas pris contact avec vos collègues américains, vous ne pourriez même pas m'arrêter moi-même, moi, un rien, un jeune étudiant en électronique. Vous ne pouvez m'imputer aucun crime, aucun méfait, vous n'avez aucune preuve. Demain, ce soir, dans trois jours, j'aurai disparu. Je ne serai plus qu'un souvenir. Je continuerai à travailler là où on me le demandera. Quant à arrêter mes aînés, vous êtes trop intelligent pour y songer. Vous ne soupçonnez même pas leurs noms. Vous ne savez pas où ils frapperont, ni comment. Vous êtes totalement désarmé, et la puissance de tous les services américains est dérisoire. »

« Vous vous croyez invincibles ? »

« Nous le sommes, parce que nous sommes obscurs, que nous avons la finesse de la mouche et l'omniprésence du vent. Rentrez à Paris, monsieur Dieudonné. Réfléchissez. Nous vous avons instruit de notre philosophie. Vous savez que notre combat est juste. »

Le Français fut bouleversé par l'incroyable arrogance qui émanait de son interlocuteur. Puis il ressentit une brûlure ; ce jeune homme le traitait de serf et d'esprit faible.

« Vous avez un culot sans bornes ! » s'écria-t-il.

« Ne me faites pas rire », répondit Yagama. « Me permettrez-vous de vous inviter à dîner ? »

« Non », répondit désagréablement Dieudonné, buté, conscient de l'injure.

« Alors, adieu », dit Yagama en se levant.

Il partit sans que Dieudonné, remâchant son humiliation, eût le temps de formuler une repartie. Le Français paya, se fit monter un repas dans la chambre, regarda d'un œil morose un film à la télévision et se coucha. Vers 2 heures du matin il s'éveilla, à cause du décalage horaire pensa-t-il, et alla regarder par la fenêtre New York en veilleuse. L'Occident est peut-être sot, songea-t-il. Mais ce n'est pas une carne. Ce jeunot oublie que le Japon m'a donné plus d'une leçon. S'il faut mourir, ce sera l'épée à la main.

Ce genre de résolution héroïque fut toutefois réduit en poussière le lendemain matin très tôt. Un coup de téléphone de Paris apprit à Dieudonné que l'agent qui avait été envoyé à l'adresse correspondant au numéro de téléphone de Tokyo, relevé d'après les appels de Yagama, avait reçu une dérouillée qui l'avait expédié à l'hôpital.

« Il paraît qu'il ressemble à un chou-fleur », dit le correspondant. « Qu'est-ce qu'on fait ? »

« Rien pour le moment », répondit Dieudonné.

42.

Une silhouette de femme nue s'assit sur le lit, dans l'obscurité. Elle tendit le bras vers la table de nuit et alluma discrètement une cigarette. La flamme éclaira son ventre et les plis, peut-être trop nombreux, qui le barraient.

« Déjà ? » murmura la voix d'un homme allongé près d'elle.

« Je n'ai pas fumé depuis hier soir. »

« Je voulais dire, déjà réveillée ? »

« Le sexe réduit mes besoins de sommeil. »

L'homme, jusqu'alors en chien de fusil, s'allongea. Il posa une main sur la cuisse de la femme.

« Vous ne seriez pas obsédé sexuel, Anthony ? demanda-t-elle. Trois fois ! Je ne croyais pas que c'était possible. »

« Peut-être avais-je envie de vous mettre enceinte. »

« Vous n'avez pas d'enfants ? »

« Si, un certain nombre. »

« Un certain nombre ! Combien ? »

« Franchement, je ne suis pas sûr. Deux de ma femme, quatre ou trois ou cinq d'autres femmes, qu'importe ! »

« Image parfaite de l'irresponsabilité. On ne vous demande pas d'argent ? »

« Il faudrait prouver. »

« On peut le faire. »

« Cela vaudrait sans doute la peine si j'étais riche. Je ne

le suis pas. C'est bien connu », dit-il avec une pointe de dérision dans le ton, en caressant le ventre de la femme, « seuls les pauvres font beaucoup d'enfants. »

« Vous faites toujours l'amour avec cette frénésie ? »

« Non. »

« C'est moi qui... pardon. Pourquoi alors, cette nuit ? »

Il se releva.

« Une certaine révolte, sans doute. L'absurdité de ce que nous avions vécu. Ces bank-notes inexistantes qui voltigeaient autour de nous. La folie du monde depuis quelques semaines. Et le spectacle de votre misère, Valerie. Donnez-moi une cigarette. »

« Le spectacle de ma misère ? » cria-t-elle en lui tendant une cigarette.

Il étouffa un ricanement.

« Le propre des vrais misérables est de ne pas savoir qu'ils le sont. Aux États-Unis, c'est l'abolition de l'esclavage qui a fait prendre conscience aux enfants et petits-enfants d'esclaves des souffrances de leurs parents. Vous étiez une esclave, Valerie. Livrée à la masturbation par modem avec des amants imaginaires, dont vous n'avez jamais senti l'odeur, jamais éprouvé le goût, jamais éprouvé le glissement entre vos cuisses. Une misérable nonne électronique, une sainte Thérèse sans illumination, incapable de comprendre ce qu'est l'autre. Que voulez-vous, avec mon déplorable instinct chevaleresque, j'ai éprouvé le besoin de vous délivrer. »

Il s'assit à demi, accoudé sur l'oreiller, et alluma sa cigarette. Elle lui répondit à son tour par un ricanement.

« Vous avez cru me délivrer par votre bite dans mon vagin ? On croit entendre un discours des années vingt. Vous devriez figurer dans une vitrine du British Museum ! Macho archaïque. Ce genre de mâle s'imaginait que sa queue était l'épée enchantée Excalibur ! »

« N'empêche que vous avez joui, vous, plus de trois fois », répondit Anthony.

« L'excès est toujours excitant. Excès, excitant, les mots sont voisins. Et quel besoin éprouvez-vous, pour justifier votre priapisme, d'agiter de grandes idées ? La révolte, disiez-vous ? La révolte contre quoi ? Vous êtes encore jeune, pas dans la misère, en bonne santé... »

« La mort. Nous traversons les marécages de la mort, ne voyez-vous pas ? C'est tout un monde qui se meurt. L'argent. Les images. À l'heure qu'il est, des centaines de millions de gens agonisent. Ils sont vivants et se lèvent pour aller pisser, mais leur monde est mort et ils considèrent avec autant d'incrédulité la décomposition qui les entoure que les gens des villages inondés voient leur table de salle à manger s'en aller au fil de l'eau. »

Elle se mit à rire.

« Mettez le cendrier entre nous, voulez-vous ? » dit-il.

« Mais... vous êtes de nouveau en érection ! » constata-t-elle.

« Si vous n'y voyez pas d'inconvénient, Valerie, je vais vous baiser de nouveau.

« Il n'en est pas question. Je peux à peine marcher. »

« Je vous ferai grabataire et je vous violerai. Je vous ferai exploser la chatte et les seins ! » dit-il doucement en glissant sa main entre les cuisses de Valerie et en lui suçant doucement le sein droit.

« *Lord !* » souffla-t-elle, tâtant avec incrédulité le sexe qu'elle commençait à ne plus connaître à force d'en découvrir la réalité.

Écartelée, ayant perdu la topographie de son corps, étonnée par instants que le sexe masculin ne lui traversât pas les intestins et l'estomac pour lui ressortir à travers la bouche, noyée dans les vapeurs de la sueur, les plis du drap et ceux du corps qui la dépiautait comme un lapin, s'attendant à ce que des fontaines de lait jaillissent de ses seins et qu'elle enfantât Anthony, pour l'allaiter tandis qu'il l'enfilait, réduite à ce qu'elle avait refusé d'être tout en le désirant de manière mystique, elle souhaita un second amant qui la délivrerait de la présence exclusive d'Anthony Sallwaite. Et dans leur quatrième orgasme, presque réussi, elle hurla, elle pleura, elle tira sur les cheveux de son amant, elle le serra dans ses bras, le torse secoué de spasmes.

« Anthony ! Anthony ! Anthony ! Est-ce que c'est tout ce qu'il y a au monde ? » murmura-t-elle.

Ils se rendormirent, se levèrent vers midi.

« Vous connaissez la maxime de Mae West ? » cria-t-il en sortant de la douche.

Elle contemplait infiniment ses chaussures, n'arrivant pas à croire que c'étaient les mêmes pieds que la veille qu'elle allait y glisser. Puis son regard dériva vers le lit réduit en crème battue.

« Non », répondit-elle sans entrain.

« *Too much of a good thing can be wonderful !* » dit-il.

Elle éclata de rire et pensa en même temps qu'elle n'aimait pas vraiment Tony Sallwaite. Il l'avait trop comblée. Il n'avait plus laissé au rêve le moindre interstice où se glisser.

« Je le hais, vraiment, je le hais », se dit-elle.

43.

Fin de conversation entre Adrien Dieudonné et le président de la République française, vers 4 heures de l'après-midi, au téléphone du consulat général.

« À peu près une chance sur mille », répondit Dieudonné d'une voix morne à la question qu'on lui avait posée.

Il appuya indiscrètement sur la manette qui permettait aux autres personnes présentes de suivre la conversation. Dutertre, qui venait d'arriver à New York, et Baeker, le consul, suspendirent leurs gestes.

« Vous voulez rire, » répondit le président.

Dieudonné l'imagina, l'œil furieux.

« Si l'Occident est aussi vulnérable, c'est qu'il est foutu. »

Petit silence à l'autre bout du fil.

« Remarquez bien, monsieur le président, qu'il donnait de grands signes de maladie », reprit Dieudonné en allumant une cigarette. « Nous avons mérité la dégelée. Corruption partout. On arrête des juges, des ministres, des patrons d'affaires, un préfet de police, des hommes politiques. Vous le savez bien, on a fait de la communication à tout berzingue, des télécommunications à rendre des bactéries psychotiques, on inonde le monde de fantasmes, quelques gros lards tirent les ficelles et font un fric dément, vous croyez que c'est ce dont rêvait Montesquieu ? »

« Dieudonné ! » hurla le président. « Nous allons être

pour des décennies les domestiques d'une bande de moines fascistes ! Vous tenez des discours de domestique ! Vous me rapportez qu'un Japonais de vingt ans est venu vous dire que vous n'y pouvez rien, fatalitas, et vous allez vous soumettre et supporter toutes les folies de ces intégristes bouddhistes ? »

« Trouvez quelqu'un d'autre que moi », répondit Dieudonné, provocateur.

Dutertre et Baeker ouvrirent des yeux ronds. Cette désinvolture !

« Non, je vous tiens, vous, pour responsable. »

« Pour responsable du destin de l'Occident ? Moi ? Moi tout seul ? La CIA, le FBI, la NSA n'ont pas réussi à entraver un instant les agissements de ces moines. Vous croyez que je vais y arriver ? Tout seul ? Vous me prenez pour Roland à Roncevaux ? »

Rire sec et amer du président de la République française.

« Vous le ferez, Dieudonné, maintenant je le sais. »

« Comment le savez-vous ? »

« Vous êtes désespéré. À bout. Vous ne le ferez pas pour la République. Pour moi ou pour n'importe quelle cause reconnue. Vous le ferez par orgueil. »

« Peut-être », répondit Dieudonné.

La communication fut coupée. L'attaché au chiffre regardait Dieudonné sans parvenir à croire ce qu'il avait entendu. La vie n'est pas assez pleine d'accidents de ce genre. Dieudonné se leva pour quitter le bureau.

« Vous croyez qu'on y arrivera ? » demanda l'attaché.

« À quoi ? » demanda Dieudonné en souriant. « À sauver votre paie ? »

Et il emmena Dutertre déjeuner. Il s'était pris de sympathie pour ce faux voyou. Sympathie filiale, sans doute. Il ne s'était jamais consolé de n'avoir pas eu de fils. Il éprouva de la satisfaction à lui faire partager une expérience aussi exceptionnelle que la sienne. La légère euphorie que lui inspirait ce sentiment de supériorité se dissipa toutefois dans un choc déplaisant.

« Vous poussez le bouchon un peu loin », dit Dutertre. « Un pas de plus et vous sautez. »

« Je saute ? » s'écria Dieudonné. « Comment le sauriez-vous ? »

« Parce que je le sais. Baudrier pense que vous êtes un littéraire. Il m'a donné l'ordre de rentrer. Je lui ai répondu que mon supérieur, pour le moment, c'est vous. Tous les services demandent votre peau. Vous ne tenez que par un fil, celui de la présidence. Vous tirez beaucoup trop dessus. »

Dieudonné en perdit l'appétit.

« Je peux vous dire le fond de ma pensée ? » reprit Dutertre. « Ce n'est pas tant que la partie soit difficile, c'est que vous n'avez pas envie que les bouddhistes la perdent. »

Dieudonné ravala un sourire amer.

« Pas entièrement faux », admit-il. « C'est l'idée de Baudrier ? »

« Non, la mienne. »

« Et ensuite ? »

« Comme vous n'avez pas de désir, vous n'avez pas d'imagination. Donc pas d'idées. Nous n'avons quand même pas traversé l'Atlantique pour pister un zigue comme des sous-fifres du Quai. »

Dieudonné se remit à manger, lentement, troublé.

« Et vous avez une idée, vous ? »

« Contre des Asiatiques, il faut d'autres Asiatiques », déclara Dutertre. « Ni vous ni les Américains ne parviendrez à rien avec les moyens classiques. Vous êtes en retard d'une guerre. »

« Quels autres Asiatiques ? » demanda Dieudonné.

« Les Chinois. »

« Les Chinois ? » cria Dieudonné. « Mais je n'ai aucune autorisation pour... »

« Demandez-la », dit Dutertre d'un ton presque impérieux. « Nous devons absolument partir pour Pékin au plus tôt. »

« Vous êtes malade », répondit Dieudonné sans conviction.

Mais ils retournèrent quand même au consulat. L'après-midi se passa au téléphone. Ce ne fut qu'à 9 heures du soir qu'un appel de la présidence informa Dieudonné que le gouvernement chinois acceptait de recevoir, dans les plus brefs délais, l'émissaire personnel du président de la République française. Le dernier Concorde était parti ; ils prirent celui du lendemain en partance pour Paris et reprirent deux heures plus tard l'appareil présidentiel lui-même. Le temps pressait, il leur soufflait même dans le cou.

Dans l'avion, tandis que Dutertre essayait en vain d'étendre ses longues jambes, Dieudonné tira de sa sacoche une coupure de presse du *New York Times* de la veille, qu'il n'avait pas encore eu le temps de lire.

« LA GUERRE PSYCHOLOGIQUE EST D'ORIGINE ORIENTALE »,
dit un historien de Harvard

Les opérations de subversion qui affectent actuellement le monde et menacent de déséquilibrer plusieurs gouvernements des cinq continents sont d'inspiration philosophique, et cette inspiration semble originaire d'Asie. Ses cibles sont les expressions verbales des pouvoirs politiques sous leur forme électronique, notamment télévisuelle. Mais ce sont également les expressions électroniques des cultures, sous la forme des vidéos, qui ont fait l'objet d'une des formes de subversion les plus efficaces que le monde pouvait imaginer. Telle est du moins l'opinion du Dr Owen T. Mahboub, historien à l'université Harvard et spécialiste de l'étude des cultures asiatiques.

Mahboub relève deux points essentiels dans cette analyse :

destruction de la crédibilité électronique de la communication sous toutes ses formes et dérision. Tous les incidents survenus ces derniers mois tendent à ridiculiser les déclarations de chefs d'État d'appartenances culturelles aussi éloignées les unes des autres que l'Iran et les États-Unis, et n'ont épargné ni l'Europe, ni les Amériques, ni l'Asie.
« Nous avons affaire à des gens, sans doute peu nombreux, qui se considèrent détachés de la scène internationale, et qui ont assumé une attitude supérieure, aristocratique et sarcastique à l'égard des systèmes en place. Cette attitude rappelle considérablement celle des dadaïstes d'après la Première Guerre mondiale, d'ascendance anarchiste, mais bien plus encore celle des bouddhistes d'appartenance zen », nous a déclaré le Dr Mahboub.
« On y déchiffre une volonté d'hégémonie par la destruction, qui me semble refléter un courant philosophique florissant dans une culture à la fois menacée et relativement libre. J'exclus du nombre des suspects virtuels le bouddhisme tibétain, trop occupé par sa résistance au pouvoir communiste. Le bouddhisme indien du Grand Véhicule et le bouddhisme cingalais du Petit Véhicule me semblent devoir être également exclus du nombre des suspects, car ils sont tous deux portés vers des valeurs étrangères à la dérision. Le seul bouddhisme qui me paraisse capable d'engendrer des opérations aussi subtilement et efficacement subversives est le bouddhisme zen japonais, qui a toujours brillé par un sens supérieur de l'ironie et un esprit qui, dans ses expressions les plus originales, s'apparente au nihilisme occidental. »
« On peut mesurer le sens de l'ironie des terroristes au fait qu'ils se servent des techniques les plus raffinées pour détruire la technologie qui soutient les systèmes politiques et sociaux du monde entier », poursuit le Dr Mahboub.
« Pour moi, conclut le Dr Mahboub, les efforts de recherche des États qui font l'objet du terrorisme actuel doivent viser à établir si la guerre psychologique en cours ne serait pas le fait d'une phalange dérivée du bouddhisme japonais. Celle-ci serait soutenue par des moyens matériels considérables comme seul le Japon peut en fournir aujourd'hui. »

29 jours avant la fin du monde

Dieudonné tourna la tête vers Dutertre, qui s'était endormi, la main encore sur la coupe de champagne. Il le considéra longuement. Il aurait vraiment aimé l'avoir pour fils.

44.

Vers midi, le ciel se couvrit de linge sale, et une pluie furieuse comme une femme qui griffe lacéra Jersey City. La ville n'était déjà pas très colorée, mais là, elle tourna sans façons au gris funèbre, souillé de marron. Par les fenêtres de la morgue, qui donnaient sur le dos hargneux d'une série d'entrepôts de mobilier de bureau, et par-dessus un terrain de garage, Robbie distingua les signes annoncés dans les Écritures. Quels signes et quelles Écritures au juste, il eût été incapable de le dire, mais le cœur d'un homme ne peut se tromper : cette mocheté ne pouvait être que la rançon du mal et du péché. Il rêva des prairies piquées de cerisiers en fleur que parcouraient les âmes pures sous un ciel d'azur incandescent. Il ignorait aussi bien l'origine de cette vision, peut-être des images entrevues dans une église (ou bien était-ce un film ?), mais, il en était sûr, les âmes pures, elles, ne traînaient pas dans cette buanderie malpropre.

Il y a des moments du jour et de la semaine où l'on meurt plus que d'autres. Ainsi, les fins de semaine sont généralement calmes, les accidents de la route ne reprenant que dans la nuit de dimanche. Le lundi, ce sont surtout les suicidés qui prédominent. Sans doute répugnent-ils à gâcher un week-end. Les entrées à la morgue sont à leur point le plus bas à l'heure du déjeuner. Ceux qui sont encore en état de se nourrir tout seuls mangent, et ceux qui ont lâché leur dernier croassement sont mis en attente pendant que les vivants se nourrissent. Robbie avait donc quelque loisir pour réfléchir, et de fait il réfléchissait beaucoup depuis la mort de Mafalda. C'était une voisine qui prenait soin de Nella, moyennant rétribution, et la petite semblait d'ailleurs très contente chez Mrs. Pamfrey, dont la cuisine était toujours garnie de pâtisseries. Robbie disposait donc d'encore plus de temps pour réfléchir.

L'évidence était qu'un être doté de la moindre trace de sens moral ne pouvait plus vivre dans ce monde-là, indéniablement proche de sa fin. Plusieurs scénarios possibles de cet événement hantaient Robbie sans qu'il se résolût à trancher en faveur de l'un d'entre eux. Le plus fréquent comportait une éclatante apparition du Seigneur dans le ciel, entouré de myriades d'anges. Sur un geste divin, les morts sortiraient de leurs tombeaux, et le Jugement dernier commencerait. Mais cette interprétation de l'Apocalypse était quelque peu administrative au goût de Robbie, et elle cédait rapidement la place à une mise en scène nettement plus frappante. Un court-circuit éteindrait le soleil, puis les étoiles, assorti d'un vacarme céleste intolérable. Les raisons de ce vacarme restaient obscures. Mais enfin, les mystères étaient ce qu'ils étaient et, de toute façon, des flammes jailliraient de la Terre et il ne resterait plus pierre sur pierre dans aucune cité du monde, Jersey City comprise. Les gens hurleraient sans arrêt dans les ténèbres. Sur quoi, le Seigneur ferait son apparition réglementaire, avec les anges en fond de décor. Les morts s'agiteraient, même dans les tiroirs de la morgue, et le fameux Jugement commencerait. C'était déjà mieux, mais pas assez.

Robbie cultivait quelques autres représentations encore plus spectaculaires. Par exemple, un déferlement épouvantable de diables crochus et ricanants dans toutes les villes du monde, tandis que retentissaient les trompettes des archanges. Les derniers vivants se feraient mordre jusqu'au sang par ces affreuses créatures, jusqu'à l'apparition tonitruante du Seigneur dans une clarté insoutenable.

En tout état de cause, la sagesse imposait qu'on se recueillît dans la prière et la purification salvatrice. Mais où ? Robbie avait suivi pendant plusieurs jours les émissions religieuses à la télévision ; il avait même commandé des émissions en virtuel sur Gospel 5, qui permettaient de traverser, en trois dimensions, l'Empire des Morts avant d'accéder à la splendeur du Paradis, mais il avait trouvé toutes ces images un peu fades. Et puis, tout ça, c'était impersonnel et solitaire. On ne pouvait chercher son salut dans la solitude. Il y fallait une vie communautaire.

Une vie communautaire ! Lumière ! D'emblée, Robbie pensa aux Pénitents de l'Apocalypse, qui s'étaient retirés dans l'Utah pour préparer leur fin dernière dans les rites purificatoires. Ah oui, les Pénitents de l'Apocalypse ! Il y emmènerait la petite Nella et tous deux se recueilleraient sous les derniers rayons du soleil, avant l'épreuve finale, en attendant de franchir la voie étroite qui les mènerait du repentir aux domaines divins de la rédemption et de la paix céleste.

Il s'agita sur son fauteuil, se gratta le menton épineux. La pluie ayant cessé, une éclaircie inonda de jaune le mur des entrepôts. Péripétie météorologique que Robbie interpréta sans hésitation comme l'acquiescement du Ciel. Il appela les renseignements nationaux et obtint le numéro des Pénitents de l'Apocalypse.

« Les Pénitents de l'Apocalypse ? » demanda Robbie, la voix étranglée d'émotion, autant que s'il avait appelé la secrétaire de saint Pierre à la conciergerie du Paradis.

« Oui. »

« Ici Robbie Cashman. Je vous appelle de Jersey City. »

« Oui ? »

« Je voudrais me joindre à vous. Que dois-je faire ? »

« Vous êtes en virtuel ? »

« Oui. »

« Pouvez-vous enclencher votre visuel sur réalité ? »

« Oui, excusez-moi. »

« Il n'y a pas de mal, frère. »

Robbie se dépêcha de prendre une contenance et effectua la manœuvre demandée.

« Je vous vois maintenant, merci. »

« Je ne vous vois pas, moi », dit Robbie, qui n'apercevait dans sa visette qu'une image de flammes dévorant la silhouette d'un moine aux mains jointes, tandis qu'une lumière irisée scintillait au-dessus de cette crémation apparemment perpétuelle.

« Ce n'est pas à moi que vous vous adressez, frère », répondit la voix, que Robbie identifia comme celle d'un Noir relativement jeune, ayant vécu dans le Sud, mais sans doute aussi à New York ou sur la côte est. « C'est à la communauté. Je ne suis qu'un compagnon parmi d'autres. Il n'est pas nécessaire que vous me voyiez. Dans la pénitence, nos apparences physiques n'ont plus d'importance. »

« Je comprends », dit Robbie, dépité que son identité physique dût être anéantie bien avant son entrée dans le Royaume.

« Vous voulez vous joindre à nous, frère ? »

« C'est pour quoi je vous appelle. »

« Êtes-vous chrétien, frère ? »

« Oui. »

« De quelle dénomination ? »

« Baptiste. »

« Nous comptons plusieurs baptistes parmi nous, frère. »

Cette insistance sur la fraternité agaça Robbie. Il n'était pas vraiment raciste, mais enfin ce nègre en prenait à son aise.

« Que dois-je faire ? »

« Exactement ce que vous êtes en train de faire, répondre à nos questions, frère. Quel est votre métier ? »

« Je suis comptable. »

« Comptable dans quelle entreprise, frère ? »

« La morgue de Jersey City. »
« Êtes-vous propriétaire de votre maison ? »
« Oui. »
« Êtes-vous marié ? »
« Non. »
« Quel âge avez-vous ? »
« Quarante-six ans. »
« Vous avez quarante-six ans et vous n'avez jamais été marié, frère ? » demanda le Pénitent avec une pointe de surprise.
« J'avais une amie. »
« Vous l'avez quittée ? »
« C'est elle qui m'a quitté. J'espère qu'elle est au Ciel. »
« Les âmes pures et pénitentes sont destinées au Ciel, frère. Gardez confiance. »
« Elle était pénitente, justement. »
« Elle avait fait partie de notre confrérie ? »
« Non, je veux dire qu'elle se repentait de ses péchés, et les dernières semaines que nous avons passées ensemble étaient chastes. »
« Je vois. Dans un premier temps, frère, il faudra faire réaliser une estimation de votre maison ainsi que de tous vos biens matériels et la faire certifier par un notaire, frère. »
« Est-ce que je peux vous demander pourquoi ? »
« Certainement, frère. Afin d'assurer notre autonomie à Jericho Valley, et nous défendre contre les attaques des serviteurs du Démon, il nous faut assumer des frais matériels. Chaque frère et chaque sœur y contribue dans la mesure de ses moyens. »

Robbie fut conscient que, pendant chaque mot de cette conversation, l'énigmatique interlocuteur surveillait son expression sur sa visette. Peut-être même l'image de la visette était-elle projetée sur un écran géant dans le centre des Pénitents de l'Apocalypse et analysée par une équipe de psychologues. Il s'interrogea donc un instant sur le choix qu'il avait fait. Peut-être existait-il d'autres associations de pénitents plus accueillantes et moins intéressées par les disponibilités matérielles de leurs adhérents. Il se félicita en tout cas de l'impassibilité célèbre de son visage, entretenue par l'épaisseur de sa couenne faciale.

« Vous semblez réfléchir, frère ? »

« J'étais, en effet, en train de réfléchir. La confrérie accepte-t-elle des enfants ? »

« Certainement. Vous avez un enfant ? »

« J'ai la charge de l'enfant de mon amie. »

« Je vois. Êtes-vous son tuteur ? »

« Oui. »

« Dans ce cas, n'oubliez pas de nous adresser également l'estimation de l'héritage de cet enfant. »

« Ouais », répondit Robbie, songeant qu'on parlait décidément beaucoup d'argent dans un premier entretien avec les Pénitents de l'Apocalypse.

« Que la présence de Dieu vous accompagne dans votre soirée, frère. »

« Je vous remercie », répondit Robbie, coupant un peu brutalement la communication. « Des escrocs ! » marmonna-t-il, profondément frustré.

On venait d'apporter quatre jouvenceaux qui s'étaient revolvérisés à qui mieux mieux au petit matin, en sortant d'une boîte. Robbie examina les visages juvéniles figés par la mort. Trois garçons et une fille. Iraient-ils en enfer ?

45.

Dix hommes composaient l'escouade spéciale désignée par le général McLane pour enquêter enfin sur l'état des câbles qui avaient convoyé le truquage remplaçant l'interview présidentielle de la régie finale à la station de retransmission vers les satellites (la décision d'intervenir enfin sur les lieux du délit avait exigé trente-trois heures de délibérations). Ils descendirent un par un, en tenue de combat et la semelle hésitante, les échelons ancrés dans les parois du puits qui menait aux tunnels où couraient les fameux câbles. Ces tunnels, parcimonieusement éclairés, appartenaient au réseau des égouts de Washington. Comme tous les égouts, ils étaient bâtis sur un module de section ovoïde, bétonné, avec des chemins de ronde larges de cinquante centimètres qui longeaient les parois. Ce qui faisait qu'un homme de taille moyenne devait se tenir légèrement voûté pour avancer. Au-dessous des chemins de ronde gargouillaient les eaux usées, charriant les excréments humains, les ordures ménagères et les milliers de litres de détergents ordinaires vers les stations d'épuration. Le tout finissait au Potomac. Les fils, eux, couraient à un mètre et demi de hauteur au-dessus du chemin de ronde.

« Merde ! » cria un homme.

« Quoi ? »

« Un rat ! »

« Où ? »

« Je l'ai envoyé à la flotte. »

« Paraît qu'il y a parfois des pythons et des crocodiles dans ces égouts. »

« Doit pas alors rester beaucoup de rats », plaisanta un autre.

« D'où viennent les crocodiles ? »

« Les bébés que les touristes ramènent de Floride et qui grandissent tellement qu'on est obligé de les foutre aux chiottes avant qu'ils boulottent les gosses. »

« Allumez toutes les torches », commanda le lieutenant Jeff Longo, qui dirigeait l'escouade. « On n'y voit pas grand-chose. Et ouvrez l'œil. Un indice de rien du tout peut être révélateur. Dan, contrôlez centimètre par centimètre l'état des câbles. C'est notre mission. Repérer l'endroit où il y a sans doute eu dérivation ou rupture. »

Ils n'avaient pas franchi une dizaine de mètres, en file indienne, que le soldat en tête murmura :

« Saint Esprit ! Z'avez vu ça ? »

Il braqua sa torche en direction d'une apparition incongrue. À quelques mètres devant, deux petits bonshommes métalliques qui semblaient montés sur roues, comme les jouets inspirés de la Guerre des étoiles et autres facéties, tournèrent vers eux des yeux luminescents. Une ampoule rouge clignotait au front de chacun d'eux, si tant était qu'on pouvait attribuer un front à ces androïdes hauts de quelque soixante-dix centimètres.

« Halte ! » cria le lieutenant Longo. « Ces choses sont peut-être armées. »

Les dix hommes s'immobilisèrent sur leur chemin de ronde, fixant les deux androïdes tandis qu'une terreur mélangée de stupeur s'infiltrait lentement en eux. Ils demeurèrent ainsi une dizaine de minutes, ravalant leur salive.

« On peut rester comme ça toute la nuit », dit quelqu'un. « Je vais aller voir. »

« Faut d'abord tirer dessus », dit quelqu'un d'autre.

« Non. Nous ne devons pas les endommager ! » cria le lieutenant.

« On leur tire alors dans les pattes », dit la première voix.

« Bon, alors, tirez dans les pattes si vous pouvez viser juste. Phil, vous qui êtes bon tireur, tentez votre chance. »

Et toujours ces damnés yeux phosphorescents et ces loupiotes rouges qui clignotaient de manière irrégulière. Peut-être que ces saloperies étaient chargées d'engins atomiques, de gaz infectieux ou Dieu savait quoi. Le lieutenant Jeff Longo éprouva les tourments d'un chevalier des croisades, c'est-à-dire qu'il évoqua des banalités comme « Écraser le mal », « Défendre la patrie », « Déployer son courage ».

Phil s'agenouilla et, les poings joints, visa les gambettes de l'androïde le plus proche. Il fit mouche. Bizarrement, les loupiotes des deux androïdes s'éteignirent simultanément, une épaisse fumée blanche jaillit du thorax des intrus, qui tournèrent à droite, puis à gauche, et finirent par tomber dans l'eau noire des égouts. L'ennui était que le courant les emportait dans le sens où avançait l'escouade. Trois hommes se jetèrent à l'eau, si on pouvait appeler cela de l'eau, pour les rattraper.

« Merde ! Ramenez-les coûte que coûte ! » hurla le lieutenant Longo, qui plongea.

Trois autres sautèrent après lui dans le liquide infect.

Ils récupérèrent les deux machines cinq cents mètres plus loin. Ces petites horreurs étaient ainsi conçues qu'elles se démantibulaient toutes seules dès qu'on les touchait. Trois ou quatre pièces indistinctes se perdirent ainsi dans les résidus d'étrons et de pisse, les bouillons de viande avariée et les vidanges de bains de caniches. Et en dépit de la température glacée de l'eau merdeuse, elles étaient brûlantes. Mais le pire était à venir. Quand les sept hommes, dégouttant de sanies, parvinrent à remettre pied sur le chemin de ronde, leurs bottes détrempées glissaient sur le béton. Lorsqu'ils eurent finalement posé leur butin — deux coffres de métal et de plastique pleins de Dieu savait quels mécanismes infernaux —, celui-ci émit un petit bruit suspect. L'instant suivant, des jets blancs et gluants jaillirent de ces saloperies innommables, et les hommes furent entortillés dans des macaronis pareils à de la pâte dentifrice qu'auraient éjectée des tubes en folie. Ces sales bêtes visaient les visages, et si bien que le lieutenant, aveuglé, perdit l'équilibre et retomba dans la soupe de merde, dont il ne fut repêché qu'à grand-peine par ses hommes. À grand-peine, en effet, car la pseudo-pâte dentifrice durcissait à une vitesse insoupçonnée, emprisonnant les hommes dans des liens d'une sorte de plastique élastique dont il leur était impossible de se défaire. L'escouade serait sans doute demeurée là pendant des jours, n'eût été l'un des militaires qui eut la bonne idée d'appeler du secours par talkie-walkie.

Enfin, du renfort vint. On parvint à désentraver les membres de l'escouade à l'aide de couteaux, et on les réexpédia en surface, hallucinés, pantelants, détrempés et ruisselants d'immondices.

Entre-temps, les boîtes si durement sauvées des eaux explosèrent en une myriade de pièces qui retombèrent dans les égouts, cependant que le lieutenant Longo hurlait de frustration. On ne récupéra quasiment rien des androïdes.

Les détails de cette expédition malheureuse furent tenus secrets. Ce ne fut que trois jours plus tard, en dépit de plusieurs expéditions de recherche, qu'une escouade identifia le point où le câble de transmission avait été altéré. Un compteur Geiger qu'on promena tout le long du câble indiqua une forte radioactivité juste en aval du relais d'émission, un composant électronique qui, à la sortie de la régie, reprenait les impulsions électriques qui eussent dû acheminer l'émission originelle vers la station de transmission hertzienne. Le câble avait été coupé de façon invisible par de très fortes radiations ionisantes. L'émission-pirate avait presque certainement été injectée dans le reste du réseau, demeuré intact, à l'aide d'un solénoïde inclus dans un des androïdes.

« C'est l'équivalent de Pearl Harbor », dit le général Elijah Peck, en peine d'autres clichés, quand on lui soumit les résultats de l'enquête. Il appela sur-le-champ le président Thorpe pour lui déconseiller toute apparition à la télévision. « Nous avons affaire à très forte partie », précisa-t-il. « Je m'en entretiendrai en privé avec vous. »

La première réaction des techniciens du Pentagone fut l'affolement : on leur avait certainement dérobé les « pistolets à merde », les SFG ou *Sticky Foam Guns*, que les laboratoires Sandia avaient mis au point en 1994. Une enquête fut immédiatement déclenchée pour un contrôle des inventaires dans les arsenaux militaires et les dépôts des laboratoires Sandia, ainsi que dans les arsenaux de la Garde nationale, qui avait déjà été équipée de ces armes. Six heures plus tard, les inventaires étaient communiqués au Pentagone : il ne manquait pas un seul SFG, pas une seule bonbonne. La consternation succéda à l'affolement quand les laboratoires Sandia eurent analysé un échantillon du plastique qui avait immobilisé les hommes du général McLane.

« Rien à voir avec notre formule. Celle-ci est, si l'on peut dire, beaucoup plus efficace. »

« Plus efficace ? » répéta d'un ton incrédule l'adjoint du général Peck.

« C'est du polystyrène expansé additionné de colle. Croyez-le ou pas, ça durcit plus vite et ça colle davantage. Nous allons étudier cette formule, parce qu'elle est très intéressante. »

« Sainte merde ! » murmura l'adjoint en raccrochant le combiné.

Une conférence fut convoquée d'urgence. Elle commença sur un ton funèbre et, trois heures plus tard, s'acheva presque dans la liesse. En plus de la reconstitution d'une Russie revancharde, un deuxième danger s'imposait à l'horizon. Fini de rire. Il faudrait désormais que le Congrès consentît aux armées des crédits plus généreux, beaucoup plus généreux. Il fallut néanmoins une autre expédition pour effectuer l'examen et l'inventaire des dégâts infligés aux câbles. Ces choses-là ne sont pas faciles, que voulez-vous.

46.

Trois touristes s'arrêtèrent sur le chemin montagneux qui menait à un abri où l'on servait des en-cas pour contempler les eaux idéalement bleues du lac Louise, dans le parc national de Banff, au cœur de la province canadienne de l'Alberta.

« Ce sont vraiment les eaux les plus bleues du monde », dit l'un, exprimant une admiration évidente.

Ses yeux déjà bridés se plissèrent jusqu'à ce qu'ils ne fussent plus que deux fentes dans un visage d'ivoire.

« Très bleues, en effet », dit un autre.

« Comment appelle-t-on ce bleu, cobalt ou bien outremer ? » demanda le troisième, le plus jeune.

« Outremer clair, dirais-je. »

« Notre ami Ozi est un artiste expérimenté », dit le second des touristes, le plus âgé, « ses aquarelles en témoignent. »

« Je ne suis qu'un amateur », dit Ozi, confus et confondu.

« L'amateur est celui qui pratique pour l'amour de son art », dit l'Ancien.

« Vos compliments me confondent, *roshi.* »

« L'homme sage reconnaît la justesse des compliments, Ozi. Vous savez le plaisir que me procure toujours le paravent que j'ai acquis dans votre atelier, et qui est inspiré par la brume dans les montagnes à l'approche de l'hiver. Il me semble que c'est l'un des biens de ce monde que m'envie notre collègue Seiji, ici présent. Vous savez aussi que je tiens votre talent artistique pour indissociable de votre magistrale connaissance de l'électronique. »

« Il est vrai. J'espère qu'un de ces jours Ozi réalisera pour moi une œuvre aussi achevée que *Brumes d'automne* », dit Seiji en souriant.

« Comptez-y ! Comptez-y ! » s'écria Ozi. « Je suis votre très obéissant serviteur ! »

« Et je suis votre très humble admirateur. »

Ils descendirent jusqu'à la rive du lac, où s'agitaient des enfants braillards vêtus de hardes multicolores.

« La panique bancaire n'a pas sensiblement affecté l'état des esclaves », dit l'Ancien.

« L'argent étant fictif, il leur a été possible de reconstituer une masse fiduciaire provisoire », observa Seiji. « Néanmoins, de leur propre aveu, il leur faudra un ou deux ans avant de rétablir l'ordre dans leurs comptes. Le temps qu'ils rebâtissent des réseaux informatiques fiables. »

« C'est ici, il me semble, qu'il faudra intervenir », dit l'Ancien. « Nous le savons tous, le tigre n'est vraiment mort que lorsque sa peau orne votre sol. »

Ozi et Seiji tournèrent leurs têtes vers l'Ancien, qui semblait imperceptiblement sourire. Mais le sourire s'affaiblit quand Ozi dit :

« Yagama a rencontré un agent français. »

« Hideshi a bien fait de le rencontrer », dit l'Ancien. « Je sais ce qu'il lui a dit. »

Son regard dériva vers le lac.

« Nous n'avons pas usé de ce bleu, Ozi, il me semble », dit l'Ancien.

Ozi se gratta légèrement le front. Il semblait soucieux.

47.

Ce fut une assez remarquable machine de guerre psychologique que le Pentagone mit en œuvre à la suite de l'affaire des androïdes, et cela dans le délai record de trois jours. La première offensive consista à diffuser dans la presse des informations aussi diverses que contradictoires. Selon les unes, les fragments récupérés des androïdes portaient la « signature » des aciers japonais, selon d'autres c'était d'aciers russes, et selon d'autres encore d'aciers tchèques. D'autres offensives ultérieures, dirigées par des sources tout aussi « autorisées », assurèrent que c'étaient de bons aciers américains, ce qui démontrait que les androïdes avaient été fabriqués et montés aux États-Unis mêmes et qu'une société secrète préparait sur le territoire américain le renversement du gouvernement fédéral.

Quelques hypothèses apocalyptiques brochaient sur le tout : la Maison-Blanche risquait d'être envahie par un détachement de robots meurtriers, débarqués d'avions silencieux. Ces androïdes téléguidés tueraient tout le personnel à l'aide de projectiles contenant des poisons exotiques immédiatement mortels. À la suite de quoi le président et sa femme eux-mêmes seraient assassinés, ou bien pris en otages pour satisfaire aux diktats d'une effroyable société secrète. Des robots spéciaux seraient chargés d'administrer au président et à sa femme des drogues qui anesthésieraient leurs volontés et en feraient des marionnettes au service de puissances occultes.

La paranoïa atteignit des sommets exceptionnels dans l'histoire de l'humanité. Les lecteurs dévorèrent les articles qui fouettaient le plus leurs angoisses, c'est-à-dire qui étaient inspirés par les imaginations débridées des journalistes. Le président avait disparu depuis trois jours et nul n'était en mesure de dire où il se trouvait. Le chef de la CIA avait déjà été, assuraient certains, assassiné et remplacé par un clone, fabriqué dans un laboratoire de biogénétique français. Mais il avait été trahi par sa démarche mécanique. De fait, le chef de la CIA, souffrant d'arthrose de la hanche, marchait bien de façon raide et saccadée, et il éprouva de grandes peines à prouver qu'il n'était pas un clone. Les tirages de la presse imprimée, la seule à laquelle on fît encore confiance, doublèrent, puis triplèrent en dix jours. Des publicités insanes firent fortune en peu de jours. Des escrocs tentèrent de commercialiser des détecteurs de clones. D'autres vendirent des revolvers chimiques qui ne tuaient que les « êtres artificiels » qui menaçaient d'envahir le territoire américain. On vit même mieux dans certains cas : le *Louisville Clarion*, qui ne tirait jusqu'alors qu'à vingt-cinq mille exemplaires, atteignit une diffusion de cent mille exemplaires. Le *Jacksonville Courier* passa de cent dix mille à trois cent cinquante mille exemplaires. Ce fut le bombardement fictif de Londres par une escadrille de modèles réduits qui frappa le plus les esprits.

> De tels appareils, qui sont utilisés depuis la guerre du Golfe en 1991 et le conflit de Bosnie en 1993, et qui étaient théoriquement destinés aux seules missions de reconnaissance, échappent à tous les systèmes de radars, comme on l'a vu dans le cas de Londres, déclara un expert militaire de la revue *Jane's.* Ils sont trop petits pour laisser une signature sur les écrans, ils volent beaucoup trop bas pour être perçus, même par les systèmes les plus perfectionnés. Or, ils peuvent lâcher des nuages

de gaz bactériologiques, ou bien encore des gaz anesthésiants, comme ceux qui ont été mis à l'essai pendant la guerre du Golfe, encore une fois. Je tremble d'imaginer ce qui se passerait si une escadrille pareille bombardait le Pentagone.

À la suite de ces déclarations le Pentagone fit procéder en grande urgence à des travaux de couverture à l'aide de bâches imperméables. Des rouleaux de ces bâches, installés au sommet des cinq façades de l'illustre édifice, se dérouleraient automatiquement en quinze secondes en cas d'alerte, isolant les occupants de toute vapeur délétère.

Au Lincoln Center de New York, les exécutants du Juilliard Quartet donnèrent un concert avec des masques à gaz à leurs pieds. Un court-circuit à la station Montparnasse du métro parisien déclencha d'abord une émanation de fumées jaunâtres et malodorantes, puis une panique au cours de laquelle trois personnes moururent écrasées et plusieurs autres furent plus ou moins grièvement blessées.

Pour faire bonne mesure, tous les clubs de modélisme des pays occidentaux furent mis sous surveillance policière. Les plus modestes essais d'appareils miniaturisés dotés de moteurs à essence et capables d'une autonomie supérieure à une demi-heure durent recevoir l'autorisation des polices locales.

Cependant, les ventes de CD de rock, rap et autres hip-hop chutèrent de façon catastrophique autant que mystérieuse. Nul ne put exactement analyser les raisons pour lesquelles la jeunesse américaine et internationale, à l'exception de quelques bandes d'obstinés voyous de Moscou et de Saint-Pétersbourg, perdit en quelques jours son appétit pour les rythmes de l'Âge de pierre et les sonos destructrices de tympans, alors qu'elle avait précédemment, et bruyamment, clamé son aversion pour le monde adulte, sa société et ses simagrées. « Plus de jus ! » (« *The Juice Is Out !* ») titra un numéro du *Village Voice* qui expliquait à sa façon la soudaine mélancolie des jeunesses urbaines et suburbaines : la crise de la communication et les possibilités infinies de falsification des images et des sons avaient, selon l'éditorialiste, dégoûté les jeunes de toute production électronique. « L'angoisse apocalyptique » (« *The Apocalyptic Anguish* »), titra pour sa part l'hebdomadaire *Rolling Stone*, selon lequel l'appréhension d'une fin de monde imminente avait fini par gagner la jeunesse elle-même, qui se savait désormais aussi menacée que les classes d'âge supérieures.

Les ventes d'antidépresseurs, elles, doublèrent. Celles de cassettes virtuelles pornographiques quadruplèrent. Ce qui déconcerta la Food & Drug Administration, car chacun savait que le Prozac annulait tout désir sexuel. Toutefois, l'épidémie revêtit des colorations diverses et, dans les vétustes salons du Pax Hotel de Shanghai, par exemple, on vit un orchestre de vieillards se démantibuler dans une interprétation très originale d'un vieux succès des Rolling Stones, *I can't get no satisfaction*, tandis qu'à Perth, un fameux samedi soir, la quasi-totalité de la population se dévêtit intégralement et se lança dans une bacchanale arrosée par des torrents de bière, en consommant des testicules de kangourou rôtis.

Un certain désarroi soufflait donc sur la planète.

48.

« Il faudra beaucoup plus d'informations que nos services ne nous en ont fourni pour m'ôter de la tête l'idée que tout ce désordre n'est pas l'effet d'un vaste plan américain extrêmement bien organisé », dit Yi Jing Peng, vice-Premier ministre de Chine, en coulant un regard un peu plus bridé que d'ordinaire au général Chi Ten Yen, responsable des services d'espionnage.

Les quinze autres membres de l'assemblée, qui se tenait dans la résidence même du Premier ministre, Chu Xo Yang, dans les faubourgs de Pékin, tournèrent la tête vers le général, un sexagénaire qui semblait avoir subi une compression verticale : il paraissait être sa propre réflexion dans un miroir convexe de Magic City.

« Nous disposons de deux cent dix-sept rapports formels, que j'ai soumis à Son Excellence le Premier ministre, ainsi qu'aux autres ministres désignés par lui », répondit le général Ten Yen. « Ils indiquent que toutes les structures militaires américaines sont, depuis le discours présidentiel qui a été si grotesquement déformé, dans un état d'alerte maximal. Ils indiquent également que les activités de surveillance et de recherche à l'extérieur du territoire américain ont été très considérablement amplifiées. Nous avons copie d'un ordre donné par le général Peck à toutes les équipes de contrôle de satellites militaires. Cet ordre demande instamment de rechercher sur les relevés photographiques tout signe d'un déploiement militaire de quelque nature que ce soit qui pourrait indiquer une action militaire en direction des États-Unis. Les équipes d'analyse des relevés de satellites ont été doublées, afin que leur travail soit rendu en moitié moins de temps. »

Le général but une gorgée de limonade et reprit avec assurance :

« Tous ces signes me donnent à penser que les militaires américains sont dans un état d'alerte si évident qu'on ne peut les soupçonner d'avoir organisé le désordre que nous étudions. »

Sur ce camouflet au vice-Premier ministre, le Premier ministre Xo Yang hocha la tête avec approbation. Ses paupières lourdes tombèrent un peu plus bas dans son masque lisse, comme chaque fois qu'il s'apprêtait à parler

« Notre collègue Yi Jing Peng a parfaitement raison d'exiger qu'on pousse l'investigation à ses limites », dit-il en allumant une cigarette. Il regarda la fumée monter presque à la verticale vers le plafond lambrissé. « Mais j'ai comme vous, général, le sentiment que les Américains ne sont pas assez futés pour organiser pareil désordre, et surtout pas pour y instiller cette ironie corrosive et cette insolence déplorable que nous avons relevées dans le truquage du discours du président américain. » Il aspira une bouffée de sa cigarette. « J'ai comme vous, général, l'intuition que nos voisins japonais ont largement trempé dans l'organisation de la désorganisation », dit-il finement. « Je suppose donc, général, que vous avez poussé vos investigations au Japon. Avez-vous des informations fraîches ? »

Le général Ten Yen se redressa dans son fauteuil. Son masque se tendit imperceptiblement. On le cernait. Plusieurs des assistants s'étaient sans doute rendus à cette réunion pour assister à son éventuelle mise à mort. Il hocha la tête et s'autorisa un plissement d'yeux qui pouvait évoquer les prémices d'un sourire.

« Nous avons localisé hier la firme qui réalise les hologrammes en lumière froide les plus perfectionnés au monde. C'est la Hansai Co. Ltd., dans les faubourgs d'Osaka. Elle travaille beaucoup depuis plusieurs mois. Beaucoup plus que ne le justifie une production d'articles de divertissement. Elle a engagé un personnel de haut niveau. »

Il but une autre gorgée de limonade et parut observer un silence maladroit. Le vice-Premier ministre Jing Peng tomba dans le piège.

« Qu'est-ce que cela signifie ? » ricana-t-il. « Rien. »

Le général Ten Yen comprit à ce moment-là que le vice-Premier ministre avait projeté sa mise à mort au cours de cette séance.

« Cela ne signifierait rien d'important, en effet, n'était qu'au cours d'un cambriolage heureux nous avons pu subtiliser un projecteur d'hologrammes qui reproduit exactement les mirages qui ont tant affecté les Londoniens. Il s'agit des bank-notes anglaises. »

Jing Peng fronça les sourcils.

« Il faudrait le voir pour le croire », dit-il, assez acide.

« Mais c'est tout à fait possible », dit le général Ten Yen. « Si le Premier ministre veut bien me le permettre, je vais en faire la démonstration. »

Il se leva, appela un aide, qui s'absenta quelques instants et revint portant une boîte qu'il remit au général. Celui-ci s'assit et, dans le silence parfait de l'assistance, dénoua la ficelle et sortit de la boîte un appareil de la taille d'un pamplemousse, qu'il posa par terre. Puis il appuya sur un déclic et, soudain, l'appareil s'ouvrit comme un melon éclaté en diffusant une épaisse fumée blanche.

« Général Ten Yen », cria Jin Peng, « je vous préviens... »

« Ne craignez rien », répondit le général, « je suis ici. »

La fumée avait envahi la plus grande partie de la pièce.

Bientôt personne ne put plus apercevoir personne. Mais avant que cela se produisît, plusieurs assistants virent le vice-Premier ministre mettre la main dans sa vareuse et en tirer un revolver. Un léger ronronnement se fit entendre, et des images de bank-notes commencèrent à voltiger dans le faisceau du projecteur. Chacun reconnut distinctement les éclats de rire du Premier ministre. D'autres éclats de rire suivirent.

« Ouvrez les fenêtres ! » cria le général Ten Yen au bout de quelques minutes. « Et apportez les ventilateurs. »

En peu de temps la fumée se dissipa. À travers les derniers lambeaux de vapeurs blanchâtres apparurent le vice-Premier ministre, livide, le revolver toujours en main, et, non loin de lui, le Premier ministre, toujours hilare et s'éventant.

« Rengainez votre revolver, je vous prie », dit le Premier ministre à Jing Peng d'un ton désagréablement autoritaire.

« Normalement, ces engins s'autodétruisent après avoir servi une dizaine de minutes. C'est pourquoi on n'en a pas retrouvé à Londres. Mais nous avons désamorcé celui-ci. Vous avez eu peur, excellence ? » demanda le général Ten Yen au vice-Premier ministre.

« Ces vapeurs pouvaient être toxiques », marmonna Jing Peng.

« C'est pour vous en protéger que vous aviez sorti votre revolver ? » demanda le ministre des Affaires étrangères, Kong Tan Tseu.

Jing Peng se tourna vers son collègue et lui adressa un regard noir. Mais la partie était pour lui perdue, et la sanction tomba :

« Général, je vais vous décorer pour cela », dit le Premier ministre.

Le général se leva et s'inclina aussi bas que sa corpulence et son arthrose de la hanche le lui permettaient.

« J'ai fait venir une autre pièce à conviction », dit-il. « Il s'agit d'un des avions téléguidés tels que ceux qui ont été lâchés sur Londres. Si le vice-Premier ministre veut bien m'y autoriser, j'en remettrai la démonstration à l'heure qui conviendra au Premier ministre. » Et le général se rassit.

« Ce sont donc bien les Japonais », reprit Xo Yang en allumant une autre cigarette. « Mais dans quel but ? Leur pays est l'un des plus fortement atteints par la crise. Ce n'est donc pas le gouvernement japonais lui-même qui a organisé ce désordre. Vous supposez, général, que ce serait un groupe de théoriciens d'inspiration bouddhiste, financés par la Sokka Gakku. »

« La société qui fabrique les hologrammes appartient à un membre éminent de cette secte », dit le général en allumant à son tour une cigarette.

« Le but, général ? Le but de cette entreprise ? » demanda Xo Yang en se penchant vers le général.

« Je le laisse à votre sagacité, éminent camarade. »

Xo Yang rejeta la tête en arrière.

« Trop modeste, général. »

« Nous connaissons les tendances du zen », dit le ministre de l'Instruction, Xa Chu Yeh, intervenant pour la première fois. « Elles ne correspondent pas à l'esprit qui inspire une action aussi volontaire, aussi destructrice que celle à laquelle nous assistons. »

« Mon sentiment est qu'il s'agit d'une entreprise d'inspiration nationaliste visant à restaurer les valeurs du Japon ancien en détruisant les puissances qui le menacent », répondit le général Ten Yen. « Une analyse minutieuse de tous les attentats commis à travers le monde me permet d'y déceler aussi le sens de l'ironie, caractéristique du zen et justement désigné par le Premier ministre. Il me semble reconnaître dans la stratégie utilisée un autre des principes fondamentaux du bouddhisme zen, tout particulièrement développé dans les arts martiaux : obtenir le maximum de résultat pour le minimum d'effort. Ma conclusion est que les maîtres d'œuvre de l'entreprise sont des nationalistes de formation zen. »

Xa Chu Yeh hocha la tête.

« Reste à déterminer notre attitude, murmura Xo Yang. Mais ceci est une autre affaire. Notre riposte dépendait de l'identification de la cible. Nous allons aviser. Camarades, je vous remercie », dit le Premier ministre en se levant.

Il s'inclina et se retira à pas lourds vers ses appartements, escorté de son secrétaire.

La pluie tomba sur le chemin du retour, tandis que le général Ten Yen fumait avec satisfaction à l'arrière de la Mercedes qui le ramenait chez lui. Il se rappela un vers d'un poème appris dans sa jeunesse : « Pluie de printemps ne désole que les arbres stériles. »

49.

« Je ne peux pas croire que vous soyez à ce point démodé », dit-elle en vidant les dernières gouttes de son second dry Martini. « Votre conversation et votre comportement me paraissent sortir d'un roman des années trente. »

Elle balaya de ses yeux bleus le décor un peu trop doré et miroitant du bar du Dorchester, comme si elle ne souhaitait pas les poser à nouveau sur son vis-à-vis. Lui ne détachait pas les yeux de cette femme, et son regard souriant ne semblait guère affecté par les impertinences qu'elle lui adressait. Dans son tailleur de faille noire, au boléro fermé par un seul bouton sur un bustier de soie blanche à l'échancrure basse, oui, décidément un peu basse, avec son double (pas triple, double seulement) rang de perles (de culture), elle eût elle-même pu figurer dans une reconstitution des années trente. On eût sans effort accompagné ses reproches d'un fox-trot ou d'un one-step. Mais il demeurait respectueusement silencieux.

« Si vous n'étiez à ce point démodé, vous ne résisteriez pas aux chocs de la réalité contemporaine. »

Elle piqua l'olive au fond du verre et reprit :

« Vous savez ce que vous êtes, Anthony ? Un satyre Arts déco ! »

Contente de la saillie, elle se laissa aller à une crise de fou rire, un peu forcé toutefois. Il souriait toujours.

« Cessez donc de sourire ! » s'écria-t-elle. « C'est insupportable ! »

« Que me reprochez-vous, Valerie ? »

« Anthony, vous baisez comme un satyre, mais vous n'êtes pas réel, comprenez-vous ? Commandez-moi, s'il vous plaît, un autre dry Martini. J'ai l'impression d'être un fantasme dans votre univers d'Oxbridgien consommé. Et vous êtes d'une imparable courtoisie, c'est hallucinant ! Est-ce que vous vous rendez compte du mépris qu'exprime cette courtoisie sans défaut ? »

« Vous voudriez peut-être que j'aie mauvaise haleine, que je sois mal rasé, que je tienne de temps à autre des propos incohérents, que je fredonne des chansons en conduisant, que je boive plus que de raison et que je me montre occasionnellement inconvenant, voire mufle ? Cela vous donnerait-il un plus grand sentiment de ma réalité ? »

Le serveur posa sur la table deux Martinis et un nouveau bol d'amandes grillées. Valerie Dix se mit à rire.

« C'est vrai, si vous étiez mal élevé, juste un peu, je me sentirais plus à l'aise. »

« Je me ferai aisément donner des leçons en ce sens par un garçon à la mode que je connais. Il sort tous les soirs, il est bisexuel et rarement bien rasé. »

« Si je ne vous avais vu à l'œuvre, c'est vous que je soupçonnerais d'être bisexuel », répliqua-t-elle. « Le monde est en train de crouler et j'ai l'impression que c'est cet écroulement même qui est un fantasme. »

« Le monde n'en finit pas de s'écrouler depuis que je suis né, Valerie, et je ne crois pas que nous y apportions un remède en nous tordant les mains et en prenant des expressions affligées. »

« Le monde n'en finit pas de s'écrouler ? » demanda-t-elle, incrédule.

« En 1929, le jeudi noir de Wall Street a déclenché une crise internationale, le nazisme en est issu, le bolchevisme déferlait sur le monde, nous avons eu une guerre et l'Angleterre a rêvé pendant cinq ans d'une tablette de chocolat, nous avons eu la bombe atomique, et puis la minijupe. Vous voulez que je poursuive cette conférence ? »

Elle alluma une cigarette.

« De quoi rêviez-vous, Valerie ? D'un homme, un vrai, comme on dit dans les journaux pour femmes frustrées ? Cherchiez-vous une image à la mode, avec une barbe de trois jours ? Auriez-vous préféré que je vous emmène dans un pub de braillards ? »

« Taisez-vous ! Vous me faites penser que je suis une idiote ! »

« Ne voudriez-vous pas dîner ? »

Elle lui lança un regard doux-amer assorti d'un sourire tordu.

« Ne vous êtes-vous jamais nourri d'images ? » demanda-t-elle.

« Si l'on regarde bien le monde, on n'a pas besoin d'images. Les vrais musées meurent en chaque homme. »

« Allons dîner », dit-elle.

Elle commanda des escargots, puis un homard grillé, et lui, une salade de fruits de mer et un turbot à l'orange. Ils burent du champagne Laurent Perrier. Ils parlèrent de leurs enfances, de leurs expériences amoureuses, ou plutôt sans amour, puis de l'état du monde et de la folie qui s'en emparait une fois de plus. Ils rirent souvent.

Puis ils partirent.

Anthony raccompagna Valerie chez elle. Il tira le frein à main et descendit pour ouvrir la portière.

« Que faites-vous ? » demanda-t-elle. « N'allez-vous pas vous garer ? »

« Non. »

« Vous ne pouvez pas laisser la voiture ici. »

« Je ne compte pas le faire », dit-il en souriant, tandis qu'elle prenait pour descendre la main qu'il lui tendait.

Il se pencha pour baiser cette main.

« Adieu », dit-il en la regardant dans les yeux.

« Vous n'êtes pas sérieux ? »

« Entièrement. »

Elle se drapa dans son manteau.

« Vous vous vengez », dit-elle.

« Certes pas. »

« Vous vous en expliquerez ? »

« Certes pas non plus. »

« Quel est donc mon défaut ? » demanda-t-elle, debout sur le trottoir, quand il eut refermé la portière de l'auto.

« Aucune bonté », dit-il en souriant. « Vous ne vivez que d'images. Votre théâtre est divertissant, mais j'ai déjà vu la pièce. Je commence à penser que nos terroristes ont beaucoup d'esprit. »

Et, s'inclinant légèrement, il remonta dans sa voiture et démarra doucement, sans accélération spectaculaire.

« Anthony ! » cria-t-elle, mais elle savait qu'il ne l'entendrait pas.

Elle songea que c'était pour elle-même qu'elle avait dit son nom. Elle grinça des dents. « Salaud ! » grommela-t-elle.

50.

Dieudonné et Dutertre furent accueillis à l'aéroport de Pékin par le premier secrétaire et l'attaché militaire de l'ambassade ; les formalités policières et douanières furent ainsi réduites à leur plus simple expression. Dieudonné cherchait la Chine par la fenêtre de la Peugeot et ne trouvait qu'une copie de Moscou.

« Est-ce qu'il y a des micros dans la voiture ? » demanda-t-il innocemment.

L'attaché militaire éclata de rire.

« Nous vous avons réservé des chambres à la résidence, dit le premier secrétaire. L'ambassadeur vous invite à dîner. Il y aura du très bon camembert. »

« Je crois qu'il est sans importance qu'il y ait ou non des micros dans l'auto », dit à la fin Dieudonné. « Je voudrais poser une question tout de suite : nos amis chinois ont-ils décidé de riposter à l'entreprise des bouddhistes zen et, dans ce cas, quel est leur plan ? »

« Vous pensez, vous aussi, que ce sont des bouddhistes zen ? » demanda l'attaché militaire.

« J'en suis persuadé. »

« Nos amis chinois semblent l'être aussi, dit le premier secrétaire. En tout état de cause, nous ignorons tout de leurs projets. S'il y a quelqu'un qui puisse vous renseigner, c'est le général Chi Ten Yen, le chef du contre-espionnage, qui semble être monté en grade depuis trois jours, pour des raisons que nous ignorons. Afin de satisfaire votre demande, confirmée par la présidence de la République, nous avons demandé pour vous une audience auprès de lui. »

Elle fut concédée dans la soirée pour le lendemain. Un bâtiment sans intérêt au milieu de bâtiments sans intérêt. « La mairie d'Aubervilliers », songea Dieudonné, agacé par la présence de l'ambassadeur, qui avait cru nécessaire de les accompagner, l'attaché militaire, Dutertre, l'interprète et lui. De plus, l'ambassadeur s'était choisi un costume ridiculement clair, comme un consul à Shanghai dans les années vingt.

On ne les fit presque pas poireauter. Dieudonné eut le loisir d'admirer les pieds du général Ten Yen. « Du trente-neuf, et encore. »

Il s'assit en face du général. L'ambassadeur fut contraint de prendre place en bout de table. On servit du thé. Dieudonné observa le bol, leva les yeux vers le général et dit :

« Song. »

Le général plissa les yeux et sourit. L'interprète ne sut quoi dire. Dieudonné but deux gorgées. Feuilles vertes premier choix. Le général était raffiné.

« Bouddhistes zen », dit encore Dieudonné.

Le général hocha la tête et leva les sourcils.

« Il faudrait préalablement expliquer au ministre... », commença l'ambassadeur.

« Permettez », coupa Dieudonné. « Nous allons vite. » Et, se tournant vers le général : « La Chine aussi est menacée. Ses marchés. Son économie intérieure. Ses systèmes de télécommunications. La Chine a-t-elle un projet de riposte ? »

L'ambassadeur remua des pieds pour exprimer sa frustration. Le général fixa Dieudonné du regard.

« Qui vous a dit que ce sont des bouddhistes zen ? »

« C'était ma première conclusion », répondit Dieudonné.

Le général hocha encore la tête.

« Vous êtes aigu. Bouddhistes zen et Sokka Gakku. Projet de riposte », dit-il en s'adossant après avoir bu une gorgée de thé.

Il parut mesurer Dieudonné du regard. Il répéta :

« Projet de riposte, donc. » Encore une pause. « Le gouvernement japonais est dépassé et peu enclin, je le crains, à contrecarrer le complot en cours. Nous nous en sommes entretenus avec les ministres théoriquement responsables. Certains ont sans doute partie liée avec les conspirateurs. Une bonne partie des cadres industriels dirigeants et des chefs de l'économie n'est plus du tout hostile au coup d'État mondial que préparent quelques bouddhistes et leurs financiers. Ils y voient une façon de rétablir la suprématie et l'intégrité du Japon, qui ont été affaiblies par l'ouverture des marchés commerciaux aux étrangers. En l'état actuel des choses, le succès du complot serait inéluctable. »

Le général se pencha vers l'interprète pour s'assurer qu'il avait traduit exactement sa pensée.

« Le ministre insiste sur le conditionnel de sa phrase : le succès du complot serait inéluctable », dit laborieusement l'interprète.

« A-t-on des preuves formelles que les Japonais soient bien responsables du complot ? » demanda l'ambassadeur.

« Pas les Japonais », rectifia Ten Yen. « *Des* Japonais. Nous en avons, en effet, des preuves formelles. »

« Vous avez donc un plan », dit Dieudonné.

Le général sourit.

« Rééducation », dit-il. Puis il se reprit : « Information. Satellites. Programmes en continu pour dénoncer les criminels auteurs du complot. Nous les connaissons. Un par un », martela-t-il. « Nous montrerons leurs images. »

Dieudonné écouta ce programme sans ciller.

« Vingt-quatre heures sur vingt-quatre de dénonciation du complot aux yeux de l'opinion publique, si chère aux

Japonais, devraient avoir un effet décisif », dit le Chinois d'un ton doctoral.

« Croyez-vous vraiment, général ? » demanda Dieudonné, soudain saisi de vertige à l'idée qu'un militaire, chef des services secrets de surcroît, donc héritier du redoutable Te Ke, fondé par Chou En-lai, pût caresser un projet aussi aléatoire que la rééducation des Japonais par la télévision.

Le général hocha la tête avec componction. Dieudonné baissa la sienne. Rééducation, songea-t-il. Ces gens peuvent-ils donc cesser de penser un jour de façon doctrinale ?

Un bourdon s'énerva sur l'une des fenêtres. Dieudonné laissa le silence macérer, puis vinaigrer et commencer à empuantir l'atmosphère.

« Je voudrais vous demander, général, si vous ne pensez pas qu'une action extrêmement rapide serait plus efficace. »

Le gradé ne répondit pas et dirigea vers Dieudonné des yeux de gros rat.

« La dénonciation de Japonais inconnus du grand public déclencherait sans doute un effet de surprise dans les premières heures », expliqua Dieudonné. « L'effet s'amenuiserait dans les heures suivantes, d'abord du fait de la répétition, ensuite parce qu'une telle émission subirait le même sort que les nouvelles sensationnelles dont la presse s'est fait une spécialité. Et quel effet cela aurait-il sur nos comploteurs ? Ils auraient atteint leurs fins et les poursuivraient impudemment, en se présentant comme les héros de l'intégrité impériale japonaise. »

Le gros rat en forme de général cligna des yeux et porta le bol de thé à ses lèvres.

« Vous avez donc, vous, un plan », articula-t-il sur un ton glacial.

L'ambassadeur ravala sa salive. Dutertre avala du thé.

« Les payer de leur monnaie », répondit Dieudonné en jetant un coup d'œil gêné vers Dutertre, qui restait impassible.

Peut-être la phrase n'avait-elle pas d'équivalent intelligible en chinois. Le général parut aussi intéressé que si on lui avait exposé la technique de pollinisation artificielle des hibiscus Golden Glory par les White Maiden.

« Écoutez-moi, s'il vous plaît, général. Il nous faut quelques centaines de petits avions comme ceux qu'ils ont utilisés pour leur pseudo-bombardement de Londres. Et quelques excellents graveurs. Ainsi que, évidemment, l'assentiment de votre gouvernement. »

Dieudonné sortit une cigarette de son paquet. Le général Ten Yen se pencha pour l'allumer. Les interprètes mesurèrent l'honneur extraordinaire conféré à l'étranger.

« Graveurs ? » demanda le général.

« Faux-monnayeurs pour être précis », répondit Dieudonné.

Apparemment, le général ne comprit pas sur-le-champ.

« Le complot en cours est financé par quelques grands capitalistes japonais. »

Le général, l'ambassadeur et Dutertre attendirent la suite.

« Il faut ruiner le Japon quelque temps en le payant de sa propre monnaie », dit Dieudonné en considérant son bol de thé vide.

On lui en resservit avec empressement. Dutertre tendit le cou.

« Faire déverser sur la totalité du territoire japonais, en continu, des milliards de yens, sans arrêt. Parfaitement imités, cela s'entend. »

Le général éclata de rire. Dutertre, l'ambassadeur et l'interprète semblaient pétrifiés.

« Ce n'est pas cher, cela ne fera pas couler une goutte de sang et, si la semonce est assortie d'un avertissement solennel et mondial, je pense que nos comploteurs comprendront qu'ils ont tout avantage à retourner au ratissage de leurs jardins de gravier. Mais il faut faire vite », dit Dieudonné.

« Les comploteurs ont déjà lancé un satellite clandestin », dit le général.

« Quoi ? » cria l'ambassadeur.

« Un satellite de quatre-vingts centimètres de diamètre, destiné à émettre en continu des sottises et de la pornographie. Ils vont sans doute en lancer d'autres. »

« Il faut donc que les petits avions et les bank-notes soient prêts dans une semaine au plus tard », insista Dieudonné.

Le général parut songeur.

« Vous avez vu les Américains ? » demanda-t-il au terme d'une longue réflexion.

Dieudonné hocha la tête sans enthousiasme.

« Ils se demandent si une telle opération n'est pas immorale », expliqua-t-il en levant les yeux au ciel.

« Quels sont les pays partisans de votre idée ? » demanda le général.

« Le vôtre, si vous parvenez à convaincre rapidement votre président. L'Australie et la Grande-Bretagne aussi, sans doute. »

« C'est tout ? » demanda l'ambassadeur, incrédule.

Dieudonné tourna la tête vers l'ambassadeur.

« Les démocraties, voyez-vous, répugnent à l'immoralité », répondit-il d'une voix sépulcrale. « Réduire le Japon à l'effondrement économique pendant une dizaine de jours passe à leurs yeux pour une entreprise immorale. C'est ainsi qu'ils ont laissé la moitié des capitaux mondiaux s'évaporer en fumée sur un rocher du Pacifique. Ils nous soupçonnent de profiter de la situation pour engager des menées hostiles au Japon. En réalité, ils craignent de perdre le marché japonais et, surtout, les quelques investissements qu'ils y ont faits. »

Le général alluma une cigarette et considéra Dieudonné un long moment, la lippe pendante. Il but encore du thé et dit :

« Je suis contraint de constater qu'il n'y a que quelques hommes comme M. Dieudonné pour avoir bien analysé la situation et ne pas se laisser paralyser par des considérations philosophiques hors de propos. »

« Ai-je votre assentiment ? » demanda Dieudonné.

« Le projet mérite considération. »

« Général, chaque heure qui passe compte au centuple. »

« Qui fera les yens ? »

« Nous en ferons une partie et vous l'autre. Le temps presse. »

« Je vous appellerai avant la fin des douze prochaines heures », répondit le général.

Dieudonné prit congé.

À la même heure, et au terme d'une séance houleuse et exténuante qui avait duré huit heures à huis clos, une réunion extraordinaire des ministres de l'Intérieur et des Affaires étrangères de la Communauté européenne adopta la conclusion suivante :

« Le monde civilisé fait l'objet d'une tentative subtile et alarmante de déstabilisation. Les structures techniques, économiques et financières sur lesquelles repose la prospérité de près de quatre cents millions d'êtres humains de l'Europe, entre autres, ont été compromises par des menées ténébreuses et même criminelles selon certaines législations. Partant du principe qu'il n'est pas d'action sans objectif, les États des douze pays de la Communauté européenne demandent aux maîtres d'œuvre de cette entreprise apparemment idéologique, mais susceptible de passer sous la dénomination de crimes contre l'humanité, de faire connaître leurs objectifs, sinon de se faire connaître eux-mêmes. L'opinion des États membres est que cette entreprise est motivée par des objectifs erronés, mais qu'il est souhaitable d'en débattre avec ses chefs pendant qu'il en est temps, afin d'éviter un surcroît de souffrance à des populations entières. Dans le cas contraire, force sera de conclure que l'entreprise en cause vise effectivement à nuire à l'humanité, et ses auteurs seront considérés comme des criminels. Les moyens d'action de la Communauté européenne et de la communauté internationale ne pouvant demeurer indéfiniment impuissants, les maîtres d'œuvre seront inculpés d'office devant un tribunal international. »

À la Maison-Blanche de Washington, le conseiller du président pour la Sécurité entra en conflit avec le secrétaire d'État sur la direction des pourparlers visant à reprendre aux Européens l'initiative en la matière, lequel secrétaire d'État entra lui-même en conflit avec le secrétaire à la Défense sur le même sujet. Au bout de deux jours d'intenses salivations gaspillées dans des querelles feutrées et des intrigues infinies, le secrétaire d'État publia un communiqué selon lequel la conclusion européenne était prématurée et constituait dans ses termes mêmes un aveu d'impuissance. Des observateurs brésiliens, argentins, russes, japonais, chinois et autres s'opposèrent aussi à cette conclusion, dans une fausse unanimité qui masquait mal une vanité blessée de n'avoir pas, eux les premiers, songé à une telle initiative. Selon ces protestataires, une telle résolution était du ressort des Nations unies. Au bout de trois jours de manœuvres diplomatiques intenses, la résolution fut ajournée. On ne sut jamais comment elle parvint cependant à la presse.

Compte tenu de la pusillanimité des présidents de la France, du Royaume-Uni et de l'Espagne, qui faisaient secrètement confiance à la capacité des seuls États-Unis à résoudre le problème, l'affaire faillit en demeurer là. Puis, sur l'intervention de l'Iran, du Burkina-Faso et de l'Égypte, qui s'offrirent les gants de jouer les conciliateurs, les Nations unies reprirent le projet. Outre une proclamation assez singulière du représentant de la Palestine, qui estima que les accusations violentes du communiqué méritaient quelques atténuations, les délibérations des Nations unies n'aboutirent pas davantage pour une raison de force majeure : l'Allemagne et la Russie, bientôt rejointes par la

Grèce et la Tchéquie, furieuses que les États-Unis se portassent en champions du projet, s'opposèrent violemment à cette déclaration universelle adressée aux mystérieux terroristes. Sans doute un malaise dans les opinions publiques nationales des pays intéressés participa-t-il à cet échec. À lire le discours, on eût aisément cru que les Terriens adressaient un message à des Martiens.

À Yokohama, où il était de retour, l'Ancien en traita avec quelques amis, et ils en rirent beaucoup.

« Rien n'est plus divertissant que le renard qui vient de manger un poulet et qui s'affuble des oripeaux du sage », déclara un membre de l'assemblée, qui leva à la santé des hôtes un bol de saké, mettant bien en évidence un auriculaire dont la dernière phalange était absente. « Voilà des gens qui ont injecté des produits radioactifs à leurs concitoyens, irradié des centaines de milliers de personnes aux besoins de savoir si la radioactivité était vraiment nocive, qui ont transformé des millions de gens en savon, qui en ont autrefois massacré des centaines de milliers d'autres sous des prétextes religieux aussi vides qu'une coquille de crabe dont on a mangé la chair, et ces gens parlent aujourd'hui de tribunaux internationaux ! Honorés amis, je pense que l'heure est venue d'administrer aux impudents la leçon qu'ils méritent ! »

Tout le monde leva son bol de saké à l'empereur, puis à l'honneur et enfin à la déroute des renards. On rit beaucoup.

« Le chien est parti chasser le renard », dit l'Ancien.

51.

Ce ne fut que dans l'après-midi du 19 octobre 1997 que Robbie et Nella parvinrent enfin dans un havre de pureté céleste. C'était le ranch des Compagnons de la Dernière Heure, près de la petite ville de Lawton, dans l'Oklahoma.

« Tu vas voir, chérie, là-bas, il n'y aura que des gens gentils, affectueux, pieux, pas les méchants tout gris que nous avons rencontrés jusqu'à présent, à l'exception de ta sainte mère. »

« Ça veut dire qu'on va mourir ? » demanda Nella.

« Mais non, ma chérie, où es-tu allée chercher une idée pareille ? »

« Maman m'a dit que c'est au paradis seulement qu'on voyait des gens gentils, et qu'on n'allait au paradis que quand on était mort. »

« Oui, ma chérie, c'est vrai que le paradis n'accueille que des gens gentils et purs », répondit Robbie, déconcerté par ce raisonnement qui lui sembla de mauvais augure, « mais là, c'est comme une préparation au paradis. Les gens sont aimables, parce qu'ils savent, eux, que c'est quand on est gentil et pieux et qu'on dit ses prières qu'on a des chances d'arriver au paradis. »

Mais comme il ne tenait pas à arriver au paradis avant l'heure, il ralentit l'allure, parce qu'il commençait à pleuvoir.

« On va revoir maman ? » demanda Nella.

« Plus tard », répondit Robbie en empruntant la bifurcation indiquée, tandis que le ciel noircissait.

Ce n'était plus une route, mais une piste rocailleuse sur laquelle on dépassait difficilement le trente à l'heure. À l'horizon, des éclairs marbraient le ciel de veines étincelantes, et Robbie s'efforçait de lutter contre l'anxiété que lui causait ce décor menaçant.

« Quand ? » demanda Nella.

« Nella chérie, ta maman est au ciel et ce n'est pas tout de suite que nous y monterons. »

« Quand ? » répéta Nella, tandis que Robbie donnait un coup de volant pour éviter de glisser dans une fondrière.

« Chérie, tu ne veux pas mourir tout de suite, non ? » dit Robbie.

À la porte du ranch, drôle de ranch ceinturé de palissades hautes de trois mètres et flanquées de miradors qui se découpaient à chaque éclair sur un ciel pourpre, comme dans un film de série B, on les fit poireauter vingt minutes. Les essuie-glaces allaient à grande vitesse et permettaient de distinguer, sur les plates-formes supérieures des miradors, des hommes armés.

« Ça a l'air d'une prison là où va », dit Nella.

« On ne fait pas de commentaires sur des choses qu'on n'a pas vues », rétorqua sèchement Robbie.

Des gardes portant deux revolvers à la ceinture les dirigèrent vers le bureau du Compagnon de l'accueil. Ce dernier leva vers les visiteurs un visage singulièrement plat, piqué d'un nez en patate.

« L'heure s'approche, compagnon. Le ciel est en colère. Vous arrivez à temps. »

Suivit un interrogatoire d'une heure d'horloge au moins. Nella avait soif. Elle eût aimé une boisson pétillante et sucrée, on ne lui indiqua qu'une fontaine d'eau. Robbie, épuisé par dix heures d'auto, dut produire des papiers sans fin, papiers d'identité, actes de propriété de la maison, attestations d'employeur, attestations d'adoption de Nella Ohlberg, relevé de son compte en banque, certificats médicaux, puis remplir un formulaire de six pages, avec serments sur l'honneur que le Compagnon novice n'avait pas fait l'objet de condamnations pénales, qu'il n'avait pas de dettes ou bien alors d'en spécifier le montant, qu'il ne souffrait pas de maladies contagieuses ou fatales, qu'il n'était pas passible de poursuites légales en recherche de paternité...

« Est-ce que ce n'est pas Dieu qui doit en dernier recours juger de tout cela ? » demanda Robbie.

« Il nous faut nous prémunir contre les éclaireurs du démon », répondit le Compagnon de l'accueil.

Quelque part dans le compound, des gens chantaient des hymnes, que couvrait par moments le crépitement de la pluie sur l'immense cour de terre battue qui se trouvait au centre de la forteresse. Enfin, le Compagnon tendit une clef à Robbie.

« Cabine 56 A. Ce n'est qu'une installation provisoire. Laissez-moi les clefs de la voiture. »

« Le motel du diable », songea obscurément Robbie tandis qu'il déchargeait les valises du coffre, sous une pluie battante.

52.

C'était le premier jour d'octobre et, au Pentagone, comme sur l'ensemble de la côte est, il faisait frisquet. Les crétins qui avaient annoncé dans les années soixante le réchauffement de la planète et l'inondation des basses terres sous les eaux des océans gonflées par la fonte des banquises polaires en étaient pour leurs frais.

Herbert C. Stepanczik, documentaliste, enfila son chandail et se mit en demeure d'interroger la banque de données de la Bibliothèque du Congrès sur ses archives en matière d'armes neutroniques. Il était 10 h 15 du matin.

Ayant tapé son code d'accès, puis allumé subrepticement une cigarette, il obtint le message suivant :

Faire cuire le rôti à 11 heures.

Il cracha une bouffée de fumée et s'esclaffa. Puis il vérifia le code sur son annuaire, le recomposa et obtint de nouveau le même message domestique :

Faire cuire le rôti à 11 heures.

Il plissa les yeux et considéra l'écran d'un air malin, puis effectua les procédures coutumières en cas d'erreur, ce qui requit un certain temps. Au bout de vingt minutes, il sortit de son bureau après avoir soigneusement éteint, puis dissimulé, son mégot et ouvert la fenêtre. Il s'avisa alors d'une certaine nervosité dans le couloir. Il se dirigea vers le bureau de son collègue Thor, génie maison de l'informatique et de l'électronique. Il n'y trouva que la collègue de ce dernier, une fille joufflue et myope, Marilyn, réputée pour son esprit caustique.

« Thor n'est pas là ? » demanda-t-il.

Elle considéra un instant l'écran de son ordinateur, puis leva des yeux inexpressifs et légèrement somnolents, qui allèrent du siège de Thor à Herbert lui-même.

« Dois-je énoncer verbalement l'évidence ? » demanda-t-elle.

« Où est-il ? »

« Plus loin à l'étage. Il y a un rat. »

« Un rat », répéta Herbert pensivement.

Il demeura planté sur le seuil de la pièce, et elle ne lui prêta pas davantage attention. Elle semblait, aux mouvements rapides de sa souris et au rythme très espacé auquel elle utilisait ses touches, effectuer une opération de caractère général, quelque chose comme une réparation. Puis elle soupira et croisa les bras.

« Vous avez le même rôti ? » demanda-t-elle.

« Hein-hein. »

« Il semble que tout le Pentagone attende la cuisson de ce rôti. »

« Il n'y a plus qu'une demi-heure à attendre », observa-t-il.

Elle ouvrit le tiroir de droite et en tira une lime à ongles, qu'elle s'appliqua à utiliser avec le plus de sérénité possible.

« Si on aime le rôti de rat », marmonna-t-elle.

« On n'est donc pas près de revoir Thor. »

« Faites vos jeux. Entre-temps l'Amérique peut être bombardée par les Martiens. »

« Le téléphone marche ? »

« Je n'ai pas essayé. »

Elle décrocha le combiné et composa un numéro.

« Hank, c'est Marilyn Trask. Tu m'entends ? Donc le téléphone intérieur marche encore. L'externe aussi ? Non ? Ouais, le rôti le plus cher de l'histoire du monde. » Elle fronça les sourcils. « Donc, c'est plus sérieux que ça ne paraît. Non, je veux dire que ça me paraissait aller mal depuis le discours de Thorpe. Bon, on attend la suite. Je suppose qu'on se verra quand même à la cantine tout à l'heure. »

Elle reposa le combiné.

« Les liaisons téléphoniques sont interrompues avec plusieurs États. Nous n'obtenons plus la majeure partie du Maryland, la Virginie et la Caroline du Nord. »

Elle regarda sa montre.

« Ce rôti de rat va commencer à cuire dans onze minutes. »

Trois officiers passèrent dans le couloir. L'un d'eux déclara qu'on avait contrôlé la moitié des jonctions dans le troisième sous-sol. Un autre marmonna des phonèmes confus où l'on eut pu percevoir le mot « EMP ».

Un avis interne apparut sur l'écran de Marilyn :

Liaisons téléphoniques interrompues avec la majeure partie du Maryland, la Virginie, la Caroline du Nord et la Géorgie. Pour toutes communications urgentes, appelez le 7922, bureau du major général Werner P. Herrschel, afin d'obtenir les autorisations d'utiliser la radiotéléphonie.

« Lisez ça », dit Marilyn.

Herbert se pencha par-dessus son épaule.

« Il sent déjà le cramé, ce rôti », dit-il.

Il sortit une cigarette de sa poche, et le sergent Marilyn Trask lui lança un regard sans aménité. Il remit la cigarette dans le paquet.

« Vous pouvez aller vous servir de café, si vous êtes nerveux », dit-elle.

« Merci de votre indulgence. »

Il ressortit dans le couloir et, au passage, balaya du regard les bureaux. Certains étaient vides : ceux des spécialistes des télécoms et de l'informatique partis à la rescousse dans les profondeurs du bâtiment. Dans les autres, les employés s'étaient adossés nonchalamment, le regard perdu devant eux. Un ou deux lisaient ouvertement des revues assez peu militaires. Une queue de six ou sept personnes s'était formée devant la machine à café.

« Une sacrée panne », dit Leonard Tutt, grand flandrin noir, voûté, prodigieux exécutant de boogie-woogie aux soirées mensuelles barbecue-et-musique de Bobita Kahn, une coucheuse de quarante ans qui travaillait à la comptabilité.

Herbert se servit un gobelet de café.

« Les ennemis ont donc secrètement infiltré le territoire américain », dit un autre, dont Herbert ignorait le nom. « On pouvait le soupçonner depuis le fameux cartoon du Bureau ovale. »

« Depuis que la CIA et le FBI sont devenus des écoles de bonnes sœurs, il n'y a plus de surveillance dans ce pays », dit le lieutenant Dewey D. DiMasso.

Herbert C. Stepanczik consulta sa montre.

« Le rôti sera cuit dans deux minutes », dit-il.

Tutt éclata de rire.

« Et l'Amérique entière sera servie à point ! Deux cents mini-bombes à neutrons bien disséminées sur le territoire mettront fin à la belle histoire des Pères fondateurs. »

Les paupières s'abaissèrent sur des regards empreints de réprobation. Ces Noirs pouvaient parfois manquer de tact. Herbert touilla le sucre dans son café, le regard fixé sur le cadran de sa montre. Il avala une gorgée, se disant obscurément que c'était peut-être, en effet, la dernière tasse de mauvais café de sa vie. Le lieutenant DiMasso regardait aussi sa montre. Tutt également. Le silence tomba lentement sur l'étage. Sans doute tomba-t-il sur une bonne partie du Pentagone, car on entendit des corbeaux croasser. Le cœur du système américain de défense attendait l'heure apocalyptique à laquelle le rôti fatidique allait commencer à cuire.

« Trente secondes », dit Tutt en posant son gobelet de café sur une poubelle. « Vingt secondes. Dix secondes. »

Herbert dut reconnaître que sa chemise lui collait au dos. Il remua les orteils dans ses chaussures, soudain saisi par l'envie de fuir, de se jeter par la fenêtre, de hurler.

« Zéro ! » cria Tutt, et tout le monde sursauta.

Des sanglots féminins, étouffés par les cloisons, parvinrent jusqu'au réduit où se trouvait la machine à café.

Un moment d'incertitude haletante suivit. Peut-être les terroristes avaient-ils réglé leurs montres avec un retard de quelques secondes.

« Onze heures une minute quarante secondes », dit le lieutenant DiMasso.

Une fille sortit de son bureau et dit :

« Le rôti a apparemment commencé à cuire, parce que le signal a disparu des écrans. »

« Les communications se sont rétablies ? » demanda Herbert.

« Non. Mais je sais qu'à Vint Hill ils essaient de localiser l'ordinateur qui a émis ce signal. »

Herbert regagna son bureau. Là, il éprouva un choc si fort qu'il en vida d'un coup son gobelet de café et qu'il alluma sur-le-champ une cigarette. À la place du signal indiquant l'heure de cuisson du rôti, il lut en effet ce message :

« Fred, veux-tu appeler s'il te plaît les chauffagistes Sasser & Champion pour leur demander de réparer le thermostat ? Le numéro est 450.78.78. Je serai un peu en retard. Lorna. »

Il se passa la main sur le visage.

53.

Une certaine nervosité se diffusa le lendemain en Europe, comme une odeur qui voyage dans une maison sans qu'on sache d'où elle vient.

La succursale londonienne de la Western Technical, société américaine spécialisée dans la fabrication de matériel de télécommunications, essaya d'envoyer un fax de trois feuillets au siège de New York ; celui-ci se plaignit téléphoniquement de ne recevoir que des fragments inintelligibles. À 15 heures, heure GMT, l'exaspération atteignit son comble aux deux bouts de la ligne. Ce qui n'arrangea rien, les standards des sociétés de télécommunications américaines sautèrent par suite de l'encombrement.

Dragan Rossini, gros agent de drogue de Catane, chargea téléphoniquement, et en langage codé, la société fantôme qui lui servait d'écran à Paris, la Generali Trasporti Internazionali, d'envoyer un fax à Atlanta pour prévenir son correspondant d'un gros envoi. Le fax ne parvint jamais. Rossini faillit souffrir d'un infarctus à l'idée de trois sacs de cinquante kilos, valant deux millions de dollars pièce, qui flotteraient sur l'eau jusqu'à ce que les garde-côtes les repêchassent. Il s'alita, le médecin vint, lui prescrivit des vasodilatateurs. Deux jours plus tard, l'enfer s'installa sur terre. Le désarroi endémique aiguillonnant la demande de drogues, les chefs de réseaux du monde entier commencèrent à ressentir la pénurie et les affres crapuleux du manque à gagner ; ils téléphonèrent donc avec une fièvre et une imprudence qui augmentaient de manière exponentielle. Dans ses draps moites, l'œil congestionné rivé sur un Goya volé dans un musée irlandais, Rossini commença à se poser des questions sur l'avenir de sa personne, de sa profession et du monde en général. Comme quoi même les trafiquants de drogue sont capables d'abstraction.

Les avaries de ce type se multiplièrent jusqu'à ce que les communications boursières s'interrompissent elles aussi. Les bureaux des agents de change européens finirent par se figer dans l'impuissance. Ni à Francfort, ni à Londres, ni à Tokyo, ni à Paris, personne ne parvenait plus à obtenir de façon régulière les indices Dow Jones. Lesquels périclitèrent une fois de plus de façon désastreuse. Les équilibres psychologiques de beaucoup de gens en pâtirent. À Bâle, par exemple, M. Hubert Stämpfli, éminent financier et conseiller de plusieurs sociétés internationales, souffrit de la dépression nerveuse sans doute la plus rapide de l'histoire de la psychiatrie. Entre 9 heures du matin et 1 heure de l'après-midi, il passa du marasme aux bouffées délirantes, puis au marasme de nouveau, et se coucha sur la moquette gris perle de son bureau, où il demeura jusqu'à ce que des infirmiers vinssent l'emporter. Les bars de l'Hôtel des Trois Rois et, à Genève, de l'Hôtel des Bergues et du Métropole s'emplirent de quinquagénaires éplorés. À Londres, le président de l'une des plus grosses banques d'affaires du monde, Portman & Co., quitta le bureau en annonçant qu'il allait à la pêche. À Francfort, sur le coup de 3 heures, le président et le vice-président de la Bundesbank commencèrent une conversation par la même déclaration :

« Il faut faire quelque chose. »

Beaucoup de gens étaient du même avis, chacun à sa façon, toutefois. Ainsi les néo-nazis avaient, eux, décidé qu'il fallait faire quelque chose, en effet, ces termes vagues désignant une tentative de prise du pouvoir par une série d'attentats spectaculaires qui terroriserait les timorés et les opposants, et galvaniserait les esprits résolus. Mais leur quartier général de Berlin, Nazional Alternativ, refusa de prendre une décision sans l'assentiment de leurs correspondants américains, qui se trouvaient dans l'État du Nebraska. Or, cet État était hors de portée téléphonique. L'une de leurs factions les plus dures commit toutefois l'erreur de projeter sans trop de prudence un coup de main sur les anciens dépôts d'ogives atomiques de l'OTAN, près de Mannheim. Ce qui fit que la police, profitant de ce que les téléphones de la Deutsche Bundespost, eux, fonctionnaient encore, réalisa un vaste coup de filet à 5 heures du matin et jeta huit cent trente-sept dirigeants et affiliés néo-nazis dans des prisons diverses, tous éructant de fureur.

Le plus piquant fut que les inculpés hurlèrent des injures telles que « Nazis ! » à l'adresse de la police.

Sur la base d'informations dont on ne sut jamais si elles étaient entièrement fondées, à moitié fondées ou totalement infondées, le chancelier décréta l'état d'urgence sur tout le territoire fédéral le lendemain à midi. Conséquence lointaine d'une mystérieuse panne des réseaux informatiques américains, les inculpés n'eurent même pas licence de se faire assister par des avocats.

Depuis 3 heures, heure locale, la veille, Washington avait sombré dans le marasme. Les satellites transmettaient toujours les liaisons téléphoniques, mais c'étaient les câbles des stations de retransmission qui n'assuraient plus leurs missions ; après avoir fonctionné par intermittence, ils avaient crachouillé de manière bronchiteuse, puis tuberculeuse, puis cancéreuse, et ils avaient finalement rendu leur âme au diable ou à Dieu, allez savoir. Un état-major de crise fut installé à la Maison-Blanche. Pendant ce temps, les chaînes de télévision et les journaux, privés de leurs correspondances étrangères, avaient réduit leurs services.

Ce fut le *Financial Times* qui cracha le morceau près de quarante-huit heures après la cuisson du fameux rôti de rat :

Des coupures massives affectent les transmissions internationales — Les États-Unis pratiquement isolés.
(Huge cuts affect international transmissions — United States practically isolated.)

Le célèbre journal rose ne faisait là que constater l'évidence. Des processionnaires vêtus de blanc, de jaune ou de noir, selon leurs dénominations respectives, défilaient dans les rues des grandes villes américaines, annonçant la fin du monde. Les effets en furent singuliers : dans la même ville de Dallas, au Texas, par exemple, un bordel périclita et un autre fit fortune. Les filles de l'un migrèrent donc vers l'autre. Les maquereaux en vinrent aux mains, puis aux revolvers, et cela fit six maquereaux de moins. À Moscou, le KGB s'alarma : il n'était au courant d'aucune anomalie dans les transmissions, et il n'avait perpétré aucun méfait dans ce but ; avait-il donc des rivaux ? Et que visaient donc ceux-ci ? Deux ou trois marchands d'orviétan vinrent proposer de faux tuyaux et se firent incarcérer sur-le-champ, non sans s'être fait assez brutalement houspiller et botter le derrière. Le général Vassili Stachine mena une vie de goulag à ses directeurs de service.

« Le monde croule et vous n'êtes au courant de rien ! Le dernier des cancrelats saurait ce qui se passe et vous êtes là à pisser de la vodka ! »

À Paris, une cellule de crise fut constituée d'urgence à l'Élysée. Six des hommes les mieux informés d'Europe en matière de renseignements et de lutte contre la subversion affrontèrent le président de la République, le Premier ministre et les ministres de l'Intérieur, des Armées et des

Affaires étrangères. Ils durent confesser qu'ils ne disposaient d'aucune piste sérieuse qui permît de bâtir le scénario de réaction le plus ténu. Le président, sans nouvelles de Dieudonné, fut contraint au silence.

« Tout ce que je peux dire », déclara le général Georges Tobias, quinquagénaire placide et massif, « après des entretiens avec mes collègues de Grande-Bretagne, d'Allemagne, d'Italie et de Russie, est qu'il s'agit d'une opération de sabotage international, préparée de longue date, et dont les objectifs semblent exclusivement idéologiques. Elle est réalisée par des gens qui ont, comme chacun l'a vu, une très grande expertise technologique, notamment dans les domaines de l'électronique et de l'informatique. Elle ne vise que les pays industrialisés et a peu affecté l'Afrique noire, l'Asie du Sud-Est et la plus grande partie du Pacifique. »

« Peut-on reconstituer les objectifs de ces gens ? » demanda le Premier ministre.

« À ce jour, un seul point est sûr : ils visent la destruction de toutes les infrastructures du monde industriel. Ils ont commencé par le système bancaire, puis des actions ponctuelles ont essayé de miner la confiance des citoyens de ces pays dans les capacités mentales de leurs dirigeants. D'autres actions ponctuelles, fondées sur l'utilisation d'hologrammes aux États-Unis, en Espagne, en Grande-Bretagne, visent à l'évidence à créer la panique parmi les populations civiles elles-mêmes. Ces gens s'attaquent actuellement au fondement du monde industriel, c'est-à-dire à l'existence matérielle des grands réseaux d'information. C'est l'Amérique qui en est la première victime, mais personne n'exclut que demain les réseaux européens ne soient eux-mêmes atteints. »

Le général se versa un grand verre d'eau et le but.

« Peut-on émettre une hypothèse sur l'origine de ce mouvement ? » demanda le président.

Le général Tobias se tourna vers son collègue, le

commandant Bernard Souvestre, du Service d'action psychologique. La quarantaine somnolente sous une chevelure surabondante et noire, celui-ci entrouvrit un peu plus ses paupières lourdes.

« Je ne dispose d'aucun fait. Personne n'a aucun fait. Les Américains ont appliqué les techniques les plus fines à l'étude des rares pièces matérielles dont ils ont pu s'emparer. Pas la moindre indication d'origine, pas la moindre empreinte digitale. Nous n'avons qu'une intuition partagée presque sans exception par mes collègues de quinze pays : ce sont des Japonais. »

Le président hocha la tête avec maussaderie.

« Dans quel but ? » demanda le président. « Il n'existe aucun précédent de ce type dans l'histoire du monde. Si l'on déploie autant d'intelligence et de moyens pour paralyser le monde civilisé, c'est pour le pouvoir. Comment et dans quel but ce groupe de Japonais prendrait-il donc le pouvoir en l'état actuel des choses ? »

« Il ne le prendrait pas, à mon avis », répondit le général Tobias en plongeant ses yeux marron dans ceux du président.

Cette opinion fut suivie d'un silence stupéfait.

« Il ne s'agit pas pour ces gens-là de prendre le pouvoir. L'idée même de pouvoir, à mon avis encore, leur est étrangère. Ils veulent mettre fin au pouvoir. »

« Ils favorisent la Russie ! » s'écria le président. « Ce ne sont que les États-Unis qui sont atteints. »

« Je ne suis pas de cet avis », répondit Tobias en plongeant la main dans sa poche.

Il en tira un rapport plié en quatre et le tendit au président.

S.T.56. Liaisons téléphoniques interrompues entre Moscou, Saint-Pétersbourg, Kiev et Vladivostok. Alerte rouge décrétée par l'armée russe.

« C'est le monde entier qui est visé », dit Tobias d'une voix égale, en allumant une cigarette. « Je crois que le pire est sûr : le projet est presque assuré de la réussite. Dans une semaine, les communications internationales seront quasiment réduites à rien. Nous sommes impuissants. »

Le président de la République française ouvrit la bouche, devint très rouge et referma ses mâchoires.

« Et Dieudonné ? » demanda-t-il.

« Aucune nouvelle. »

Un pas de plus fut franchi quand, dans la matinée du lendemain, le Kremlin ne parvint plus à joindre la Maison-Blanche. Quelques liaisons intereuropéennes fonctionnaient toujours, mais ni le 10, Downing Street, ni l'Élysée, ni le Palazzo Madama n'étaient en mesure de fournir l'ombre d'une information au président Bezoukhov. Le mage Oleg Brianski réalisa une fortune en vaticinant à la télévision de Kiev et, en privé, en prédisant à chacun son devenir à l'heure du proche Jugement dernier. À Helsinki, les stocks de vodka furent épuisés en quelques heures. Le Premier ministre suédois, lui, annonça à la télévision que, grâce à sa tradition de neutralité, le pays avait les plus grandes chances d'échapper aux troubles internationaux de télécommunications. Ce qui n'empêcha pas les étudiants de l'université d'Uppsala de décréter de leur propre chef une journée de beuverie préparatoire. Nul ne sut à quoi elle préparait, n'était que la nuit retentit de cris de filles violées.

Les postes fonctionnant encore sans problèmes apparents, plusieurs journaux, *La Prensa* de Santiago du Chili, l'*Excelsior* de Mexico, *La Stampa* de Turin, *Le Monde* de Paris, *The Times* de Londres, *El Ahram*, du Caire, le *Yomiuri Shimbun* de Tokyo, le *Nepszabadzag* de Budapest, reçurent de bizarres images ronéotypées d'un tigre qui riait.

« *Le mystère du tigre qui rit* », titra *Libération* en première page.

54.

Lorna Deller Shoemaker, une blonde corrigée d'une cinquantaine d'années, l'allure sportive, parqua sa Ford dans l'allée qui menait au garage et coupa le contact. Puis elle fit le tour de l'auto et sortit de la malle arrière deux paquets assez volumineux.

« Orville ! » cria-t-elle. « Tu viens m'aider ? »

Le temps qu'Orville quittât son fauteuil devant la télévision, six hélicoptères fonçaient sur la petite maison de Sterling, Connecticut, dans un vacarme assourdissant. Un nombre indéterminé de voitures de la police et du FBI encercla la maison. Une demi-minute plus tard, Lorna et Orville regardèrent, stupéfaits, des hommes, les uns en uniforme, les autres en civil, envahir la pelouse, revolver au poing.

« Ne bougez pas ! Levez les bras ! » cria un officier.

Lorna, pétrifiée, leva un bras qui portait encore l'un des sacs qu'elle avait déchargés de l'auto. Un homme en civil vint s'emparer du sac. Il l'étudia prudemment, y plongea le regard, mais rien d'autrc. Le service de déminage vint enfin en vider le contenu et défaire à l'aide de pinces, à distance, un volumineux paquet : c'était une dinde.

Laquelle dinde fut dûment radiographiée. Puis détruite à l'aide de balles explosives. Pour la plus grande joie ultérieure des chats du voisinage. Et l'insondable stupeur des

Deller. Le bruit des balles alerta le voisinage, qui se mit aux fenêtres, certains curieux suivant les événements avec des jumelles. L'allée qui menait à la maison des Deller fut barrée. Sur les pelouses voisines, les gyrophares tricolores scintillaient de tous leurs feux, battant l'invisible mesure de la partition-farce qui se jouait. Finalement, encadrés chacun par deux agents du FBI, revolver au poing, les Deller purent baisser les bras. Les agents du FBI les poussèrent à l'intérieur, tandis que le reste de leurs collègues et de l'escouade de pandores montait la garde alentour, masques de pierre et lunettes noires. La température psychologique à Sterling atteignit dans la première heure le point d'ébullition, puis celui d'évaporation. Entre-temps la maison des Deller fut fouillée de fond en comble, les murs sondés, les tiroirs ouverts, les balles de chaussettes déroulées, et la télévision mise en pièces. Le four électronique commandé par ordinateur fut évidemment examiné avec autant de précautions que s'il contenait une bombe à neutrons, puis débranché et embarqué par des agents du FBI en gants blancs. Ce qui déclencha un accès de fou rire chez Orville Deller.

« Que cache votre mot de passe ? » demanda sévèrement l'inspecteur qui dirigeait les recherches, un quadragénaire aux méplats taillés à la serpette et à l'expression décidée.

« Quel mot de passe ? » rétorqua Lorna Deller.

« Faire cuire le rôti à 11 heures », répondit l'autre, d'un air désabusé et sans réplique appris dans les feuilletons policiers.

« Ce qu'il cache est qu'il fallait faire cuire à 11 heures le rôti que nous allions manger », répondit Lorna Deller.

« Sans blague, repartit l'autre. Vous êtes à l'origine du plus grand sabotage de l'histoire des États-Unis. »

« Nous voulons voir notre avocat », déclara Orville Deller. « Nous pensons que nous sommes aux prises avec des fous dangereux. »

« Quels fous dangereux ? » demanda le policier d'un air menaçant.

« Vous, entre autres », rétorqua Orville Deller. « Nous allons dénoncer les manœuvres nazies qui font qu'un couple d'honnêtes citoyens est arrêté dans des circonstances paranoïaques parce qu'il laisse à l'ordinateur domestique la commande "Faire cuire le rôti à 11 heures". Maintenant, je connais mes droits et je demande un avocat. »

Près de deux cents personnes s'étaient agglutinées autour de la scène, en dépit des efforts des policiers pour les tenir à distance. Plusieurs d'entre elles étaient allées chercher des jumelles, des caméscopes et le diable vert pour enregistrer les moindres détails de la scène. D'autres étaient installées aux fenêtres de leurs maisons, équipées de zooms ordinairement utilisés pour la surveillance de la nidification du spioncelle montagnard. L'avocat des Deller fut mandé. La presse locale fut alertée, puis la presse nationale, et l'affaire dépassa les frontières.

La lumière sur la mystérieuse affaire du rôti de 11 heures mit longtemps à percer. Quand il fut établi qu'ils n'étaient pour rien dans la panne apocalyptique du réseau informatique américain, les Deller intentèrent un procès au gouvernement fédéral et obtinrent quinze millions de dollars de dommages.

Cela ne revêtait plus vraiment d'importance. Avec tant d'argent, on ne pouvait plus s'offrir grand-chose, par exemple des vacances européennes, parce que la majorité des vols commerciaux transatlantiques avait été annulée, les services de réservation ne fonctionnant presque plus. Les terrasses des hôtels de Miami furent désertées. Et seuls les chants des crapauds-buffles troublaient le silence des parcs manucurés qui cernaient les palaces des Caraïbes, autour de piscines qui frissonnaient dans la brise.

55.

Ce fut seulement le 5 octobre 1997, soit cinq jours après le début de la crise qui avait annihilé l'ensemble des réseaux informatiques américains, entamé une partie des réseaux sud-américains, européens et japonais, réduit à l'obscurité la plus grande partie des chaînes de télévision américaines et paralysé l'essentiel des réseaux bancaires de ces pays, sans parler des réseaux Internet et autres autoroutes de l'information, que la vérité commença à se dessiner. Mais timidement.

Des sections des câbles inopérants furent prélevées et adressées dans des conteneurs étanches, sous emballages scellés, par courriers humains et militaires à quarante-six laboratoires de toutes disciplines. Par exemple au Lawrence Livermore Laboratory, spécialisé dans la physique, à AT & T, Electro-Plasma, Photonics Imaging, Silicon Graphics, Hewlett-Packard, Sun, IBM, DEC, General Electric, Evans & Sutherland et plusieurs autres, versés en électronique. Par une intuition qui se révéla rapidement géniale, le général Warren V. Gabriel, qui dirigeait l'ensemble de l'enquête sous l'égide du département de la Défense et de la Maison-Blanche, recommanda que les sections des câbles fussent manipulées et examinées dans des conditions de rigoureuse asepsie, « comme s'il s'agissait de cultures hautement infectieuses », précisa-t-il. Ces laboratoires furent astreints, par contrats spéciaux, rédigés et signés dans des délais éclair, à travailler sans relâche, selon le système consacré des trois huit. Des communiqués devaient être adressés toutes les six heures au Pentagone, où une permanence technique avait été établie.

La réaction de Laszlo Serentche, chef de laboratoire à Silicon Graphics, quand il ouvrit le conteneur qui lui était destiné, avant de le placer dans une boîte de verre rigoureusement aseptisée du type P 4, équipée de bras de manipulation à distance, et quand les fils du câble eurent été dégainés, fut typique de celle de ses autres confrères dans la même situation.

« *My God !* » s'écria-t-il.

Le premier fait qui sauta, en effet, aux yeux de tous les chercheurs qui examinaient les fils simplement à l'œil nu fut l'étonnante dégradation physique de ceux-ci, quelle qu'en fût la nature — fibres de verre, cuivre à haute performance ou alliages argentiques de pointe. Il n'y avait même pas besoin de microscope pour constater les altérations, amincissements anormaux et ruptures nombreuses sur des segments souvent inférieurs au mètre. Une loupe de philatéliste y suffisait. Ces fils semblaient avoir été rongés par un acide, en dépit de la protection pourtant hermétique des gaines. Fait surprenant, la dégradation se poursuivait dans les segments isolés. Dans plusieurs spécimens, parvenus aux chercheurs quarante-huit heures auparavant, des sections allant jusqu'à quinze millimètres étaient devenues pulvérulentes. Bien évidemment, aucun message optique ni électrique n'y pouvait plus transiter. Tout se passait comme si les câbles avaient été atteints de sénescence précoce.

En dépit de l'heure tardive, du fait qu'ils n'avaient pas dîné, que les spécimens leur étaient parvenus assez tard dans l'après-midi, que leurs épouses ou leurs maîtresses les attendaient, Serentche et ses collaborateurs tinrent une réunion dont la substance se résuma en quelques mots : une dégradation aussi avancée de câbles de natures différentes ne pouvait pas être due au hasard ; elle était probablement l'effet d'un agent commun complètement inconnu. Il fallait en avoir le cœur net au plus vite. Une longue nuit de travail s'annonçait, car seule la microscopie permettrait dans le meilleur des cas d'identifier cet agent. La cantine de la Silicon Graphics avait fermé depuis une heure. Serentche commanda donc des pizzas et des sandwiches chez le Chinois le plus proche.

On décommanda les engagements. On dîna, dans les papiers gras et les tasses de café et de Coca. Et l'on se mit aux microscopes.

Peu avant minuit, le 5 octobre, donc, mais au laboratoire de microbiologie du Massachusetts Institute of Technology, et toujours à l'œil nu, Tom P. Deagle, grand flandrin voûté et chef du laboratoire, manipulateur hostile à toute spéculation scientifique, mais d'une adresse réputée, remarqua que la poussière issue de telles décompositions, dans un échantillon de câble à fibres optiques, était d'abord d'une couleur différente de celle du matériau d'origine, ensuite que son volume semblait supérieur à celui du segment détruit. Le fait intriguait : pourquoi du verre changerait-il de couleur s'il s'était désagrégé ? Comment pouvait-il augmenter de volume, même si l'on tenait compte du fait que du pain en miettes occupe un plus grand volume que du pain entier ?

Le protocole scientifique demandait qu'on vérifiât d'abord le poids en nanogrammes d'une section intacte correspondant à celle qui s'était désagrégée, et ensuite qu'on le comparât à celui des agrégats pulvérulents. Deagle passa outre à ces précautions : il soumit d'emblée les agrégats au microscope électronique. Et là, il poussa un cri qui alerta ses collègues, dont les noms furent ensuite publiés dans toute la presse, Laura A. Tartano, Ahmed W. Wakil et Yeng Cheng Lee.

« Des bactéries ! Des bactéries géantes ! »

Ils échangèrent des regards abasourdis. D'autant plus abasourdis que ces bactéries ne ressemblaient à rien de ce qu'ils connaissaient tous quatre, en dépit d'une longue familiarité avec les bactéries de tous genres. Puis Deagle fit prendre des microphotographies après amplification et préparer toute une batterie de boîtes de Petri dûment garnies des milieux nutritifs les plus divers. Cela fait, il appela au téléphone son collègue John Garabedian, l'un des cent bactériologistes les plus estimés au monde.

« John, pouvez-vous venir un moment ? Je crois que vous pourriez nous aider. »

Garabedian arriva deux heures plus tard, la calvitie un peu plus luisante que d'habitude, le sourcil charbonneux comme à ses plus beaux jours et l'expression empreinte de malveillance. Deagle lui indiqua l'écran des amplificateurs qui montrait un grouillement de bactéries grandes comme des pizzas-canapés mal cuites et ductiles, qui se tortillaient comme des rognures de parmesan au feu, en fausses couleurs décoratives, dans les bleus turquoise et les magentas.

« John, vous avez déjà vu des bactéries comme ça ? »

Le visage de Garabedian se colora de façon malsaine quand il se pencha sur l'écran de l'amplificateur et que les lumières vertes et bleues des images artificiellement traitées selon les codes de couleurs informatisés se reflétèrent sur sa peau. On eût aisément dit que le bactériologiste venait de contracter une maladie affreuse et d'une virulence spectaculaire.

« Le diable m'emporte ! » murmura-t-il. « Où avez-vous trouvé ça ? »

« Dans un spécimen de câble avarié prélevé à Washington. Secret militaire, je vous en préviens. »

« Le diable m'emporte ! » répéta Garabedian, stupéfait.

« Avant qu'il vous emporte et nous tous avec », intervint Deagle, « donnez-moi votre avis. »

« Je ne peux pas y croire », répondit Garabedian. « Ces bactéries ne sont pas censées exister au-dessus du niveau de la mer. Ce sont les plus anciennes de toutes les créatures vivantes. Elles existaient il y a environ trois milliards d'années, quand la Terre n'avait pas encore d'oxygène ; c'est pourquoi on les appelle archéobactéries. On en a trouvé il y a deux ans toute une collection près des sources d'eau chaude sous-marines. »

« Qui les a trouvées ? » demanda Deagle.

« Pas mal de gens. Des Japonais, des Français, des gens de la Woods Hole. Ce sont des bactéries hyperthermophiles, qui ont appris à se passer de l'oxygène et de l'énergie de la lumière et à supporter des températures extraordinairement élevées. Elles sont capables de tout bouffer, du soufre, du cuivre, des tas de composés carbonés, je n'en ai pas la liste en tête. Elles ont des cousines terrestres qui bouffent aussi des ouvrages d'art, du béton, du fer, de l'acier, et j'en passe. »

« Des fibres de verre en tout cas », dit Deagle en scrutant par-dessus ses lunettes les yeux de Garabedian. « J'avais lu des communications sur ces bestioles, mais je ne croyais pas qu'elles survivraient à des pressions et à des températures aussi faibles que celles du niveau de la mer. Elles prolifèrent normalement à des températures de l'ordre de 500 °C et sous des pressions énormes. Vous voyez ce que je veux dire ? »

« Non. »

« Je me demande si celles-ci n'ont pas été manipulées. »

« Pour quoi faire ? »

« Pour supporter les conditions de vie au niveau de la mer. »

« Elles n'ont pas nécessairement besoin d'être manipulées pour ça », répondit Garabedian. « Pas que je sache. Il se peut aussi que, dégagées de la contrainte des hautes pressions, elles expriment des capacités qu'elles n'avaient pas jusque-là. Il faut poser la question aux microbiologistes de la Woods Hole. »

Il mit les mains dans les poches de sa combinaison et tourna un regard contrarié vers les écrans qui projetaient les images de ces monstres minuscules.

« Vous avez d'abord dit, John, que vous ne pensiez pas que ces bactéries pourraient survivre au-dessus du niveau de la mer, et là vous rejetez l'hypothèse qu'elles aient justement été manipulées pour survivre. Pouvez-vous m'expliquer cette contradiction ? » demanda Deagle, tandis que Wakil et Laura Tartano guettaient la réponse.

« C'est très simple », répondit Garabedian. « Je m'étonne toujours qu'elles aient pu survivre dans un environnement qui ne contient aucun des éléments dont elles ont besoin en permanence, notamment le méthane et le sulfure d'hydrogène. Vous avez évoqué, vous, une manipulation qui leur permettrait non pas de se passer de ces nutriments, mais de supporter une pression et une température très inférieures, et là je ne pense toujours pas qu'il soit nécessaire de procéder à une telle manipulation. »

Deagle hocha la tête. Il reconnaissait la célèbre stratégie de raisonnement de Garabedian, qui éliminait de toute conversation la part du non-dit, de l'intuition, des exclusives arbitraires, de la logique fondée sur l'expérience, c'est-à-dire archaïque sinon délirante, et de l'approximation.

« La manipulation à laquelle vous pensiez a consisté probablement à mettre ces bactéries en contact avec des éléments qu'elles n'auraient peut-être pas trouvés dans mille ans, c'est-à-dire les composants de câbles de télécommunications. »

« Exactement. »

« Et il y a une autre manipulation sur laquelle il faudra enquêter. C'est celle qui a permis à ces bactéries de dévorer les composants des câbles. Qu'elles aient dévoré les gaines, à la rigueur on peut l'admettre, elles sont constituées de dérivés du pétrole. Qu'elles aient brouté le carbone des fibres de verre, c'est encore possible. Mais la silice, c'est inédit. Pour autant que je sache, les archéobactéries n'ont pas besoin de silice. On leur a donc greffé un gène qui leur permet de l'assimiler, et ça, c'est inédit. »

« Vous connaissez des gens qui travailleraient là-dessus ? » demanda Deagle.

Garabedian leva ses yeux charbonneux vers Deagle et répondit avec une douceur teintée de condescendance :

« Vous savez bien que n'importe quel grouillot de n'importe quel laboratoire d'ingénierie génétique est désormais en mesure de greffer des gènes d'éléphant à des souris. Si vous me demandez de localiser un labo qui aurait tripoté des archéobactéries afin de les rendre mortelles pour des câbles de télécommunications, je vous dirai qu'il faudrait pour cela mobiliser des effectifs triples de ceux du FBI et de la CIA combinés. »

Deagle soupira. Garabedian allait sans doute ironiser tôt ou tard sur la naïveté des gens qu'on chargeait d'enquêtes aussi pointues que l'identification de nouvelles bactéries.

« Si je comprends bien, toute enquête est inutile. »

« Laissez les enquêtes pour plus tard. Ce qui me paraît, à moi, le plus urgent, c'est de trouver l'agent qui bloque la prolifération de ces morpions. »

« Une idée ? »

« Essayez la pénicilline », dit Garabedian. Après avoir gagné la porte, il se retourna et ajouta : « Tout ce que je peux vous dire de certain, c'est que les gens qui nous ont lâché une pareille saleté sont bigrement futés. »

Deagle et son équipe le regardèrent sans mot dire. Ils étaient donc enfermés dans ce labo avec pour compagnie un bétail microscopique infernal ; pour l'immédiat, leurs chances de retrouver leurs foyers, une douche et des draps secs dans des délais raisonnables étaient négligeables.

« Si vous avez une idée, n'hésitez pas », répondit Deagle. Puis il s'installa devant son ordinateur et tapa un communiqué préliminaire.

À l'attention du général Warren V. Gabriel. 12 h 15. Specimen 26 A — fibres de verre — infesté de bactéries dites archéobactéries hyperthermophiles, qui mangent la fibre de verre. Bactéries apparemment d'espèces différentes, toutes mises en culture. Selon John Garabedian, il s'agit d'archéobactéries sous-marines trouvées il y a environ deux ans dans des sources d'eau chaude sous-marines et mutées artificiellement. À suivre.

Il allait faxer le message quand il se demanda si le fax marchait toujours. C'était un vieux modèle qui avait fonctionné jusqu'à la veille. Il tapa le code du Pentagone et observa les loupiotes. Ça marchait encore. Pour combien de temps ? se demanda Deagle en insérant la feuille du rapport.

56.

« Vous réaliser des plaques de cette coupure, prêtes à l'impression, en trois jours ? Impossible ! » s'écria Delperreau, le chef du service des gravures de la Banque de France. « Et dans le secret, par-dessus le marché ! »

C'était un homme maigre, proche de la cinquantaine, visiblement peu enclin à la plaisanterie. Le président de la République et le gouverneur de la Banque de France le regardaient sans mot dire.

« Nous sommes lundi. Il nous faut disposer de la première tranche de dix milliards de yens jeudi matin », dit lentement le président.

Delperreau parut effaré.

« Monsieur le président, vous ne vous rendez pas compte ! » articula-t-il d'une voix étranglée, les yeux exorbités.

« Je me rends parfaitement compte. C'est une mission d'intérêt national et international. »

Delperreau se pencha comme s'il allait rendre l'âme.

« Il est 9 heures du matin, Delperreau », dit le gouverneur. « Nous avons parfaitement les moyens de réaliser une plaque modèle avec les systèmes de repérage laser dont nous disposerons à midi. En fabriquant une plaque par heure, ce qui est une prouesse, je vous le concède, nous devrions avoir vingt-quatre plaques prêtes à l'impression demain à midi. Quarante-huit plaques après-demain, et nous pouvons commencer à imprimer. »

« En travaillant vingt-quatre heures sur vingt-quatre ? » cria Delperreau.

« En travaillant quarante-huit heures sur quarante-huit. Choisissez vos hommes. Si le projet aboutit, et il doit aboutir, vous avez une prime de cinq millions, et chacun de vos aides une prime d'un million et un mois de vacances », promit le président.

« Cinq millions ? » feula Delperreau.

« Vous m'avez entendu. C'est la guerre. »

Delperreau se prit la tête entre les mains.

« Je deviens fou. »

« Pas du tout. Si vous réussissez, je vous décerne en plus la Légion d'honneur. »

« Je vous donne une minute pour répondre », dit le gouverneur.

« Comment voudriez-vous que je dise non ? » murmura Delperreau.

« Vous travaillerez dans le plus parfait isolement, et je vous demande ici de jurer sur l'honneur le secret le plus total. Je vous demande également de faire prêter serment à vos aides. »

Delperreau hocha la tête.

« Ma voiture vous conduira où vous voudrez », ajouta le gouverneur en se levant. « Nous n'avons pas une minute à perdre. »

57.

Les *Proceedings of the National Academy of Sciences*, lourde revue à la couverture grise qui publiait périodiquement les communiqués de l'académie en question, comportèrent dans leur numéro de décembre 1997 trois rapports de bactériologistes, qui valurent à la respectable et généralement indéchiffrable revue un succès enviable : « *Carbon-and-silicon-eating archaeobacteria of recent appearance on the surface of Earth* », « *Characteristics of recently found Archaeobacteria cupriphagia* » et « *Genetics traits of Archaeobacteria argentiferia* ».

« Depuis quand la matière vivante mange-t-elle de la silice ? » demanda, soupçonneux, le Dr Wolf T. Chandrasekhar, de l'Institut de microbiologie Max-Planck de Mannheim, à la conférence hebdomadaire de ce respectable institut.

Son collègue Tassilo von Archenholz leva la main et baissa la tête.

« Il est de notoriété publique chez les paysans que, depuis l'apparition du règne végétal, les végétaux mangent de la silice », expliqua-t-il. « Mais comme le matériau nous semble indigeste, nous nous sommes obstinés à l'ignorer. C'est pourquoi, depuis la naissance de la botanique expérimentale, on s'acharne à préparer des terreaux sans silice. Ainsi, les études de botanique expérimentale menées depuis un siècle ne valent pas tripette. Ce que les végétaux peuvent manger, les bactéries le mangent aussi, parce qu'elles ont des systèmes d'assimilation plus complexes. Je ne suis donc pas étonné du tout qu'il y ait des bactéries qui mangent de la silice, du fer, du cuivre, voire de l'or ou du plutonium. »

Il était aussi de notoriété publique qu'Archenholz était volontiers coupant. Son collègue Chandrasekhar n'insista donc pas. Mais dix-sept laboratoires internationaux se lancèrent sur-le-champ dans la recherche d'antibiotiques susceptibles de neutraliser les fameuses bactéries.

Le Pentagone alerta l'OTAN. Qui alerta les gouvernements européens. Qui alertèrent les présidents de banques et de grandes industries. Des ministres des Armées, des Télécommunications, de l'Intérieur et d'autres instances donnèrent des conférences de presse dans lesquelles ils essayèrent de tempérer l'affolement général. Il était possible que certains réseaux, mais pas tous, fussent affectés ; des techniques de substitution les relaieraient rapidement, etc. Il était sans doute un peu tard.

Les actions de toutes les grandes sociétés de télécommunications tombèrent comme des cailloux dans un puits. Les Bourses, déjà pantelantes, tachycardiaques, schizophréniques et paranoïaques, accusèrent brutalement le choc, une fois de plus. Entre-temps, la presse mondiale avait diffusé les photos des trois bactéries principales responsables du fait qu'on ne pourrait plus aussi commodément qu'hier commander cent tonnes de café ou téléphoner à sa femme qu'on serait en retard pour le dîner.

Au onzième étage d'un immeuble immaculé, blanc et noir, du Quartier Restreint de Singapour, trois des quatre écrans d'ordinateurs du National Computer Board s'éteignirent presque en même temps. Le quatrième diffusa des images idiotes et clignotantes qu'on pouvait trouver psychédéliques si l'on en avait le cœur. Lee Well Ng, chef du bureau d'études du trafic urbain, s'enfonça dans son fauteuil, le masque blasé. Puis il se leva et alla regarder le port par la fenêtre. Belle journée pour aller se promener à Sentosa. Un assistant entra soudain dans le bureau, hagard. Il considéra les écrans morts, puis le visage placide de Ng. Il faillit émettre quelques sons, se ravisa et s'adossa à la porte.

« Je prendrais bien une tasse de café », dit Ng.

À la tour de contrôle de Roissy, le commandant Jean-Charles Mathieu regarda, lui, les écrans radar s'éteindre, tandis qu'un Boeing 747 de la Varig se posait sur la piste avec la grâce ordinaire d'un éléphant sur patins à roulettes.

« Qu'est-ce qu'on fait ? » demanda calmement l'un des opérateurs.

« On fait changer les câbles », répondit Mathieu.

Une demi-heure plus tard, une équipe en combinaisons stériles procédait au remplacement des câbles avariés par d'autres neufs, enduits d'un gel d'antibiotiques. Les radars se rallumèrent.

À Utrecht, le professeur Maurice Van Mocqué demandait au fichier de l'université de Leyde des informations sur un passage discuté du *Livre des morts des anciens Égyptiens* quand l'écran de son ordinateur s'éteignit dans un gloussement liquide. L'ordinateur était raccordé au réseau universitaire Surfnet, qui n'avait jusqu'ici connu aucune panne. Van Mocqué tenta de rallumer son ordinateur, mais en vain. Il hocha la tête.

« La malédiction des anciens Égyptiens », dit-il sur un ton sarcastique.

Mais toutes les victimes de la grande panne ne témoignaient pas de dispositions aussi philosophiques. Le brouillard se répandit assez vite dans les esprits.

58.

« Anthony ? »

Elle n'avait pas allumé les lampes. Sa silhouette se détachait en bleu sombre sur la fenêtre de sa chambre à coucher. Elle tenait le téléphone modulaire collé à son oreille, pour ne pas rater une miette de son. Les téléphones modulaires étaient les seuls qui fonctionnaient encore, de façon souvent capricieuse, mais enfin, fonctionnaient.

« Oui ? »

Et son cœur tressauta quand elle reconnut les harmoniques désormais familières, non, chéries.

« Pardonnez-moi de vous déranger à votre bureau. Je n'ai aucune nouvelle de vous depuis votre saute d'humeur d'il y a trois jours, dit-elle. Pouvez-vous parler librement ? »

« Un instant. »

Elle perçut une conversation brève, puis le claquement d'une porte qui se fermait.

« Voilà, je peux parler », dit-il. « Pardonnez-moi, mais je n'ai pas souvenir de vous avoir laissé penser que je vous rappellerais. »

« Vous eussiez préféré que je ne vous rappelle pas ? »

« J'eusse pensé que vous ne vous en soucieriez même pas. Et j'eusse aussi souhaité que nos rapports suivissent un autre cours. »

Elle reprit difficilement son souffle.

« Qu'ai-je fait de mal ? » parvint-elle à articuler.

« De mal ? Je ne suis pas un juge, grand ciel ! »

« J'ai fait quelque chose qui vous a déplu. »

Le petit rire d'Anthony manqua briser le cœur de Valerie.

« Vous ne m'avez simplement pas regardé, Valerie. »

« Je ne vous ai pas regardé ? » répéta-t-elle en s'asseyant, toute droite, sur un pouf dont elle reconnut l'absurdité à ce moment-là.

« Je crains que non. Ou bien alors, vous m'avez méprisé. »

« Anthony ! »

« Puisqu'il faut que je m'explique, ce dont je n'ai pas coutume, vous semblez n'avoir vu en moi, dans votre système d'interprétation du monde, qu'un personnage de sexe masculin qui ne correspondait pas à vos critères. »

« Anthony ! »

« C'est mon nom, en effet. Vous appartenez à un univers de cadavres, Valerie. »

« Je suis un cadavre ? » demanda-t-elle, haletante.

« D'une certaine manière, un joli cadavre. Mais enfin, où est votre joie ? »

« Meurtre par téléphone », dit-elle avec une soudaine lassitude. « Ma joie, c'était vous. »

« J'en accepte la déclaration. Mais je vous ai traitée comme une ménade et vous m'avez traité comme un Anglais. »

« Qu'est-ce que c'est qu'une ménade ? »

« Une prêtresse de Dionysos dans les mystères dionysiaques antiques. »

« Que faisaient les ménades ? »

« L'amour par tous les bouts. »

« Je n'étais pas une ménade ? »

Il éclata de rire.

« Vous ne voulez plus me voir ? » reprit-elle.

« Et vous, pourquoi voulez-vous me voir ? »

« Parce que vous êtes ma joie. Je ne le savais pas. Je le sais. »

« Alors, nous irons dans un restaurant indien. »

« J'irais avec vous dans un restaurant cannibale ! »

« Je passe à 7 h 30. Préparez-moi un Bloody Mary d'enfer. La journée a été affreuse. »

Il raccrocha. Elle se leva, tourna lentement sur elle-même, se rassit, se releva et se prit le visage dans les mains. Puis elle se regarda dans le miroir en face d'elle, toujours sans avoir allumé les lampes.

59.

Le vieil homme en costume noir légèrement élimé, en chemise blanche, avec une cravate presque noire à peine moirée, considéra longuement les débris de feuilles de thé au fond de son bol. Débris d'algues sur un fond de sable. Miettes de félicité sur un fond d'impassibilité. Sa bouche entrouverte, la lippe pendante, son regard mi-clos et son expression lasse ne présageaient guère du léger sourire qu'il adressa à son commensal, assis de l'autre côté de la table du restaurant japonais au dernier étage de l'hôtel Boroboudour à Djakarta.

« Vous avez bien travaillé, Hideshi », dit-il en considérant le jeune Yagama de son regard dont la prunelle, jadis noire, commençait à fondre dans la sclérotique, en attendant de se dissoudre dans l'au-delà.

Yagama s'inclina plusieurs fois de suite en signe de gratitude, jusqu'à ce que son front touchât presque son propre bol de thé. Son visage rayonnait de bonheur.

« Vous avez tous bien travaillé », reprit le vieil homme en tournant son masque à gauche et à droite, vers des individus également jeunes, quoique plus âgés que Yagama.

« Satsumi, vous êtes bien le bactériologiste éminent qu'on m'avait dit. Votre mérite rejaillit sur l'Empire. Puis-je en dire davantage ? Et vous, Ike, je me plais à croire que, eu égard à votre talent d'organisateur aussi rapide que l'éclair et aussi furtif que le vent, notre reine, la déesse Amaterasu, étendra encore plus de bienfaits au *kami* qui fut l'ancêtre de votre lignée. »

Nouvelles inclinations. Et des expressions baignées de félicité. Les convives burent une gorgée de thé. Le vieillard demanda du saké et le versa dans les gobelets des cinq convives, puis dans le sien.

Car ils étaient six. Deux hommes plus âgés que les trois jeunes gens assistaient, imprégnés de grave aménité, aux éloges. L'un d'eux se pencha imperceptiblement en avant, le visage soudain pensif. Le vieillard saisit le mouvement du regard.

« Ike », reprit-il en levant son verre, « nous aimerions vous confier une mission de plus. Elle consiste à faire parvenir un message à diverses publications. »

Ike s'inclina. Le vieillard lui tendit une enveloppe.

« Bientôt nous rentrerons tous au pays », ajouta le vieillard. « Il convient d'être au foyer quand la tigresse enfante. »

Ils sourirent tous.

60.

Pratique inhabituelle, le *Wall Street Journal* publia un placard au cœur de sa première page, précédé de l'avertissement suivant :

> Nous avons reçu le texte suivant, déposé au journal par un courrier non identifié. Nous ne pouvons garantir que les auteurs soient les responsables de la vague d'attentats singuliers qui secoue le monde depuis plusieurs mois. Nous ne pouvons non plus l'exclure. Dans le doute, nous avons, cette fois, préféré ne pas nous abstenir.

SEMONCE AUX AVEUGLES QUI PARLENT DES ÉTOILES

Voici bien des lunes que l'arrogance des marchands dévaste la planète, lui imposant l'esprit de lucre sous couleur de prospérité économique et la sottise sous prétexte de divertissement. Le sens ordinaire indique pourtant que celui qui vend ce qu'il ne possède pas est un voleur, et c'est bien le cas des financiers, banquiers et autres tenanciers de tripots du monde prétendu industriel : en effet, chaque jour le volume des échanges monétaires internationaux, soit douze cents milliards de dollars, représente quarante fois celui des paiements de biens réels.
Vos sociétés sont donc fondées sur le vol. Leurs responsables ne sauraient ignorer le châtiment promis aux voleurs.
Vos États, qui se prétendent l'émanation de ces sociétés et qui, par leurs singeries, font rire les singes dans les forêts, courent

aussi après le gibet : ils frappent monnaie à leur gré, c'est-à-dire qu'ils ont élevé le mensonge à la hauteur des lois. Car on ne frappe monnaie que lorsqu'on dispose de sa contrepartie en or, mais le seul or de vos dirigeants est celui qui couvre leurs âmes cariées. Vos économies érigées en dieux ne sont que les oripeaux du mensonge, de la prévarication et de l'ordinaire infamie.
Le fouet suffirait comme arme à qui voudrait se soucier de ces meutes d'escrocs. Toutefois, il y a plus grave. Vous avez avili l'être humain et prétendez lui maintenir la tête enfouie dans la fange de vos économies putrides. Il n'est qu'à observer vos foules hagardes qui, au terme d'une journée d'esclavage, courent chez elles s'abîmer dans la contemplation de télévisions plus délétères que les vapeurs sucrailleuses des fumeries d'opium de jadis, celles que les Anglais entretinrent en Chine pour abrutir les pauvres. Ou qui s'essaient à oublier leur misère dans la crapulerie de simagrées virtuelles et copulatoires. Votre chrétienne hypocrisie a fermé les vrais bordels pour leur substituer des simulacres plus rentables. Vos jeunesses ne sont plus que des bandes de déshérités aux poches gonflées de drogues et de bank-notes sans valeur, vos écrivains ne sont plus que des écriveurs publics.
Vos laboratoires exploitent la maladie en vendant les médicaments à des criminels. Vos propriétaires exploitent le besoin de dormir en louant à des insanes, grisés par vos discours de voleurs et de misérables, des taudis pour les chiens. Vous exploitez la mort, dont vous vous engraissez, comme les vers le font des cadavres.
Juste retour des choses d'ici-bas, c'est chez vous que la drogue sévit. Vous aviez jadis espéré asservir l'Asie grâce aux fumeries d'opium. Vous êtes gangrenés par des fumeries à l'échelle de vos nations. Les innocents et les faibles s'efforcent d'oublier grâce à la drogue le spectacle de vos purulences. C'est parmi les vôtres que vous comptez désormais vos victimes. Vous exploitez l'infortune de ceux qui, à juste titre, trouvent votre univers immonde : vous leur vendez des drogues légales, aussi infectes que celles que vous prétendez illégales.
Toute vertu a disparu de vos villes. Vous les avez transformées en bazars et en lupanars. Vous avez beaucoup agité l'horreur

des camps nazis et staliniens, mais New York, Londres, Paris ou Madrid sont d'autres camps de la mort lente. Ne l'avez-vous pas vu ? N'avez-vous pas saisi le regard de l'automobiliste fou enfermé dans sa boîte de fer qui tente d'aller d'un point à un autre, sans autre espoir que celui de sa pitance ?
Nous ne pouvions pas vous laisser poursuivre votre œuvre de mort. Nous vous avons donné d'abord quelques coups de semonce, en démontrant la misère de vos prêches télévisés et de vos pouvoirs politiques : une seule pitrerie suffit à vous mettre à genoux ! Puis nous vous avons montré l'infinie faiblesse de vos systèmes économiques et financiers. Vous ne nous avez pas crus. Aveugles, vous avez continué à parler des étoiles. Nous avons alors dû sévir plus fort.
Nous venons de détruire vos réseaux d'information. Vous pouvez juger de nos moyens. Nous ne les avons pas tous déployés. Si vous tentez de vous reconstituer, tels que vous avez été avant de susciter notre colère, nous irons plus loin et nous vous contraindrons à gratter la terre à l'aide de vos ongles pour y déterrer des racines. Nous pouvons arrêter pour longtemps tout transport d'électricité dans vos sociétés. Nous ne le faisons pas tout de suite pour éviter les souffrances d'innocents. Mais si vous ne vous réformez pas, nous agirons.
Réformez-vous. C'est le dernier avertissement.

Dieudonné lut l'article dans un des fauteuils de cuir de l'ancien hôtel particulier de Thérèse Lachmann, plus connu sous le nom de Traveller's Club, aux Champs-Élysées. Son œil se perdit dans les décors chocolat de cette folie de cocotte.

« Ils avaient raison », murmura-t-il en vidant sa tasse de café. « L'ennui, c'est qu'à partir du moment où quelqu'un parle de morale, c'est qu'il s'apprête à vous étrangler. »

Était-ce un bouddhiste qui avait écrit cela ? Il n'en était pas sûr.

61.

La Diète japonaise siégea en session extraordinaire. L'objet en était la publication de l'avertissement anonyme par le *Wall Street Journal* et la mise en cause internationale, explicite et implicite, de groupuscules japonais dans les événements extraordinaires et subversifs qui secouaient le monde depuis des mois. Le ton monta vite. Le ministre de l'Intérieur fut bientôt traité d'incapable, de vendu et même de voyou par un député de l'opposition, particulièrement échauffé. Sur quoi certains membres de la majorité et de l'opposition échangèrent des horions, grimpèrent sur les bancs et, d'une travée l'autre, toutes dents dehors et les masques convulsés, entendirent régler leurs différends à l'aide de coups de pied et d'invectives aboyantes. Puis un énergumène apparut, tira des coups de feu dans le tas, abattit un député et fut lui-même tué par un autre. La police s'en mêla, et la séance fut ajournée dans un hourvari difficilement descriptible.

Le ministre de l'Intérieur français donna une conférence de presse télévisée et utilisa des termes tels que « mise en demeure inadmissible », « infraction aux lois internationales des sociétés civilisées » et autres banalités. Le présentateur de la télévision lui demanda si ces références rhétoriques avaient quelque chance de contrecarrer les menées d'un groupe qui s'en émeuvait apparemment comme d'une guigne ; le ministre évoqua une mise en cause de la démocratie. Ce qui fit beaucoup rire certains mauvais esprits.

Un parti socialiste se constitua aux États-Unis, et menaça de se désagréger aussitôt, du fait des factions qui le fissurèrent dans les jours suivants, deux personnalités afro-américaines déclarant qu'elles n'entendaient pas marcher sous la houlette d'idéologues juifs, tandis que les juifs, eux, déclaraient qu'ils n'iraient pas défendre la démocratie aux côtés de racistes-fascistes. Sur quoi le Parti gay, qui avait rallié la coalition, en vint aux mains avec les deux autres. Lors d'une manifestation théoriquement communautaire sur la Cinquième Avenue, des dames musclées recoururent à ce qu'en boxe française on appelle galamment la « pointe aux noisettes », le tout sous les yeux distraits de la police montée. Le sort du Parti socialiste américain apparut soudain incertain, du moins jusqu'aux assises annoncées à Boston, le mois suivant.

Ces péripéties brochèrent sur un fond d'excentricités que la chronique relevait en quelques lignes. À Rome, un prêtre s'installa sur les marches du Mémorial à Victor Emmanuel II et lut l'Apocalypse de l'aube au crépuscule, en s'aidant d'un système de haut-parleurs emprunté à un night-club. À Oslo, des adeptes d'une secte que nul ne s'entendait à décrire défilèrent tout nus devant le palais royal, annonçant le second retour du Christ. À Téhéran, des flagellants tournoyèrent torse nu dans les rues en se fouettant avec des lanières crochues et, saisis d'une soudaine frénésie, dirigèrent bientôt leurs fouets vers les passants. À Kiev, les affiliés de la secte jusque-là obscure des Saints Frères Varangues se barricadèrent dans l'église Sainte-Sophie et décrétèrent la grève de la faim jusqu'à ce que l'Ukraine tout entière se repentît.

Dans l'ensemble du monde occidental, les activités les plus ordinaires furent secouées de soubresauts d'un type inconnu. Un pilote de la Lufthansa refusa de décoller de

Francfort, sous le prétexte que ses réacteurs souilleraient la pureté du ciel. À Buenos Aires, un agité coupa l'alimentation électrique d'une moitié de la ville, assurant que tout le mal du monde procédait de l'électricité. À Londres, un fou enfermé depuis une semaine dans une salle de sex-shop virtuel mourut d'épuisement onaniste. La distribution du courrier dans le monde industriel devint aléatoire. Une vraie putain de la rue Saint-Denis, à Paris, fit soudain fortune parce que ses clients furent agités de l'envie furieuse d'un corps sans capteurs, ni virtualité aucune, autre que le fonctionnement de ses glandes.

Élie Schwartz, directeur d'un hebdomadaire parisien jadis connu pour ses opinions dites « de gauche », au temps où le monde avait cru que la faim était un problème idéologique, avait réuni à dîner chez lui cinq de ses collaborateurs les plus fidèles. Installés dans des fauteuils de cuir, ils se servirent, après le repas et par ordre de préséance, de l'armagnac, du cognac et des alcools blancs, de flacons de cristal taillé. La télévision était allumée, mais le son atténué jusqu'à en être inaudible. Les six hommes étaient silencieux, voire moroses. De fait, depuis le début de la crise mondiale, le journal, pris de court, n'avait pu que rapporter ce que les quotidiens et les médias électroniques survivants avaient déjà décrit, en accommodant ses textes à ce qu'on appelait de la sauce, c'est-à-dire d'improvisations plus ou moins philosophiques et plus ou moins originales, d'informations glanées auprès de gens qui en savaient un peu plus que les autres, mais beaucoup moins que la vérité. D'un hebdomadaire aussi prestigieux, on eût attendu mieux. L'occasion avait été belle pour faire monter les ventes, mais aucun des six hommes présents n'était parvenu à trouver la moindre clef aux événements singuliers qui piquetaient le globe terrestre comme autant de boutons causés par un accès de fièvre impossible à diagnostiquer.

« Nous sommes tous convenus », dit Schwartz, « que, sauf coïncidence extraordinaire, les apparitions mystérieuses, les tripotages de cassettes de réalité virtuelle, la falsification du discours de Thorpe, puis celle du discours de Bezoukhov, le coup d'État de Téhéran et, pour finir, la destruction du système américain, puis mondial, de télévision sont l'effet d'une volonté déterminée, d'un plan organisé d'anéantissement de ce que le monde est devenu depuis la fin de la Deuxième Guerre mondiale. Or, personne, apparemment, n'a la moindre idée de l'identité ni des buts du groupe qui a organisé cette sorte d'apocalypse lente. »

Il but une gorgée de cognac et reprit :

« Voici une situation sans précédent dans l'histoire du monde. Un petit nombre d'hommes se trouvent en mesure de mettre à genoux un ensemble de puissances industrielles, des États riches de leurs PIB, de leurs industries, de leurs banques, de leurs armées, sans que personne ne sache rien de leurs intentions. Nous ne sommes certainement pas les plus bêtes ni les moins bien informés du monde, mais nous n'en sommes pas plus avancés pour autant. »

Il balaya du regard les visages de ses invités et se demanda un moment bref s'il avait été utile de dépenser tant d'argent, alcool et nourriture, pour obtenir des expressions aussi mortes. Un dîner de cadavres, pensa-t-il brièvement.

« Nous savons tous ce que pense l'Élysée », répondit Jérôme Legras, son rédacteur en chef. « Ce sont des Japonais. Et des bouddhistes. Ils ont des moyens financiers et techniques, qui ne sont cependant pas démesurés, comme on eût été tenté de le croire. Ils sont astucieux. Ils exploitent avec un talent esthétique l'effet de surprise. Ils appliquent l'une des vieilles règles des arts martiaux, dépenser le moins possible d'énergie pour parvenir à un résultat maximal. Je suis allé une fois à un festival de ces arts martiaux. J'y ai vu des hommes immobiles jeter au tapis des agresseurs de deux ou trois gestes bien conçus, en ayant simplement l'air de chasser une mouche. Je partage l'opinion des experts de l'Élysée, que je ne connais pas : ce sont bien des Japonais. Cet art de l'économie ironique n'a été développé à ce degré de raffinement que par les bouddhistes japonais de l'école zen. »

Il but une lampée de son armagnac et reprit :

« Je ne suis toutefois pas de ton opinion, Élie. Tu dis que c'est une situation sans précédent. Or, il y a deux mille ans, une poignée de convertis qui se réclamaient, à tort d'ailleurs, d'un autre Juif nommé Jésus ont réduit en poussière le vaste Empire romain, et cela avec infiniment moins de moyens techniques et financiers que nos Japonais. »

« Que veulent-ils donc ? » demanda Schwartz.

« Le propre des bouddhistes zen est de ne pas répondre aux questions. Une question est sotte par définition. Le présupposé occidental selon lequel il y a des questions et des réponses est inconnu et frappé d'inanité par avance. Le bouddhiste zen ne connaît que les actions et les réactions. Toute personne qui demande une réponse prouve par là même qu'elle n'a pas été capable de la trouver seule, et donc qu'elle n'a pas les moyens d'en assumer la portée », répondit Legras. « Les gens qui posent des questions ressemblent aux enfants. On peut leur expliquer que, s'il y a un jour et une nuit, c'est parce que la Terre tourne autour du Soleil, mais les enfants savent à peine ce qu'est la Terre et encore moins ce qu'est le Soleil ; c'est peine presque perdue que leur répondre. À l'évidence, nos terroristes veulent la fin d'un certain monde occidental. Celui que nous appelons depuis vingt ans celui de la communication. »

Tout le monde regardait l'écran muet de la télévision.

« Nous nous posons en tout cas des questions bêtes », murmura Jacques Niederweiller, un gros garçon somnolent dont les mèches sales masquaient le regard brunâtre.

Niederweiller tenait la rubrique « philosophie » du journal ; l'occupation était occasionnelle. Niederweiller passait souvent deux à trois semaines sans offrir une ligne de prose, mais nul ne se fût avisé de mettre en doute son utilité au journal. Niederweiller était l'un des plus brillants disciples, sinon le plus brillant, d'un philosophe respecté des années quatre-vingt. Il touchait une rente viagère du jugement que ce philosophe avait énoncé sur lui : « Niederweiller est l'un des rares esprits libres que je connaisse. » Il buvait sa rente avec intempérance.

Schwartz l'interrogea du regard. Il ne répondit pas.

« Qu'est-ce que tu veux dire ? » demanda Corinne Miège, rédactrice en chef adjointe.

« Ce que j'ai dit », répondit insolemment Niederweiller.

On l'interrogea encore, d'un faisceau de regards concentriques.

« Ben quoi », s'écria Niederweiller. « C'était devenu invivable, nous en convenons tous. Il n'y avait pas besoin d'être bouddhiste zen ou je ne sais quoi pour s'en aviser et prendre les moyens qui s'imposaient pour y mettre fin. Nous sommes bombardés à chaque minute de notre vie de tonnes d'informations que nous sommes incapables d'assimiler et qui, bien pis, nous rendent indifférents à la réalité. Nous ne savons même plus ce qu'est la réalité. Les équipements de réalité virtuelle sont l'un des rares domaines commerciaux en véritable expansion depuis trois ans. Personne, dans le monde occidental, ne supporte plus la réalité. Il en est d'ailleurs ainsi depuis près d'un siècle. Ça a commencé avec le cinéma, qui proposait des images de faux êtres vivants, de projections fantasmatiques, et qui a fini par nous offrir des humanoïdes. Vous n'avez jamais pris conscience, non, du fait que les Robocops sont les fils de Jean Harlow et de Marilyn Monroe ? Ça ne vous a jamais effleuré l'esprit ? Et pourtant, c'est la vérité, là ! Depuis dix-huit ans que je travaille pour toi, Élie, je vous ai surpris au moins sept fois à ressusciter le mythe de Marilyn Monroe ! Une idiote boutonneuse que le cinéma vous a présentée, non, imposée, injectée en intraveineuse comme le comble de la féminité exquise ! Hein, Élie ? Combien de milliers de dollars as-tu payés dans ton journal pour des photos prétendument inédites de Marilyn Monroe ? Vous avez tous, tous ici, vénéré Marilyn Monroe comme les Grecs n'avaient jamais vénéré Artémis ou Vénus, et comme les chrétiens du Moyen Âge n'ont jamais adoré la Vierge Marie ! »

Élie Schwartz souriait pensivement pendant cette diatribe.

« Nous nous sommes prétendument affranchis de la religion pour tomber dans une religiosité encore pire, une superstition crasseuse et branleuse où nous finissions par considérer les vedettes du cinéma et de la télévision comme des gens réels et importants, des archétypes, pour user du langage de ce vieux curé graveleux de Jung. Nous ne vivons plus que de façon virtuelle, en regardant la télé, qui nous montre des images dont la rémanence n'est pas supérieure à dix secondes, une étude du CNRS l'a démontré. On nous montre tous les soirs, tous les matins, tous les midis, des scènes atroces après un tremblement de terre. Cadavres partout, vieilles femmes en train de pleurer. Guerre civile. Bambins morts, aveuglés, décervelés, saignant de tous les bouts. Femmes violées, et j'en passe. Un festival de rap, des mecs à poil ou des travelos percés de part en part en train de gueuler des insanités meurtrières sur un rythme qui aurait ennuyé un Australopithèque, et dont le thème profond est : "Branle-toi et tue ta femme, puis flingue-toi." Un type en costard qui inaugure je ne sais quelle usine d'équipements spatiaux. L'inauguration d'un "centre de loisirs", comme s'il y avait une circonférence de loisirs. Le présentateur lui-même zappe comme une bête, quinze à vingt secondes par scène, parce qu'il sait qu'à la limite on s'en fiche. On peut aussi bien inaugurer à Palavas-les-Flots un bordel pour chiens ou des pompes funèbres pour Martiens, tout le monde s'en archifout, hein, ça fera à peine l'objet d'un démarrage de conversation pendant le dîner. On zappe nous-mêmes, on passe à un film d'horreur ou, si l'heure en est venue, à un film cochon. Les femmes ne peuvent plus regarder leurs mecs, ni les mecs leurs femmes. Je me demande même si vous avez été capables de m'écouter jusqu'au bout, vous non plus ne pouvez plus vous concentrer sur une idée pendant plus de dix secondes. Résultat : néant. C'est toujours la même chose, quoi. Cadavres. Toutes les soirées de toutes les capitales du monde ressemblent de plus en plus à une visite dans les catacombes de Palerme. On est cadavre, on regarde les autres cadavres, et on s'en fiche, parce qu'on est mort. »

Niederweiller se leva et arpenta fiévreusement la pièce sous les regards inquiets de ses collègues.

« Vous avez épuisé toutes les idées, le marxisme, le capitalisme, les religions. Vous avez épuisé tous les plaisirs, les petites filles dans les bordels de Bangkok, les petits garçons aux Philippines, la bagnole, la drogue, les week-ends à Deauville et les voyages parmi les reptiles géants des Galapagos. Vous connaissez tous les vins et toutes les situations. Vous vous êtes fait fouetter par des viragos aux cuissardes noires, vous avez dégusté du serpent et de l'ours polaire, vous rentrez chez vous, après des parcours automobiles qui eussent glacé d'horreur saint Antoine, visionner la plus récente cochonnerie de réalité virtuelle. Vous n'existez pas. Je voudrais vous insulter, je ne le peux pas, on n'insulte pas des cadavres ! »

« Jacques... », protesta Schwartz. « Jacques, nous t'avons écouté, je... »

« Écouté ? Écouté ? Mais je me fiche que vous m'écoutiez ! Tu nous as convoqués sous le prétexte de déchiffrer les évidences, Élie. Tu ne les vois pas, ces évidences ? Tu ignores que tu es mort et que tu édites un journal pour macchabées ? La moitié en est constituée de programmes de télévision du monde entier, de revues de cassettes de films de réalité virtuelle, de boîtes pour fantasmes virtuels, l'autre moitié de références pédantes à un monde qui n'existe plus ! »

« Jacques ! » cria Schwartz.

« *Jacques !* » parodia Niederweiller d'une voix de fausset. « Jacques, il te dit merde, mon vieux. Il vous dit merde à tous ! Il démissionne ! Ici ! Joyeux vers pour l'éternité, bande de morgueux ! »

Il posa son verre sur la table, quitta la pièce, saisit son imperméable dans l'antichambre et gagna l'escalier sans même prendre la peine de refermer la porte. L'assistance demeura consternée. Legras se leva pour aller fermer la porte.

« Peut-être que nous devrions tous démissionner, Élie », dit au terme d'un silence gêné Philippe de Bassan, un frêle jeune homme aux yeux masqués de grosses lunettes. « Et toi le premier, Élie. »

« C'est décidément contagieux ! » s'écria Corinne.

« J'ai compris pourquoi les bouddhistes veulent détruire notre univers, dit Bassan. Vous l'avez compris aussi. En fait, je crois que nous l'avons tous compris. »

62.

« Presque parfait », dit l'un des experts techniques de la Banque de France, examinant le premier billet de dix mille yens d'une liasse de cent. Les presses bourdonnaient.

Le gouverneur, Dieudonné et Dutertre considéraient d'un air songeur des caissettes de liasses, marquées « Chine », déjà remplies et prêtes à partir pour l'aéroport du Bourget, sous leur surveillance. Deux autres livraisons suivraient le lendemain. Duperreau, les yeux rouges, vacillait d'épuisement. Le gouverneur lui serra la main.

« Je rentre dormir », dit Duperreau.

Des commis chargeaient les caissettes sur un diable. Une heure plus tard, Dieudonné et Dutertre suivaient la camionnette, elle-même précédée de deux voitures de police banalisées, deux autres fermant le convoi.

Dans le Concorde présidentiel, prêté pour la circonstance, Dieudonné allongea les jambes, croisa les mains sur son estomac, ferma les yeux et ressentit à peine le décollage. Il n'avait pas beaucoup dormi, lui non plus, ces trois derniers jours. Et un goût de poussière ne quittait plus sa bouche.

Des militaires guidèrent Dieudonné et Dutertre à peine débarqués vers le général Ten Yen, qui attendait dans sa voiture, à l'aéroport de Shanghai. Dutertre tenait encore une canette de bière à la main. Sans descendre, le général serra cordialement les mains des deux Français.

« Alors ? » demanda-t-il.

Dieudonné indiqua les chariots qui convoyaient les caissettes vers un hangar. Le général fit signe aux deux Français de monter dans sa voiture, qui se dirigea vers le hangar et y pénétra. Le général n'aimait pas beaucoup marcher. Il consentit quand même à quitter son siège quand la voiture se fut arrêtée et que les portes du hangar eurent été refermées. Dutertre s'empara du tournevis que tenait un mécano et décloua le couvercle de la première caissette de la pile qu'avait amenée le chariot. Le général inspecta, le cou tendu, le contenu de la caissette. Dutertre dégagea une liasse et de celle-ci tira le premier billet, qu'il tendit au Chinois. Le général considéra le billet un moment, leva des yeux malins vers les Français, sortit un billet équivalent de sa poche, puis se mit sous un plafonnier, ajusta un compte-fils à son œil droit et compara longuement les deux billets. Dutertre sirotait sa bière. Dieudonné la lui prit des mains et la vida d'un trait. L'examen n'en finissait pas. Le général tendit les deux bank-notes à un officier hélé du geste. L'officier détailla à son tour l'original et la copie. À la fin, il se tourna vers son supérieur et hocha la tête à plusieurs reprises.

« *Excellent !* » s'écria le général en anglais. « Aussi bonnes que les nôtres ! Allons, nous sommes attendus pour les décollages », dit-il.

Tout le monde remonta dans la vaste Mercedes, et la voiture repartit à petite allure vers un terrain isolé, lourdement gardé, ceint de hauts treillages qui semblaient électrifiés. Un détachement d'une dizaine d'hommes les attendait à la porte d'un hangar. Ten Yen descendit, suivi de ses hôtes. Il entra le premier dans le hangar. Dieudonné éprouva un choc. Des engins ailés s'empilaient par dizaines sur des rayonnages. Le général Ten Yen avait compris rapidement l'intérêt du projet français. Il s'en était sans doute approprié l'idée et s'en vantait auprès du Parti. Mais cela avait-il de l'importance ? L'essentiel était qu'il avait mis ce projet à exécution dans des délais extraordinairement courts. Dieu savait combien de prisonniers politiques avaient travaillé jour et nuit à la construction de ces aéronefs pour en produire une telle quantité en onze jours.

« Moteurs de vélos à essence », dit le général en se tournant vers Dieudonné.

« Ils n'ont pas chômé, eux non plus », observa Dutertre.

« Carcasses de bambou et de toile », expliqua le général, toujours souriant. « Électronique élémentaire, évidemment, mais suffisante, nous l'avons mise à l'essai. Vous allez pouvoir en juger. »

Il donna un ordre. Un des appareils fut tiré hors du hangar sur une petite plate-forme à roulettes. Un militaire, une télécommande en main, suivit l'appareil, appuya sur un bouton et l'hélice du petit avion se mit à tourner. Le militaire appuya sur un autre bouton. L'appareil commença à rouler sur la piste. Une autre commande le fit décoller. L'engin oscilla dans la brise et gagna de l'altitude. À deux cents mètres, si l'on n'y prêtait garde, on l'eût pris pour un oiseau de proie.

« Quatre-vingts kilomètres à l'heure, dit le général. La saison est tout à fait propice. Les vents Pacifique du nord-est sont ascendants, de même que les vents de mousson du sud-ouest. Ils mèneront nos messagers quasiment à destination. Chaque avion porte dix millions de yens. »

« Vous comptez les récupérer ? » demanda Dutertre.

« Non », répondit le général. « Ils devraient revenir en Chine, en effet, mais s'écraser dans les montagnes de Mandchourie. Ou couler en mer. »

« Quel est le système de largage des billets ? » demanda encore Dutertre.

« Simple. Une trappe télécommandée s'ouvre, le vent s'engouffre et balaie les billets à l'altitude approximative de cinquante mètres. Nous avons prévu cinq vagues de cinquante avions, échelonnées de douze heures en douze heures. En soixante heures, nous devrions avoir largué mille milliards de yens sur le Japon », dit avec un large sourire le général Ten Yen.

À trois ou quatre cents mètres, l'avion décrivit un tour complet et revint se poser. Le général applaudit, les militaires aussi, Dieudonné et Dutertre de même. Le général donna un ordre. L'opération commença. À la cadence d'un décollage toutes les cinq minutes. À l'intérieur du hangar, le général montra à ses visiteurs la carte qui permettait de suivre une à une les trajectoires des appareils sur quelque mille cinq cents kilomètres.

La première vague devrait, le lendemain matin, avoir couvert de bank-notes le territoire japonais jusqu'à Osaka. La seconde, le soir du même jour, jusqu'à Tokyo. Les trois suivantes jusqu'à Sendai, Hakodate et Wakkanai.

« Le règne du mensonge », murmura Dutertre.

« Que dit votre ami ? » demanda le général.

Dutertre répéta sa réflexion. L'interprète la traduisit. Le général réprima un sourire.

« Le mensonge ou le sang », dit-il. « Pour une fois qu'on peut les dissocier ! »

Il fit raccompagner les Français à l'hôtel et leur annonça qu'il donnait le soir même un dîner en leur honneur. Sa voiture passerait les chercher. Ce fut presque un souper intime ; le général n'y avait convoqué que trois de ses hommes. Ten Yen parla de la Cochinchine, Kaen T'sin, dont il semblait garder la nostalgie. Dieudonné parla du Japon. Les Chinois l'écoutèrent attentivement. Dutertre ne lâcha pas un mot.

Au retour, ils trouvèrent chacun dans sa chambre une demoiselle accorte et fort aimable, garantie sans maladies. On frappa à la porte de Dieudonné. C'était Dutertre, goguenard.

« Il y a une femme dans ma chambre ! Qu'est-ce que je fais ? »

« Vous baisez, Dutertre. C'est le dessert », répondit Dieudonné qui, lui, était en caleçon.

À 3 heures du matin, Dieudonné s'éveilla, d'abord sans savoir pourquoi. Puis il le comprit ; il entendait de la musique. Elle était très faible, mais il la reconnaissait quand même ; c'était la *Passion selon saint Jean* de Bach. Il crut qu'il perdait la raison. Il s'efforça d'en discerner la source. Il était seul dans son lit, la mousmé était discrètement partie et, il en était sûr, elle ne lui avait pas pris un liard. Enfin, il devina que la musique provenait de l'autre côté du mur qui le séparait de la chambre de Dutertre. Il alla toquer discrètement à la porte de ce dernier. Dutertre lui ouvrit. Ils se firent face un long moment. Dieudonné jeta un regard sur le magnétophone miniature. Dutertre lui tourna le dos et rentra dans sa chambre. Dieudonné l'y suivit, refermant la porte derrière lui.

« Ne me posez pas de questions », dit Dutertre d'une voix sourde. « J'en ai assez. J'ai besoin d'innocence, de foi, de gaieté et pas de ces combines internationales et sataniques auxquelles vous m'avez fait participer depuis je ne sais combien de jours. J'ai besoin de ma race, de ma foi et de ma culture. Je n'ai pas besoin d'une pute de Shanghai qui me turlute au nom des peuples. J'ai besoin de ma femme et de la tarte aux abricots. J'en ai marre de ces torrents d'intelligence machiavélique. Me comprenez-vous ? » rugit-il, faisant soudain face à Dieudonné.

« Très bien », répondit doucement Dieudonné. « Je suis dans le même cas que vous. Nous luttons contre un monde faux et virtuel. Nous faisons, vous et moi, la même guerre, me comprenez-vous, Dutertre ? »

Dutertre le fixait, les bras croisés sur son torse nu.

« Je voudrais en être sûr. »

« Il existe au moins deux ennemis de la race humaine, Dutertre. Le mensonge et la volonté de puissance. »

« Pékin. 3 heures du matin. Nietzsche. Quoi d'autre ? »

« Le monde se joue à ce niveau-là, ce n'est pas mon choix. »

« ... *Und Jesus sagt zu ihm...* »

Dutertre soupira.

« Allez-vous-en », dit-il. « Allez-vous-en, Dieudonné. Si vous méritez votre nom. »

Dieudonné sortit. Dutertre rouvrit la porte et lui chuchota passionnément :

« Savez-vous, Dieudonné, je finis par être partisan de vos moines bouddhistes ! Ils me font penser aux anges exterminateurs ! Vous savez ce que c'est ? »

Il paraissait assez exalté. Dieudonné regagna sa chambre passablement soucieux.

63.

« Tue ! Tue ! J'aurai ta peau, salope ! »

« Zing ! Tu es escagassé, crotte de rat ! »

Agrippant les manettes de leurs consoles interactives, deux garçonnets s'efforçaient de se désintégrer mutuellement dans l'appartement paternel, Via della Riparata, à Rome. Leurs hurlements, encore plus forts que ceux du groupe de *crag* Hell and Death diffusé en images stéréo avec système quadriphonique, alertèrent les voisins de l'étage inférieur, qui montèrent revolver au poing. Au moment où ils sonnaient à la porte, prêts à faire sauter la serrure, les deux frères en étaient venus aux mains et ils avaient roulé par terre en tentant de s'entr'égorger.

« Qu'est-ce que c'est ? » demanda la mère en voyant deux hommes et une femme pointer des revolvers en direction de son nombril.

« Il y a un meurtre chez vous ! »

« Quel meurtre ? Ce sont Gaetano et Gilberto qui font un peu de vidéo ! »

« Vous n'entendez pas leurs cris ? Nous allons appeler la police des mineurs ! »

« Bon, bon, je vais leur dire de se calmer. »

Elle soupira et alla chercher à la salle de bains une bombe aérosol d'Euphoria des laboratoires Sato. Elle pénétra dans la chambre au moment où Gaetano, le visage pourpre, tentait de dégager son cou des doigts de son frère. Elle vaporisa quelques généreuses bouffées du produit en direction de ses enfants. Gilberto relâcha sa pression et Gaetano s'assit pour tousser.

« Mamma, il ne fallait pas », susurra Gilberto, « on s'amusait tellement... »

Puis il retomba sur le sol, un sourire angélique sur les lèvres.

« Les voisins se sont énervés », expliqua-t-elle en arrêtant les vidéos et la télé. Puis elle referma la porte.

C'était le même produit, mais appelé « Neige de printemps », que les exploitants de galeries vidéo de Tokyo, d'Osaka, de Yokohama et des autres villes japonaises étaient tenus de diffuser en continu. Avant la circulaire qui avait imposé cette mesure, la police avait dû intervenir à plusieurs reprises pour séparer des joueurs devenus fous furieux.

64.

Les passagers du vol 311 Berlin-Chicago attachèrent leurs ceintures, feuilletèrent l'un la revue de bord, l'autre le programme des jeux vidéo et des films offerts, tandis que d'autres enlevaient leurs chaussures, fouillaient dans leurs sacs-cabines ou desserraient leurs cravates. Le Boeing 747 avança lentement vers la piste. Le bourdonnement des moteurs s'enfla et l'on s'attendit à la course avant l'arrachage du sol.

Mais tout d'un coup, un silence parfait se fit. La climatisation s'interrompit, l'obscurité tomba.

Un quart d'heure passa dans une perplexité croissante.

« Mesdames, messieurs, je suis au regret de vous informer que cet appareil ne peut pas décoller. Les réacteurs sont bloqués. Nous allons devoir débarquer. Je vous présente mes excuses au nom de la compagnie. »

L'appareil fut remorqué vers l'aérogare. Les passagers prirent place plusieurs heures plus tard dans un autre appareil. L'incident fit grand bruit. Aux hangars de réparation, on constata que les axes des rotors avaient été bloqués par un mystérieux produit, comparable à un plastique très dur. À quel moment ce produit avait-il donc pu pénétrer dans les réacteurs ? Les deux pilotes furent incapables de fournir là-dessus le moindre renseignement. Le commandant du vol déconcerta beaucoup les commissaires chargés de l'enquête quand il rapporta qu'il lui semblait avoir vu sur la pelouse, à brève distance de son appareil, des lapins bizarres.

« Comment, bizarres ? » demanda le premier commissaire d'enquête.

« Oui, un peu trop gros, un peu trop immobiles. D'habitude, les lapins fuient quand un avion approche. Et puis il m'a semblé qu'ils dégageaient une sorte de vapeur rose. »

On crut le commandant dérangé par la contrariété que lui avait causée son décollage avorté.

Mais la presse allemande reçut le lendemain un communiqué ainsi libellé :

> L'incident du vol 311 doit vous servir de leçon. Vous voyagez trop. Vous utilisez trop de carburant précieux, vous polluez le ciel et vous vous agitez trop. Nous vous invitons, vous et les autres pays du monde, à restreindre le nombre de vols. Nous vous conseillons par ailleurs de réduire sensiblement le trafic automobile. Trop de gens se servent de leur voiture sans raison valable. Nous pouvons également immobiliser vos autos. Ne nous contraignez pas à prendre des mesures autoritaires.

L'indignation qui s'exprima par la presse mondiale, les lettres de lecteurs, les radios et les télévisions qui fonctionnaient encore, les sondages d'opinion tint en peu de mots : « Ces salopards voudraient nous réduire en esclavage ! »

On commença à s'intéresser aux fameux lapins. Il existait de fortes chances que ce fussent des lapins mécaniques et télécommandés, qui avaient, en effet, diffusé le mystérieux plastique. Le commandant en chef de l'OTAN, le général Walter T. Carnap, faillit s'en étrangler de fureur. La quasi-totalité des chefs d'État, des chefs d'état-major, des grands industriels et des grands banquiers commença à y perdre le sommeil. Ces diables d'ennemis invisibles trouvaient toujours un nouveau moyen de manifester leur puissance. Que voulaient-ils ? Étouffer le monde ? Le transformer en un grand monastère bouddhiste ? Comment leur ferait-on donc entendre raison ?

Un gadget nouveau apparut dans les boutiques et débits de tabac d'Occident : de petits bouddhas de plastique noirâtre, du crâne desquels émergeait une mèche. Quand on allumait celle-ci, il s'en dégageait des gerbes d'étincelles qui faisaient la joie des enfants.

65.

« Jean ! »

Petite, brune, un peu trop enveloppée, le cheveu plat, les yeux marron, banale enfin, et fagotée au-hasard-Balthasar. Mais elle riait des yeux. Il s'efforçait de l'identifier, car il connaissait déjà son visage et cette mèche un peu grasse sur un front bombé d'enfant, quand elle demanda, d'un ton provocateur, sur le fond de jazz enregistré que débitait le bistrot des Halles que voilà, à l'intention de ceux qui commençaient tôt leur soirée :

« Qu'est-ce qu'on fait ce soir ? »

Il l'avait rencontrée jadis, avant... Mais avant quoi, il n'eût su le dire. Le fait est qu'il y avait eu un « avant », cruel et gai comme la fausse jeunesse, car la jeunesse est naturellement tendre et pensive ; et, bien qu'il n'eût que vingt-huit ans, il savait désormais qu'il l'avait consommée d'un coup. Il avait vieilli d'un cran, comme le monde. Il lui avait poussé comme une sensibilité neuve. Il restait conscient qu'il convenait d'encadrer les mots de guillemets, car ce « désormais » remontait à deux jours, peut-être trois, tout comme le « jadis » ne pesait guère plus que quelques mois.

« Tu ne réponds pas ? » demanda-t-elle d'un ton qui semblait ne pas attendre de réponse.

Il était sûr qu'il se faisait draguer ; lui qui avait pourtant dérivé dans bien des filets, interrogeant la largeur des mailles qui le drainaient, vieille mine flottante, vers une explosion de plus, l'embrassa du regard, puis détailla le décor de vieux cuivres, de faux vieux bois et de miroirs artificiellement ternis du bar, et sourit du fond de son cœur.

« On peut aller dîner au Vieux Hussard avec Gilles et Hélène », dit-elle encore.

Le Vieux Hussard, il se le rappela soudain : c'était là qu'il l'avait négligemment caressée du regard. Mais il avait alors — c'était l'époque électrique et fantomatique — appréhendé de se retrouver seul avec elle, avec une femme, avec n'importe quelle femme, une nuit d'accord, mais je pars le matin, ne me pose pas de questions, et il n'avait pas donné suite à leur échange muet. Puis il éprouva une certaine anxiété : ne l'avait-il pas rencontrée au Virtual Saloon, une salle de réalité virtuelle où l'on projetait des films réalistes ? Il la scruta de ses yeux bleus. Elle ne vit pas la méfiance, non, elle ne vit que des yeux bleus où elle crut lire de la confiance.

« Au Vieux Hussard, alors », répondit-il enfin, après avoir traversé les cinq continents et bravé les vagues monstrueuses du cap Horn, c'est-à-dire après avoir dominé sa méfiance.

Un musicien délégué par les anges eût sans doute joué en accompagnement un de ces airs de viole de Bodin de Boismortier ou de Marin Marais qui semblent vaguer à l'humeur du vent, car l'oreille distraite n'en devine pas aisément la résolution.

« À 8 heures », précisa-t-elle, incertaine, interrogative et sans doute inquiète.

Il trouva à sa voix des accents de clavecin et hocha la tête en recueillant du bout de la cuiller, puis de la langue, le sucre qui n'avait pas été dilué dans le café. Une lassitude agréable envahit ses muscles, comme le premier sommeil après une grippe. J'ai dû être malade, se dit-il, une vie de maladie. Elle observa qu'il n'avait pas beaucoup parlé.

« Je suis content de te retrouver », dit-il, soudain honteux de son personnage de beau et nonchalant ténébreux, néanmoins surpris d'être touché par une fille qui n'était ni très jolie ni très éloquente.

Gêné, il laissa de la monnaie sur le comptoir et s'en alla sur un sourire qui s'étira dans l'air, bien au-delà de son visage et de sa présence ; un sourire qui rayait le décor. En partant, il nota que le calendrier annonçait le 21 octobre.

Or, ce 21 octobre là, soit quelques heures avant la sonate inachevée du bar des Halles et une quinzaine de jours après les premiers ravages des bactéries qui avaient démantelé les systèmes câblés américains, la banque française Paribas adressa un fax à sa filiale néerlandaise, instruisant le transfert d'un million deux cent mille florins de Rotterdam à Francfort. Ce fax, qui constituait l'une des étapes d'une vaste réorganisation de ces cartels qu'on nommait depuis longtemps multinationales, n'arriva pas à destination. Le récipiendaire du transfert, le président de la Deutsche Elektronische, inquiet autant que stupéfait, adressa au bout de six heures d'attente un fax courroucé au siège de la banque parisienne, requérant des explications. Ce fax n'arriva pas non plus. Le secrétariat de la Deutsche Elektronische tenta d'obtenir Paris au téléphone, mais sans succès. Ce ne fut qu'un cas parmi des centaines de milliers d'autres. Le nord de la France ne répondait plus. L'ouest de l'Allemagne non plus. Le sud de l'Angleterre avait été atteint par le mal, de même que le Benelux, le nord de l'Italie et une partie de l'Espagne. Les complexes systèmes de télécommunications, essentiellement constitués de satellites relais et de réseaux câblés, rongés par des bactéries venues du fond des mers et des âges, avaient chu dans un silence minéral, tellement simple qu'il en paraissait bête. Le temps avait simplement fait son œuvre un peu plus vite.

« La voilà donc, la nouvelle Grande Peste ! » murmura le président de la Deutsche Elektronische.

Mais il se trouva lui-même grandiloquent. On ne ramassait pas les cadavres dans les rues, quoi ! Et ce fut même le fait qu'il trouvât à midi du goût à sa salade de jambon qui le contraria. L'homme avait-il été créé pour créer à son tour des fortunes par l'électronique ?

L'infection qu'on avait espéré limitée au territoire américain avait donc gagné l'Europe. Une cellule d'urgence installée à Strasbourg, au Conseil de l'Europe, reportait sur une carte du monde les rapports de messagers humains et les rapports hertziens émanant des armées des pays touchés. Car il n'y aurait plus, pour une période de temps indéterminée, que les rapports hertziens, réservés aux messages de la plus haute importance. Le préposé de la cellule, un avenant jeune homme qui ne se doutait pas qu'un grand illustré allemand le qualifierait, reproduisant sa photo, d'« Ange de l'Apocalypse », coloria en rouge les régions condamnées au silence. L'épidémie semblait s'être déclarée à l'est de la région parisienne. La contamination avait bizarrement atteint l'ancienne Tchécoslovaquie et la Yougoslavie, où les combattants en guerre depuis quatre ans se trouvèrent soudain réduits à l'inactivité. Plus à l'est encore, l'épidémie sévissait de Kiev à Rostov et paraissait s'infiltrer en Iran. Elle sévissait en tout cas en Asie. Une large tache rouge semblait couler de Pékin à Tokyo, laissant tomber des gouttelettes sanglantes sur l'Asie du Sud-Est. Hong Kong était, en effet, touché, de même que Taiwan. Seuls l'Australie et le Pacifique, ainsi que des régions éparses de l'Amérique du Sud et de l'Afrique, semblaient pour le moment épargnés.

Assez curieusement, plusieurs réseaux fermés de grandes firmes étaient restés indemnes. Dans les bureaux de l'IG Metall, de l'Ente Nazionale Idrocarburi, de Rhône-Poulenc, de la General Motors, par exemple, on pouvait très bien se téléphoner d'un poste à l'autre de l'entreprise. Mais on n'atteignait plus l'extérieur. Ces îlots d'immunité ne dureraient sans doute pas éternellement, et, déjà, les liaisons de certains secteurs se dégradaient.

La réduction du monde entier au silence électronique n'était plus qu'une question de jours.

La presse du monde entier, pourtant privée de la plus grande partie de ses moyens de communication, s'accorda pour une fois sur le même mot.

« *Silence !* » titra *The Times.* « *Schweigen !* » la *Frankfurter Rundschau.* « Silence ! » *Libération.* « *Il silenzio è ormai universale* », annonça le *Corriere della Sera.* « *Tykho* », proclamèrent les *Izvestia.*

À l'exception de celles que diffusaient les télévisions locales et de celles que relayaient directement les satellites à l'intention des propriétaires d'antennes paraboliques, les images se raréfièrent considérablement, et l'on ne leur accorda plus qu'un crédit restreint. La méfiance avait gagné les esprits. Dieu savait quel salopard avait truqué les images qu'on voyait, fussent-elles les plus innocentes. On pouvait toujours se rabattre sur les cassettes vidéo, les bidimensionnelles et les virtuelles. Mais le cœur n'y était plus. Les clients craintifs des boutiques sexuelles de fantaisie en trois dimensions évoquèrent les débauchés du désespoir dans les citadelles assiégées que décrivent les récits immémoriaux, ceux où la dernière princesse se laisse mourir de faim plutôt que de faire rôtir le dernier rossignol. À l'exception de ceux qui fonctionnaient par radio, les téléphones s'empoussiérèrent ; seule demeura la radio, souveraine.

Les techniciens des télécommunications et leurs financiers, affolés par le tarissement d'une source de revenus qu'ils avaient crue éternelle, promirent du sans-fil général. On ne trouva plus un seul téléphone portatif dans aucune ville du monde industriel. « La panne ne peut être éternelle », assurèrent les uns, puis les autres ; les meilleurs cerveaux dans le domaine de la communication s'y employaient activement. Les prochains réseaux seraient à l'épreuve de tout sabotage ; ils seraient immatériels. On le crut à moitié. Les plus informés s'inquiétèrent de l'encombrement des ondes. La foi dans la technologie toute-puissante subit le même sort que toute religion qui n'a cru que dans la parole de ses mythes. « Voilà donc la spiritualité qui revient ! » ricanèrent les mauvais esprits. Mais une nouvelle crainte gagna : les bactéries monstrueuses n'allaient-elles pas attaquer les réseaux électriques et plonger, cette fois, le monde dans l'obscurité ?

Ce fut dans l'obscurité, mais désirée celle-là, que le beau ténébreux rouvrit les yeux après un court sommeil. Ses sens perçurent un corps nu à ses côtés, et il devina que ce corps dormait encore. Il ressentit le souvenir des mains sur ses oreilles, tout à l'heure, et sa respiration s'accéléra. Il s'efforça, car il était musicien, de reconstituer la musique qui se disait là. Une basse d'accompagnement, un clavecin, une viole et la mélodie qui serpente sur le fond en mineur de la basse obligée. On s'entendait respirer.

66.

L'opération des bank-notes aéroportées avait commencé le jeudi et atteint son premier objectif le vendredi aux premières heures de la matinée. Ç'avait été le soir du vendredi que Tokyo avait subi l'assaut de la fortune. De retour à l'hôtel pour se rafraîchir après une journée passée à visiter Shanghai, Dieudonné reçut un appel de la part du général Ten Yen.

« Le général vous prie de regarder le bulletin d'information de la télévision à 7 heures. »

Dieudonné appela Dutertre. Ils ne comprirent évidemment rien aux discours du présentateur. Mais les images qui suivirent se passaient de commentaires. Une rue, pleine de voitures presque immobilisées, d'individus en proie à une gesticulation incompréhensible, de cris, de klaxons. Gros plan d'une femme qui tenait trois billets de dix mille yens. D'un vieillard aux yeux fous qui courait après d'autres billets. D'un policier qui s'en mettait plein les poches. De gens aux fenêtres agitant les bras.

« Prenez CNN », dit Dutertre.

La chaîne américaine révéla que le chaos durait dans la capitale japonaise depuis le coucher du soleil, c'est-à-dire depuis près de trois heures. Les images bousculées montraient que le cameraman avait éprouvé de la peine à conserver son équilibre dans la cohue. La situation était semblable à Osaka, Kyoto, Kobé et dans toutes les villes du Sud. Même dans les villages de campagne. Le Japon était inondé de milliards de yens tombés du ciel. Convoqué d'urgence, le Conseil des ministres n'avait pas encore pu se réunir, du fait de la paralysie quasi totale de la circulation.

« Reste à savoir s'ils vont comprendre », observa Dieudonné.

« Remède de cheval que celui que nous leur avons administré », dit Dutertre. « Le désordre est le pire qu'on ait connu dans n'importe quel pays du monde. »

Ils allèrent dîner. À leur retour, ils rallumèrent la télévision. Un mystérieux communiqué était arrivé par porteur aux bureaux de l'*Asahi Shimbun.*

Le terrier de la belette est enfumé. Pour cela, il a fallu enfumer le jardin. Un bon jardinier se défait de la belette.

Dutertre se mit à rire. Son rire sonna étrangement faux, du moins aux oreilles de Dieudonné.

« Ce pays est fascinant. Je vais demander à être mis en poste ici. »

« Ne vous y risquez pas », répondit Dieudonné. « C'est le paradis des mythomanes, les autres finissent vite par s'ennuyer. »

Le lendemain, ils prirent congé du général Ten Yen par téléphone. Deux colis leur furent remis à la réception ; celui destiné à Dieudonné était un bol Song du Nord, du type dit Clair de lune. Rien, du lait de lune répandu sur un bol évasé. Il contenait une carte, écrite en français : *Avec les compliments du général Chi Ten Yen.* Dutertre, lui, eut droit à un bol Ming exquisément fleuri.

Ils rentrèrent par le vol régulier d'Air France. On projeta à bord un film évidemment stupide.

« Je vous le répète, Dieudonné », dit Dutertre, « je me demande si nos amis bouddhistes n'avaient pas finalement raison. »

67.

Le Japon ne sortit de ses embouteillages qu'au bout de quatre jours, de sa confusion matérielle qu'au bout de quinze jours. La confusion financière, elle, serait incomparablement plus difficile à traiter. La première mesure qui s'imposait était de remplacer toutes les coupures courantes. Un système de détection extrêmement subtil devait, annonçait-on, permettre de distinguer les fausses bank-notes des vraies. Mais l'épuration exigerait des semaines.

« Le jardinier nettoie son jardin », déclara le Premier ministre japonais lors d'une conférence de presse télévisée.

Aucun journal toutefois n'annonça la mort de l'illustre moine Yagamawa. Mais il était vrai qu'on avait enregistré un nombre de suicides supérieur à la moyenne.

Pour le reste du monde, le mal avait été fait. Il faudrait, désormais, reconstruire la plus grande partie du réseau mondial de communications. C'était comme un lendemain d'ivresse. Fallait-il vraiment reconstruire ce réseau ? demandèrent certains.

« Que penses-tu de tout ça ? » demanda un soir Mary Thorpe à son mari, qui dévorait un épi de maïs bouilli au beurre fondu, dans un de ces rares moments d'intimité que le couple présidentiel parvenait encore à se ménager.

« Je ne me rappelle pas très bien les paroles de Jésus quand il décrit la fin du monde et dit que celui qui est sur le toit de sa maison n'a pas besoin de redescendre. Je ne pense rien. Je me demande si la présidence des États-Unis revêt encore un sens. »

Elle le regarda longuement.

« Il me semble que quelque chose d'utile doit sortir de tout cela », murmura-t-elle. « Je ne sais pas quoi, mais quelque chose. Je me sens en paix, Wayne, comme une femme qui mène sa grossesse à terme. »

68.

Dès leur arrivée à Roissy, Dieudonné et Dutertre furent convoqués à l'Élysée. Le président exultait, proférait des généralités excessives, s'attribuait quasiment, entre deux félicitations, le mérite d'avoir rétabli la situation mondiale, projetait la convocation d'une conférence internationale sur la sécurité, fit six fois le tour du bureau et se rassit autant de fois. Dieudonné éprouvait simplement le besoin de prendre une douche et le sentiment de sortir d'une longue maladie. Dans la voiture qui le ramena rue Las-Cases, il jeta sur la place de la Concorde, la statue de Sully devant le Palais-Bourbon, le ministère de la Guerre et les boutiques d'antiquaires, un regard d'archéologue. Le temps s'était accéléré, les siècles ne duraient plus qu'une décennie, à cinquante ans on était déjà centenaire.

Le point saillant de son état d'esprit était que le dénouement de l'aventure qui avait duré quelque deux mois ne lui procurait aucun soulagement. Le monde moderne avait été détruit aussi sûrement qu'il l'eût été par une guerre nucléaire. L'intervention chinoise avait juste stoppé l'enchaînement infernal d'offensives qui eût dû ramener l'état universel à peu près à ce qu'il avait été deux ou trois siècles auparavant. Les terroristes avaient voulu annihiler les transports internationaux. Les réseaux d'information. Les systèmes économiques. À cela, ils n'étaient pas vraiment parvenus. Les transports reprendraient. Les réseaux seraient reconstruits. Les systèmes économiques seraient reconstitués, fût-ce sous des bases différentes. Mais ils avaient miné la confiance.

Il téléphona à Nade ; il n'obtint que son répondeur, ce qui lui parut singulier, car elle avait été dûment avisée de son retour. Sans doute était-elle en route pour chez lui. Il prit une douche, se rasa et enfila un peignoir. Puis il défit ses valises, se prépara une vodka tonic, alluma la télévision pour retrouver le fil de son existence antérieure et retourna à ses valises. Il en sortit le bol Song, cadeau du général Ten Yen, et le posa sur la commode. Plus d'une demi-heure s'était écoulée depuis son coup de téléphone à Nade, et elle n'était toujours pas là. Était-elle allée faire des emplettes pour préparer un dîner à la maison ? Il tria le linge sale et le fourra dans le couffin réservé à cet usage, puis s'assit pour siroter sa vodka en contemplant le bol et ses coulures de lune.

« Un très joli bol, en effet, monsieur Dieudonné », dit une voix d'homme derrière lui.

Dieudonné posa tranquillement le bol sur la table basse devant lui ; il avait reconnu la voix, et son cœur battit beaucoup plus vite que d'ordinaire. Lentement, il se retourna. C'était bien Hideshi Yagama, dans un imperméable noir, debout dans l'embrasure de la porte qui menait au vestibule. Il tenait en main un assez curieux revolver.

« Vous avez sans doute cru à la victoire, monsieur Dieudonné. Vous avez failli la remporter. Mais je suis venu vous dire que vous avez seulement bénéficié d'une péripétie favorable. Nous reprendrons la tâche là où elle a été interrompue par votre astuce. Seulement, nous la reprendrons sans être gênés par vous. »

« Vous êtes venu jusqu'ici pour me dire cela ? » dit Dieudonné d'une voix qu'il s'efforça de garder égale.

« Pas seulement pour vous dire cela, mais pour vous tuer. Ce revolver ne projette pas de balles », dit Yagama avec cette diction précise jusqu'à en être pédante que Dieudonné avait remarquée lors de la rencontre à New York. « Il projette des fléchettes qui diffusent instantanément un poison curarisant. On réchappe parfois d'une balle de revolver, mais pas de ces fléchettes. C'est un cadavre un peu bleui que trouvera votre maîtresse, dès que nous l'aurons laissée repartir. »

« Vous êtes frivole, Yagama », dit Dieudonné en s'asseyant de côté plus confortablement, l'œil fixé sur le minuscule trou noir de l'arme et s'efforçant de ne pas se représenter l'angoisse de Nade. « Il y en aura d'autres qui prendront ma relève. Vous cédez au vertige de la victoire. »

« Non, je suis déterminé, monsieur Dieudonné. Seuls les êtres nobles sont convaincus et déterminés. Vous étiez de loin le plus astucieux de nos ennemis potentiels. »

« Comment avez-vous su que c'était moi qui avais inspiré l'offensive chinoise ? » demanda Dieudonné.

« Par votre ami Dutertre. »

Le cœur de Dieudonné battit encore un peu plus fort. Dutertre avait donc trahi. Dieudonné crut percevoir un petit bruit et supposa, dans un moment de vertige, que c'était le déclic de l'arme. Il retint son souffle. Mais en une fraction de seconde il vit que Yagama s'était retourné, qu'il avait poussé un cri de rage, que deux hommes avaient surgi et que, tandis qu'ils lui maintenaient le cou et les bras, l'un d'eux lui enfonçait un poignard effilé dans le cœur. Yagama s'effondra.

« Il est à vous », dit l'un des hommes en japonais. « Vous saurez quoi en faire. »

« Qui êtes-vous ? » demanda Dieudonné, qui s'était relevé.

« Peu importe. Yagama et ses acolytes étaient beaucoup trop obstinés. Ils avaient fini par nuire à nos intérêts. »

Ils ne regardèrent même pas le cadavre qui gisait à leurs pieds. La porte claqua. Dieudonné avala le reste de sa vodka et appela immédiatement le commandant Baudrier. Puis il se pencha sur Yagama et s'étonna qu'un projet aussi grandiose que celui qu'avait nourri ce jeune homme eût pu se développer avec autant d'ampleur dans ce petit crâne. L'idée lui vint qu'il existait aussi des cancers intellectuels. Il la trouva vite ridicule, mais elle s'imposa quand même.

Avaient-ils torturé Dutertre ?

69.

Baudrier trouva Dutertre allongé sur son lit, un revolver auprès de lui, et le crut mort. Il saisit le revolver dans un mouchoir. Puis il se pencha sur Dutertre et faillit se trouver mal. Les yeux cillaient. Ils le regardaient même.

« Je ne suis pas mort », articula difficilement Dutertre. « C'est Dieudonné qui est mort. Emmenez-moi à l'hôpital. »

Il ne pouvait même plus se tenir debout. Baudrier fit appeler une ambulance.

Ce ne fut que le lendemain qu'ils comprirent que Yagama lui avait fait une injection de penthotal. L'effet de la drogue avait été considérablement aggravé par la prostration psychologique du jeune homme. Quand Dieudonné alla lui rendre visite, il poussa un hurlement qui alerta les infirmières du Val-de-Grâce. Dieudonné lui prit la main.

« Je ne suis pas mort, Dutertre. Vous n'y pouviez rien. »

Dutertre se mit à pleurer. On lui fit une injection. Il s'endormit.

Le déroulement des faits fut patiemment reconstitué. Les yakuzas, car c'en étaient, avaient suivi Yagama depuis son retour en France avec un faux passeport. Ils l'avaient laissé interroger Dutertre, mais, sachant qu'il repartirait sitôt après qu'il aurait assassiné Dieudonné, ils l'avaient exécuté là, non tant pour protéger Dieudonné, sans doute, que pour en finir avec un fanatique qui contrariait leurs projets. Car ils avaient été, eux aussi, ruinés par l'inondation de yens.

Baudrier partit avec Nade dans un long voyage en Polynésie.

70.

Pour des raisons qui firent la fortune de nombreux météorologues, et qui variaient de l'un à l'autre de ces augustes augures, une tempête d'une violence inconnue de mémoire d'homme, c'est-à-dire pas vraiment grand-chose, ravagea le golfe du Mexique et le sud des États-Unis. Six comtés du Texas furent dévastés : Glasscock, Midland, Sterling, Upton, Reagan et Irion. De plusieurs de leurs villes il ne subsista que marécages, boues et décombres. Des vents tourbillonnaires atteignirent des vitesses de plus de deux cents kilomètres à l'heure. Une série de cyclones déferla sur les cinq États du Sud, suscitant d'innombrables tornades, colonnes d'air surchauffé dont les parois externes crépitaient d'étincelles. Balayant les lacs et cours d'eau, elles déclenchèrent dans les États voisins, Arizona, Nouveau-Mexique, Oklahoma, Arkansas, Louisiane, des raz-de-marée fluviaux qui dévastèrent des villes au hasard, jusqu'en Virginie, en Géorgie et au Mexique. À Waco, Marlin, Navasota, par exemple, il sembla ainsi que la rivière Brazos eût quitté son lit pour se jeter soudain dans les artères de la ville. Des dormeurs furent réveillés par le choc de leurs voitures contre les murs de leurs maisons ou les craquements de toitures qui s'envolaient. Près de Burkett, une famille qui célébrait un mariage dans des libations un peu tardives sentit la maison vaciller et se trouva soudain flottant sur les eaux déchaînées du lac Brownwood. Vers 3 heures du matin, des pluies diluviennes, qui tournaient parfois aux trombes, s'abattirent.

Il fit quasiment nuit plusieurs fois pendant trois jours. Les rares images qui purent être transmises de ce bouleversement exceptionnel (on avait, peu à peu, reconstitué certains réseaux ou secteurs de réseaux) épouvantèrent les Amériques et le monde entier. Leur impact fut d'autant plus rude qu'elles étaient confuses : arbres secoués par des tempêtes furieuses, maisons en ruine, véhicules fracassés, ouvrages d'art écroulés, le tout balayé par des pluies torrentielles. L'angoisse qu'elles engendraient était insoutenable, car ni l'armée de terre ni l'armée de l'air américaines ne pouvaient porter le moindre secours aux populations dévastées. Des garnisons entières de l'armée étaient elles-mêmes en difficulté, sans moyens d'action, sans approvisionnement, les hommes étant de surcroît saisis par la terreur qu'inspirait cette catastrophe sans précédent connu. « Changement climatique mondial », déclarèrent les experts.

L'ampleur de la couche nuageuse qui gagna d'abord le nord des États-Unis, puis traversa l'Atlantique dans le sens des vents alizés, vers l'Europe, propagea la terreur jusqu'aux territoires qui n'avaient pas été directement atteints par la catastrophe. Sur toutes les villes de la côte est des États-Unis, on dut s'éclairer à l'électricité comme en pleine nuit. D'innombrables vols transatlantiques et transpacifiques, parmi ceux qu'on avait maintenus, furent suspendus. L'Amérique se trouva quasiment isolée du reste du monde.

Entre autres effets, l'explosion secoua le ranch des Compagnons de la Dernière Heure, à Lawton, jeta plusieurs sectaires à bas de leurs lits et la peur les propulsa à l'extérieur, de toute la force de leurs jambes. Robbie s'éveilla, hagard, enveloppa Nella dans ses couvertures, la prit dans ses bras, puis courut lui aussi sur le pas de sa cabane. Ils furent ainsi une centaine à vivre ce cauchemar. L'aube orangée qui se levait au sud sema des reflets rouges d'effroi dans les yeux.

« La Fin ! C'est la Fin ! » cria une femme.

« C'est une bombe atomique ! » dit un homme, tremblant de tous ses membres.

« On va mourir ? » demanda Nella en pleurant.

« Non, ma chérie », répondit Robbie en lui caressant les cheveux, bien qu'il fût lui-même persuadé de la fin imminente du monde et, pourquoi pas, de l'univers.

Certains s'égaillèrent dans la cour en s'arrachant les cheveux et en hurlant des paroles incohérentes, d'autres demeurèrent cloués sur place, pareils à des statues livides, considérant la lumière rouge qui s'étendait dans le ciel, nimbée d'une auréole noirâtre. Un homme s'écroula. Plusieurs minutes s'écoulèrent avant qu'un des Compagnons courût à son secours et appelât du renfort. Mais l'homme était déjà mort.

Le Grand Compagnon, le chef de la confrérie, reconnaissable à sa cagoule rouge, emboucha un haut-parleur mobile et cria :

« C'est l'heure, mes frères ! Préparons-nous dans la prière à affronter le Créateur ! Regroupez-vous au milieu de la cour ! Et prions ! »

Fut-ce que sa voix manquait de conviction ? L'ordre de recueillement resta sans effet. Ceux que la panique avait saisis n'entendirent pas son invite et se ruèrent vers les hautes portes du ranch pour les déverrouiller et s'enfuir dans la nature. Ils s'y colletèrent avec les quatre Compagnons portiers de service, qui dégainèrent leurs armes pour faire reculer les assaillants. Mais les coups de feu qu'ils tirèrent d'abord en l'air, à titre d'avertissement, ne firent qu'exacerber la violence des ouailles. Celles-ci se jetèrent sur les quatre hommes, en assommèrent trois et étranglèrent le quatrième, cependant que le Grand Compagnon, ayant, lui aussi, dégainé son revolver, vociférait de façon incompréhensible. Trop tard, les portes avaient été ouvertes. Une masse de pénitents s'y engouffra et disparut dans la nuit. Ne demeurèrent que ceux qui semblaient avoir été frappés de stupeur et qui n'avaient toujours pas bougé depuis que l'aube rouge leur était apparue. Certains coururent refermer les portes.

« Rentrez dans vos cellules ! » hurla le Grand Compagnon.

Sa face massive, luisante de sueur, évoqua alors pour Robbie une image du diable. Des pénitents s'affairèrent à repousser les dernières ouailles dans leurs cabanes. Robbie, qui tenait toujours Nella dans ses bras, muette d'épouvante, rebroussa chemin. Mieux valait encore un toit sur la tête jusqu'à ce qu'on vît s'il y aurait une aube. Convaincu qu'une bombe atomique avait explosé sur l'Amérique, il raisonna et décida qu'il valait mieux se protéger des poussières radioactives, à coup sûr imminentes.

Allongé sur son lit, Nella serrée contre lui, Robbie guetta de tous ses sens les signes que l'environnement ne manquerait pas de prodiguer après une attaque atomique. Il croyait que c'était cela, une attaque atomique, perpétrée par qui, il l'ignorait, l'Ennemi héréditaire, le Communisme, l'Athéisme, le Matérialisme, quoiqu'il n'eût qu'une idée extrêmement vague de ce que ces termes grandioses et maléfiques pouvaient recouvrir.

Il se demanda pourquoi le Grand Compagnon n'avait pas ordonné un regroupement dans les caves du ranch, car le monastère disposait d'un souterrain auquel on accédait par la chapelle. La réponse qui se faisait lentement jour dans son esprit était inattendue : le Grand Compagnon était un garde-chiourme et un hypocrite. Si le chef suprême avait vraiment cru que c'était la fin du monde, pourquoi avait-il empêché les ouailles de s'enfuir ? Au nom de quoi prétendait-il les retenir prisonnières dans son enclos ? La vérité était probablement que c'était un suppôt du diable ! Le souvenir de son visage violent s'imposa sans remède à la mémoire de Robbie. Nul doute ! C'était un démon !

Une rafale de vent fit vibrer les murs. Quelques minutes plus tard, une autre rafale, plus violente et plus longue, commença de faire vibrer le toit de tôle ondulée, puis la pluie crépita sur le métal avec un vacarme infernal.

« Qu'est-ce qu'il y a ? » demanda Nella.

« La pluie, ma chérie. Un orage. »

Mais le vent gagnait en force. Des objets indistincts dévalèrent la cour et allèrent se fracasser contre Dieu savait quoi. Robbie se leva et alla regarder par la fenêtre ce qui se passait dans la cour. Les murs tremblèrent. Un pénitent, se dirigeant sans doute vers le portail, s'efforçait de lutter contre le vent, qui lui arracha sa capuche et finit par le plaquer contre un mur. Pas de doute, une tornade se levait. Robbie tourna son regard vers le bureau du Grand Compagnon et y vit de la lumière. Puis la porte du bureau s'ouvrit et le suppôt de Satan lui-même apparut dans l'embrasure, embrassant la situation du regard. Une rafale plus violente que les autres arracha alors le toit du bureau et le plongea dans l'obscurité. Qu'allait maintenant faire cet être infect ? Sans doute gagner le souterrain. Mais pourquoi n'alertait-il pas le reste des ouailles ?

Robbie décida d'agir le plus rapidement possible. La cabane allait-elle résister ? Elle était ancrée à un monticule qui en protégerait au moins les cloisons des assauts de la tempête pendant un moment.

« Attends-moi ici, ma chérie. Ne sors sous aucun prétexte », dit-il.

Il poussa péniblement la porte qui claqua derrière lui avec une violence effroyable, puis courut comme un boulet, dans un élan de ses quatre-vingt-dix kilos, vers le bureau du Grand Compagnon. Il haletait encore quand il devina une forme à genoux, qui dirigeait le faisceau d'une lampe de poche vers un coffre-fort ouvert. Des liasses, des liasses de dollars ! L'homme en emplissait une mallette. Et il n'avait pas fini ! Le Grand Compagnon s'avisa d'une présence dans son bureau, se retourna et braqua son revolver. Robbie esquiva le coup de feu et plongea sur le suppôt de Satan. La torche électrique valdingua dans un coin, tandis que le vent saccageait le bureau, détachait les papiers, et que les murs tremblaient, menaçant de s'arracher à leurs fondations.

« Tu allais t'enfuir, crapule, étron du diable ! » grommela Robbie en serrant la gorge du Grand Compagnon, qui s'efforçait de retrouver l'arme perdue dans la mêlée. « Et tu voulais me tuer, ordure ! »

Dans un accès de fureur qui mobilisa toute son adrénaline, Robbie assomma son adversaire en martelant le plancher de son crâne épais. Le Grand Compagnon devint enfin inerte. Robbie esquiva une poutre que le vent abattit dans la pièce. Puis il avisa la mallette, la ferma, chercha le revolver perdu, le trouva, l'empocha, et courut à travers la cour vers sa cabane. Le vent était si violent que la toiture ne résisterait pas indéfiniment. Robbie força la porte, s'empara de Nella et ressortit. Tenant toujours sa mallette d'une poigne d'acier, longeant les cabanes, terrifié à l'idée d'une poutre qui l'assommerait ou d'un éclat de verre qui lui trancherait le cou, il parvint à la chapelle.

Celle-ci tremblait sur ses fondations, gémissant et grinçant comme une légion d'âmes endurant les affres du purgatoire ou de l'enfer. Robbie chercha fiévreusement l'accès du souterrain. Le clocher se décrocha du toit, ouvrant une fente par laquelle le vent s'engouffra avec fureur, renversant le crucifix. Enfin Robbie aperçut une trappe derrière l'autel. Il l'ouvrit, descendit l'échelle pour mettre en sécurité la fillette et la mallette bourrée de dollars, puis remonta et rabattit la trappe.

« Où sommes-nous ? » demanda plaintivement Nella.

« En sécurité, ma chérie. »

Une veilleuse de secours éclairait le lieu. Robbie s'assit

pour reprendre son souffle, repérant du regard les détails de la cave. Elle était bétonnée et résisterait à plus d'un assaut de la nature, d'une bombe atomique ou Dieu savait quoi. Des portes en garnissaient les parois. Un abri pareil devait posséder sa propre alimentation en électricité. Il en chercha le commutateur et le trouva dans un placard. La lumière baigna soudain l'abri. Robbie fut alors saisi d'une crainte qui le rendit perplexe. D'autres Compagnons devaient connaître l'existence de ce refuge. Devrait-il les accueillir ou les rejeter à l'extérieur ? Et les autres pénitents ? Presque simultanément, la trappe s'ouvrit et Robbie haleta d'angoisse. Il vit un pied, banda ses forces pour rejeter l'intrus, puis s'avisa que le pied était noir et qu'il se posait maladroitement sur les traverses de l'échelle. C'était une femme, une vieille Noire qu'il connaissait et qui pleurait, paralysée par la peur, incapable de trouver assez de forces pour continuer sa descente. Robbie alla l'aider et la vieille lui tomba presque dans les bras.

« Seigneur tout-puissant ! » hoquetait-elle.

Et elle s'écroula par terre, hébétée.

Robbie referma la trappe, un vacarme infernal se déchaîna au-dessus de lui. L'église avait été balayée par la tempête. Il chercha de l'eau, finit par trouver une réserve alimentaire, en tira une bonbonne, remplit trois verres, en donna un à la vieille, un autre à Nella, et vida le troisième d'un coup. Il en but quatre verres, puis il s'assit et sombra dans un sommeil aussi brutal que les événements qui s'étaient déroulés depuis son réveil.

71.

Deux jours, trois ? Pourquoi pas quatre ou cinq ? Robbie eut beau calculer le nombre d'heures écoulées à sa montre-bracelet depuis qu'ils s'étaient terrés dans l'abri antiatomique du Grand Compagnon, il se paumait dans ses calculs. Il y renonça provisoirement. Il essaya d'allumer la télévision, l'écran ne lui offrit que des parasites vaguement coupés d'images bizarres, des fantômes noyés dans des gribouillis migraineux.

Un effort de volonté l'aida à conserver une certaine dignité au bénéfice de Nella. Il s'occupa de la baigner, de la peigner, de la distraire avec un jeu de Scrabble qu'il avait trouvé là.

La négresse les observait, hagarde. Elle était restée un temps indéfinissable allongée sur une banquette, tournée contre le mur, sans manger, presque sans bouger. Elle ne pleurait même pas. Abattue comme un chien qui aurait perdu son maître, elle était indifférente aux deux autres êtres humains qui partageaient l'abri avec elle. Sans doute était-elle allée aux toilettes, mais même ça, Robbie n'en était pas certain. Puis elle avait changé de côté et, quand elle avait vu sur la table de la nourriture, des saucisses chaudes, du porridge au lait, des biscottes et de la confiture, elle avait écarquillé les yeux, comme si elle avait eu des hallucinations.

« Viens manger », lui dit Robbie.

Elle fondit en larmes.

Des bourdonnements firent vibrer le ciel à l'aube. Une aube extraordinaire, saumon vif.

Une escadrille de huit hélicoptères partie des environs de Wichita descendit à trois cents mètres quand elle fut parvenue, après deux haltes de ravitaillement, dans le périmètre de la zone dévastée. Le premier signe de vie qu'aperçurent les occupants, militaires et journalistes, fut une bande de coyotes, que le bruit des pales interrompit dans le dépeçage de cadavres de vaches. Un peu plus loin, ce furent des chevaux qui broutaient paisiblement.

À bord des hélicoptères de l'armée, militaires et journalistes scrutaient le sol. Pas un humain. Les caméscopes tournaient, les caméras cliquetaient. Nul n'articulait un son, à l'exception des pilotes, qui maintenaient le contact radio avec la colonne de véhicules de secours de l'armée. Un paysage d'après la fin du monde.

Quand les plus violents effets de la tempête se furent dissipés sur le territoire américain et dans l'air et les océans environnants, la première réaction du monde fut une fébrile curiosité. Des reporters et des scientifiques vinrent de partout : de Pékin, de New Delhi, de Sydney, de Rio de Janeiro. Les images que pouvaient encore transmettre les réseaux de télévision ne suffisaient pas à combler le besoin de savoir quels avaient été les causes et les effets de la catastrophe qui avait frappé l'Amérique. Mais avant d'accorder les autorisations de se rendre sur les territoires dévastés, les autorités fédérales guettaient sur les images des satellites les premiers signes indiquant le retour du calme. Les premières autorisations furent accordées à des Américains. Des militaires, des médecins, des géologues et une poignée de journalistes.

Peu après 10 heures du matin, les enquêteurs à bord des hélicoptères atteignirent les zones dévastées. Un médecin dans le deuxième appareil se mit à pleurer.

« Qu'est-ce que c'est ? » cria un journaliste dans l'hélicoptère de tête. « Regardez ! Regardez ! Des gens ! »

Dans un champ tout noir, en effet, tous purent distinguer trois êtres humains, un homme, un enfant et une femme. Des ordres filèrent de l'hélicoptère de tête aux autres, qui firent des cercles et se posèrent dans un tourbillon épouvantable de boue noire. Au cœur de la piste d'atterrissage improvisée, les trois êtres humains se tenaient toujours debout. Les portières des hélicoptères s'ouvrirent et une ruée de militaires et de journalistes pataugea dans la gadoue vers les survivants.

Robbie les regarda courir, et ses yeux se mouillèrent. Il parcourut du regard l'immense désert détrempé, se pencha vers la petite fille et soudain se dit que ce visage d'enfant était la plus belle chose du monde.

« Tu vois, Nella, c'est Mafa au ciel qui t'a protégée. Nous sommes sauvés. »

Elle était emmitouflée dans une couverture grise. Il la prit dans ses bras et faillit basculer parce que la négresse s'accrochait maladroitement à lui. Le terrain était, en effet, glissant.

Deux jours plus tard, à l'hôpital, Robbie ouvrit la mallette dans les chiottes. Il compta quelque deux millions de dollars. Sans qu'il faille voir là aucun rapport de cause à effet, il devint également athée. Ç'avait été Mafa qui les avait protégés, c'était tout. Pas Dieu. Dieu, d'ailleurs, il se demandait qui c'était.

72.

Anomie. Le terme, forgé en 1884 par le philosophe français Émile Durkheim pour désigner l'absence d'organisation naturelle ou légale, fut redécouvert par la plus grande partie de la planète Terre. Ou plutôt, il fut vécu.

En apparence, la vie continuait. À New York, Ralph C. Woolleridge achetait, comme il l'avait fait des années durant, son journal du matin au kiosque à l'angle de la 21e Rue, puis il prenait l'autobus pour aller à sa banque entre la 53e et la 54e sur Park Avenue est. Des cyclistes parcouraient toujours les allées de Central Park, et les écureuils à l'œil de gigolos insolents trouvaient toujours, sur les pelouses, des promeneurs pour leur offrir des cacahuètes. À Paris, tout comme avant, mais avant quoi, nul n'eût su le dire, Marie Maillet faisait une halte, en sortant du métro Franklin-D.-Roosevelt, sur le chemin qui la menait vers sa parfumerie, pour déguster un croissant et un café-crème. Alfredo Mezzanotte, propriétaire de la cordonnerie Mezzanotte, via Condotti, prenait toujours, à 7 heures, son Campari à la terrasse de Doney's.

Personne ne regardait plus beaucoup la télévision. On écoutait, certes, la radio, mais la télévision, bof ! Les quelque mille satellites de retransmission, y compris les trois cents, sur les huit cent cinquante projetés, qu'avaient lancés d'ambitieux Américains en 1996, ne transmettaient plus grand-chose. Les employés et videurs des galeries de télé virtuelle commençaient à se tourner les pouces en regardant leurs montres. La clientèle se faisait rare. Il y a des moments mous dans l'histoire du monde. Celui-ci cuvait une cuite monstrueuse d'informations et d'images ; il évoquait un Léviathan en convalescence après une maladie consomptive, survivant dans une torpeur boueuse et, de temps à autre, saisi d'un spasme et fouettant de sa queue les marécages de sa naissance et de sa mort, aspergeant les alentours de fange.

Pour ce qui était du quotidien, des entreprises, surgies de la nécessité comme des souris de l'abandon des taudis, faisaient florès en remplaçant peu à peu les câbles avariés lors de la Grande Infection par des segments neufs enduits d'antibiotiques à battre en brèche les démons de l'enfer eux-mêmes et d'une collection de produits repoussants. Et surtout d'une odeur infâme : des biologistes français avaient, en effet, découvert que l'antique créosote des chiottes militaires de la guerre de 14 venait enfin à bout des bactéries abyssales. Mais on n'aurait pas fini fort avant dans le XXIe siècle de réparer les dégâts infligés à des millions de kilomètres de câbles. À Vladivostok, par exemple, les opérateurs de télécommunications trompaient, en jouant aux échecs, une inactivité promise jusqu'en 2005 ou 6 ou 10, qu'importait.

Finalement, on s'accommodait du désastre, ce qui posait à nouveau la question fondamentale formulée par l'Ecclésiaste en termes compliqués : le désastre n'est-il pas le désir terminal de l'homme ? Des centaines de milliers de gens de par le monde se félicitèrent donc quand Fritz Casper, prix Nobel de biologie, adressa à ses contemporains un message intitulé :

« De toute façon, les multimédias étaient contraires à la démocratie. »

L'argumentation était simple : la démocratie est fondée sur la réflexion et les multimédias sur l'absence de réflexion. Casper terminait son message en identifiant le consommateur de multimédias à un homme de Neandertal particulièrement abruti.

À New York, à Paris, à Milan, à Genève, les frénétiques qui avaient jadis rêvé de câbler jusqu'aux êtres vivants, pour leur infliger à longueur de vie le détail de l'information mondiale — publicités pour shampooings et travaux intérimaires, vacances aux Tropiques et laxatifs non huileux —, puis des fantasmes et des fadaises érotiques industriels, supportèrent l'attente avec un stoïcisme tout neuf. D'ici là ils seraient morts, alzheimériens ou prostatopathes. Et qu'avait-on donc, au fond, à câbler de si urgent ? Alexandre avait conquis le monde à la sueur des hommes et des chevaux, et nul n'avait encore oublié une guerre qui s'était déroulée à Troie, vingt-huit ou vingt-neuf siècles auparavant, sans autres moyens de communication que des messagers à demi nus. Mais les messagers avaient depuis longtemps cédé la place à des messageries informatiques vouées au commerce du dérisoire, du sexe synthétique, des informations médicales destinées au réconfort des mourants, des informations boursières faiseuses de papier-monnaie ou des renseignements encyclopédiques tellement abondants qu'ils tombaient en poussière dans l'esprit sitôt qu'on les avait absorbés.

Gagnant son lieu de travail à 8 h 45, comme à l'accoutumée, l'auguste directeur du grand Centre d'informations de France (CIF), à Rueil-Malmaison, tomba en arrêt sur les mots suivants, tracés au feutre bleu et primesautier par une main anonyme sur les murs du péristyle d'entrée : « Rappelez-vous les malheurs d'Ève, qui avait voulu goûter aux fruits de l'arbre du savoir ! L'information est le tombeau des âmes. Soyez informés et vieillissez sur-le-champ. » Cela le rendit pensif. Mais son humeur songeuse fut brutalement dissipée quelques minutes plus tard quand, ayant trouvé sur sa table une énigmatique boîte à chaussures, il en souleva le couvercle et en vit jaillir un serpent fort en colère. Le président fut trop ému pour identifier une couleuvre de l'Aveyron, et ses cris ameutèrent le Landernau. C'est que les facétieux s'obstinaient.

Les messageries de sexe virtuel vivotaient encore. L'ennui était que le niveau de séduction de la plupart des correspondants avait baissé de plusieurs crans. Un soir de désœuvrement, Anthony étant absent de Londres pour la soirée, Valerie avait tenté de reprendre contact, sur des bribes de réseau miraculeusement indemnes, avec ce que qu'Anthony appelait son Grand Succube électronique. Elle avait laissé défiler les visages et les corps des fornicateurs solitaires pendant un moment, puis un individu particulier l'avait figée d'horreur. Elle n'en avait jamais vu d'aussi répugnant. Ventre rond et membres grêles, un corps d'araignée à laquelle on aurait arraché deux pattes, un visage noirâtre et déformé par la sottise et le vice, souriant comme une pendule qui vient de manger le temps. Et exhibant un sexe rouge à faire fuir une jument. Elle avait poussé un petit cri et déconnecté le visiophone. Puis elle s'était versé un scotch bien tassé.

Elle attendit Anthony avec fièvre et décida de l'aimer sans mots. Sans mots et sans images.

Une campagne électorale législative survint en France sur ces entrefaites. Bouddhistes ou autres, il fallait bien que la République survécût, avec ses prêches, ses homélies, ses philippiques et ses catilinaires, ses vengeurs et contre-vengeurs, ses haruspices et ses rites propitiatoires destinés à complaire à la divinité triplice et fantasmagorique nommée Liberté-Égalité-Fraternité.

Le dimanche du vote, onze virgule soixante-seize pour cent des électeurs se déplacèrent vers les urnes ; le record absolu de l'abstention. Le Conseil d'État fut saisi de l'ampleur de cette impiété et, après une semaine de délibérations, invalida les résultats. Le public se moquait sans vergogne d'élire des représentants. Représentants de quoi, d'ailleurs ? Le gouvernement déconcerté reconduisit les députés dans leurs mandats, pour une durée indéterminée. Lesquels mandats ne représentaient d'ailleurs plus grand-chose.

« Souviens-toi, citoyen, que tu es d'abord biologique ! » clamait un pamphlet aussi laconique qu'énigmatique, qui joncha par centaines de milliers d'exemplaires les voies publiques des villes de l'ancien royaume. La crise déclenchée par les disciples de Bouddha n'avait duré que vingt-neuf jours, mais, dans les esprits, ses conséquences étaient infinies.

La désaffection de ce qu'on nommait savamment les « processus démocratiques » ne fut d'ailleurs pas spécifique à la France. Des féodalités de fait apparurent tacitement çà et là.

À Cardiff, par exemple, la population comprit au bout de quelques jours que le pouvoir policier, édilitaire et, bien sûr, politique, résidait dans les mains de ceux qu'on appelait les Cinq Sages : Ben Colliw, médecin plus enclin à la philosophie qu'à l'application des thérapeutiques, Elizabeth Ferren, infirmière bréhaigne, Tod Weller, tenancier de pub, Samantha Woolmaker, directrice d'un bureau de poste, et Samuel Boone, avocat retraité, porté sur la bière et les récitations éloquentes tirées de *Peines d'amour perdues*. Ils siégeaient tous les soirs chez Tod et réglaient les problèmes du voisinage. La police finit par venir leur demander conseil ; ce fut ainsi qu'ils décidèrent de faire emprisonner pour un an la vieille Marga Dryden, qui avait essayé d'assassiner sa bru.

À Cologne, ce fut une assemblée de douze hommes qui reprit les habitudes de l'antique sainte Vehme, en dépit des protestations du député local et des autorités politiques et financières. Se réunissant dans l'aile droite de la cathédrale de Cologne, ils décidèrent ainsi, et ce fut la première de leurs spectaculaires décisions, de faire emprisonner un banquier qui avait prêté à un commerçant plus d'argent que celui-ci n'en pouvait raisonnablement rembourser.

Ce nouveau genre d'assemblée spontanée ne se limitait pas au législatif, mais taquinait également l'exécutif. À Garges-lès-Gonesse, près de Paris, deux bandes de jeunes gens « composites », comme on disait, crurent, dans les vapeurs de l'ennui et du crack, que le champ était désormais libre et que la région leur appartenait. Saisis un soir par l'ivresse de la jeunesse, ils se livrèrent pour le plaisir à divers saccages ordinaires, détruisant voitures et commerces. Un conseil de citoyens estima que le temps était mûr pour une riposte dans le goût antique. Partis d'un cinéma où ils s'étaient réunis après dîner, quelque deux cents hommes et femmes, renforcés par des policiers reconvertis, écumèrent la ville, armés de gourdins de fortune, et administrèrent aux chenapans une raclée qui laissa ceux-ci pantois. Bien des jours plus tard, les dévoyés évoquaient encore la terreur que leur avait value l'apparition d'un front humain de bourges résolus, débouchant sur l'avenue Jean-Jaurès et fonçant à leur rencontre. La castagne avait été corsée, mais les délinquants y gagnèrent le goût de la réflexion.

À Marseille, une bande de trafiquants fut traitée moins poliment. Saisis au collet par des inconnus armés de matraques, ils se firent proprement étriper et jeter à la flotte avec leurs poudres, leurs herbes, leurs flingues et leurs costards trop amples. Dans les jours qui suivirent, quelques-uns, s'étant séchés, tentèrent de riposter à l'aide d'armes à feu. Une mère de famille ayant péri dans une échauffourée, la contre-riposte fut vive. Une milice de cinq cents Marseillais descendit derrière l'Opéra, où les marchands de songes tenaient d'ordinaire commerce, déboula dans les bars favoris des caïds, en assomma une poignée à coups de matraques et égailla leurs séides après leur avoir déchargé quelques volées dans l'abdomen. L'horreur des trafiquants qui survécurent fut extrême. Ils commencèrent par en appeler à la loi, qui les envoya paître, puis à leurs protecteurs ordinaires, qui s'avouèrent incapables de les secourir, et, comme ils renâclaient obstinément au repentir, ils se virent condamnés à la faim pure et simple : les restaurants, les crémiers et les marchands de volaille refusèrent de les servir, les blanchisseurs de les blanchir et les autobus de les convoyer, car on avait incidemment démoli leurs autos.

C'est ainsi qu'on vit le célèbre Jo le Rat, jadis roi de l'ecstasy et du trottoir, au volant d'une huit-cylindres que nul chauffeur ne voulait plus conduire, venir quémander deux paquets de beurre, douze œufs et un camembert auprès de Maggy Cassegrain, crémière de son état.

« Avec ton pognon, tu pouvais pas envoyer un domestique ? » demanda Maggy.

« J'ai plus d'domestique, Maggy. »

« T'as plus de domestiques, t'as plus de chauffeur, tu vas pas me faire pleurer, non ? Et tes lieutenants qui faisaient les fendants, l'autre mois, tu leur as filé des costards en béton ? »

« Taillés, Maggy, taillés, tous taillés ! Henri, tu te rappelles Henri, le plus fidèle, hein, eh bien, il est infirmier à l'hôpital de La Timone ! »

« Et Roméo Banane ? »

« Il fait le taxi, tu ne l'as pas vu ? »

« Et ta femme ? »

« Elle a peur de sortir. »

« T'as finalement du courage, Jo, de montrer ta tronche dans la rue. C'est pour ton courage que je vais te servir. »

Et quand elle l'eut servi et qu'elle eut placé sa marchandise dans un sac en plastique blanc, dont Jo le Rat se saisit avec gratitude, elle lui tendit un gros macaron de papier, un autocollant sur lequel on lisait : « Sous la protection de la crémerie Cassegrain. »

« Colle-le sur ton pare-brise, il ne t'arrivera rien sur le retour », dit Maggy.

EST-CE LA FIN DES SYSTÈMES POLITIQUES ?
demanda un éditorial d'un journal du soir, après qu'un président de conseil régional avait été dérouillé par des citoyens mécontents de ses gaspillages.

Cela fit rire plus d'un. Mais les rires ne duraient pas longtemps. Il fallait tout recommencer. Et surtout, il ne fallait pas recommencer la même chose.

Achevé d'imprimer en novembre 1995
sur presse CAMERON,
par Bussière Camedan Imprimeries
à Saint-Amand-Montrond (Cher)
pour le compte de France Loisirs, Paris

N° d'Édition : 26175. N° d'Impression : 4/933.
Dépôt légal : novembre 1995.

Imprimé en France